A

MW00389039

ramática
del español
lengua extranjera

edelsa

GRUPO DIDASCALIA, S.A.
Plaza Ciudad de Salta, 3 - 28043 MADRID - (ESPAÑA)
TEL.: (34) 914.165.511 - (34) 915.106.710
FAX: (34) 914.165.411
e-mail: edelsa@edelsa.es - www.edelsa.es

Primera edición: 2011

© Edelsa Grupo Didascalia, S. A. Madrid, 2011
Autores: Carlos Romero Dueñas y Alfredo González Hermoso

Dirección y coordinación editorial: Departamento de Edición de Edelsa.
Diseño de cubierta: Departamento de Imagen de Edelsa.
Maquetación de interior: Estudio Grafimarque, S. L.

Imprime: Pimakius.

ISBN: 978-84-7711-717-9
Depósito legal: M-1173-2011

Prólogo

«Los libros se escriben para todos, chicos y grandes, y no para solo los hombres de letras». RAE, T.1, p. XLV (El maestro Correas, *Arte de la lengua castellana*).

Es difícil dominar una lengua sin un estudio metódico de su gramática. El estudiante de español como lengua extranjera necesita disponer de una herramienta básica que presente y sistematice los puntos gramaticales y las estructuras fundamentales que ha adquirido de manera dispersa durante su aprendizaje. Ahora bien, hay que facilitarle la enseñanza ofreciéndole un libro sencillo, claro y práctico que aúne la norma y el uso, la teoría y la práctica, que presente las estructuras gramaticales necesarias para alcanzar el dominio de la competencia lingüística. Y ese es, sin duda, el objetivo esencial de esta **Gramática**.

Si bien la lengua española es siempre la misma, la presentación gramatical ha sido actualizada estos últimos años gracias a los nuevos materiales oficiales que se han ido publicando. Primero con el *Diccionario panhispánico de dudas* (2005) y con los *Niveles de referencia para el español* (el *Plan Curricular del Instituto Cervantes*, 2007); después con la *Nueva gramática de la RAE* (2009), aprobada y consensuada por las veintidós academias de la lengua española; y, por fin, con la nueva edición de la *Ortografía de la lengua española* (2010) que pone al día la de 1999.

Hemos tomado en cuenta las diferentes actualizaciones para que esta **Gramática** conjugue *tradición y novedad*.

Esta obra consta de dos partes. En la primera parte se explican las reglas de funcionamiento de la lengua, pero evitando la terminología compleja y la teorización excesiva. En este sentido, los criterios de claridad y efectividad prevalecen, a veces, sobre el *rigor científico*. Se presenta lo fundamental de un modo conciso y sencillo.

- Al principio de los capítulos, se ponen de relieve –a través de un cuadro-resumen– los puntos esenciales que luego se desarrollan en su interior de manera detallada. Cada aspecto y norma están ejemplificados con muestras extraídas de la vida cotidiana, con el fin de presentar las posibilidades comunicativas que los contenidos gramaticales ofrecen.
- Se han incorporado, en particular, los cambios ortográficos que han tenido lugar estos últimos años y que afectan, entre otras cuestiones, al nombre y número de las letras, a la acentuación de los monosílabos y a la consideración de los diptongos y los hiatos en algunos sustantivos y formas verbales.

- Se incluyen referencias constantes a las diferencias entre el español de España y el de América (como el voseo, la pronunciación de algunos sonidos, el uso de determinados pronombres o la distinta frecuencia de uso de adverbios, preposiciones y locuciones), que ayudan al alumno a familiarizarse con las diversas variantes del español, cada vez tenidas más en cuenta en su aprendizaje.
- Se ha hecho hincapié en las dificultades concretas que encuentra el estudiante en la adquisición del idioma, insistiendo en cuestiones como el *contraste indicativo/subjuntivo, ser y estar, por y para, la apócope,* etc.
- Para facilitar el aprendizaje y la consulta de los verbos se han incluido 35 tablas: las 3 primeras con el sistema regular de formación verbal, la 4 con el verbo *haber* (fundamental por la formación de los tiempos compuestos), y las otras 31 con los tiempos simples de los principales verbos que plantean problemas para el estudiante extranjero, y con una lista de todos aquellos que se conjugan como el verbo modelo.

La segunda parte de la gramática ofrece una amplia selección de los recursos para la comunicación que el hablante de una lengua necesita para desenvolverse en los diferentes contextos de la vida cotidiana. Consideramos que el estudio de la gramática no es un fin en sí mismo, sino que debemos utilizarla como instrumento para alcanzar una mejor competencia comunicativa. El objetivo final es desarrollar la capacidad de usar la lengua a partir de los recursos que uno necesita para decir o hacer cosas: *preguntar, relacionarse, dar y pedir información, expresar opiniones y estados de ánimo, proponer cosas,* etc.

Por último, y para que esta **Gramática** se pueda manejar con facilidad e interés, se ofrece al final del libro un índice temático. El usuario podrá consultar un punto gramatical específico, un contraste, una expresión, un verbo..., que le ayuden a resolver una duda concreta en el momento y con la rapidez que precise.

La mejor manera de poner en práctica y consolidar lo que uno ha aprendido es hacer los ejercicios adecuados. Por eso, en los diferentes capítulos, reenviamos a *Competencia gramatical en uso*, imprescindible manual de ejercicios y actividades basados en los *Niveles de referencia para el español* A1, A2, B1 y B2. Además, al final de cada uno de estos libros, el estudiante encontrará tests de autoevaluación para que pueda comprobar sus producciones y determinar la competencia gramatical adquirida.

Estamos convencidos de que esta **Gramática**, clara y práctica, que une la norma y el uso, constituirá una obra imprescindible para los estudiantes de español como lengua extranjera, tanto para los que comienzan como para los que profundizan en su estudio. Deseamos que les motive para superar los obstáculos gramaticales y alcancen una rápida progresión.

Los autores

Normas

Pronunciación y ortografía

Para practicar:
- *Competencia gramatical en uso* A1, páginas 90-95.

Capítulo 1
Las letras
y los sonidos

EL ABECEDARIO ESPAÑOL

LETRAS		NOMBRES DE LETRAS	PRONUNCIACIÓN
MAYÚSCULA	MINÚSCULA		
A	a	la a	[a]
B	b	la be	[b]
C	c	la ce	[θ] - [k]
D	d	la de	[d]
E	e	la e	[e]
F	f	la efe	[f]
G	g	la ge	[g] - [x]
H	h	la hache	no se pronuncia
I	i	la i	[i]
J	j	la jota	[x]
K	k	la ka	[k]
L	l	la ele	[l]
M	m	la eme	[m]
N	n	la ene	[n]
Ñ	ñ	la eñe	[ɲ]
O	o	la o	[o]
P	p	la pe	[p]
Q	q	la cu	[k]
R	r	la erre	[r̄] – [r]
S	s	la ese	[s]
T	t	la te	[t]
U	u	la u	[u]
V	v	la uve	[b]
W	w	la uve doble	[gu] - [b]
X	x	la equis	[ks] - [s]
Y	y	la ye	[y] - [i]
Z	z	la zeta	[θ]

g Capítulo 1 Las letras y los sonidos

A. EL ABECEDARIO ESPAÑOL

1. Consta de veintisiete letras. El nombre de las letras es femenino.

2. Las letras y los sonidos específicos del español corresponden a **ch, ll, ñ**.

3. En español hay cinco dígrafos (dos letras que representan un solo sonido): **ch, ll, gu, qu** y **rr**. No se clasifican en el diccionario con entradas independientes. Van colocadas en el orden alfabético correspondiente. La **ñ** sí tiene entrada como letra independiente después de la **n**.

4. Las consonantes no se doblan, salvo **c, n, l** y **r**: *sección, innumerable, paella, perro*.

B. LA PRONUNCIACIÓN Y LA ORTOGRAFÍA DE ALGUNAS LETRAS PARTICULARES

1. **b** y **v**
Las letras **b** (be) y **v** (uve) representan el mismo sonido y se pronuncian **[b]**.
   Bolivia   *Valencia*

   La letra **b** a final de sílaba tiende a pronunciarse **[p]** en todos los casos excepto delante de los sonidos **[θ]** y **[s]**.
   obtuso [o**p**tuso]

2. **c**
La letra **c** (ce) se pronuncia **[θ]** delante de las vocales **e, i**.
   cenicero   *cinco*

   > **El seseo:** en algunas zonas de la Península Ibérica, Islas Canarias y toda Hispanoamérica, el sonido **[θ]**, se escriba con **c** o con **z**, se pronuncia como el sonido **[s]**. Este fenómeno se conoce con el nombre de *seseo*.

   La letra **c** (ce) se pronuncia **[k]** delante de las vocales **a, o, u** y delante de las consonantes.
   caza   *cosa*   *cuna*   *cráter*   *claro*

   El grupo **cc** está formado por dos sonidos. La primera **c** representa el sonido **[k]** y la segunda, el sonido **[θ]**.
   sección [sekθión]

El dígrafo **ch** representa un solo sonido y se pronuncia **[ĉ]**.
muchacho

3. d

La letra **d** (de) se pronuncia **[d]**.
dedo

La letra **-d-** entre vocales que aparece en la última sílaba de algunas palabras se elimina a veces en el lenguaje conversacional. Esto ocurre sobre todo en los participios, adjetivos y sustantivos terminados en **-ado**.
cantado [cantao]   *tejado* [tejao]

La **-d** final de palabra se pronuncia como una **d** relajada en la lengua culta estándar.
juventuᵈ   *verdaᵈ*

Pero en el lenguaje coloquial esta **-d** tiene diferentes pronunciaciones según las zonas geográficas:
– Se omite la **-d**:   [verdá]   [salú]   [usté]
– Se pronuncia **[θ]**:   [verdaθ]   [saluθ]   [usteθ]
– Se pronuncia **[t]**:   [verdat]   [salut]   [ustet]

Muchos hablantes pronuncian la **-d** final de los imperativos de segunda persona del plural como **[r]**. Este error debe evitarse.
cantad y no* *cantar*

4. f

La letra **f** (efe) se pronuncia **[f]**.
fácil   *difícil*

5. g

La letra **g** (ge) se pronuncia **[x]** delante de las vocales **e, i**.
gente   *gira*

La letra **g** (ge) se pronuncia **[g]** delante de cualquier otro sonido.
gato   *goma*   *guapo*   *signo*   *gracias*   *globo*

El dígrafo **gu** se pronuncia **[g]** delante de las vocales **e, i**.
guerra [gerra]   *guisante* [gisante]

Se escribe **gü** delante de **e, i** para indicar que la **u** se pronuncia:
vergüenza   *pingüino*

6. h

La letra **h** (hache) no representa ningún sonido.

7. **j**

   La letra **j** (jota) se pronuncia siempre **[x]**.
   jardín

   Casos especiales:
   - Hay muy pocas palabras que tengan el sonido **[x]** al final. En general, pierden ese sonido en el habla coloquial.
        reloj [reló]
   - En algunas palabras de origen extranjero, la **j** se pronuncia como si fuera **[y]**.
        jaguar   *judo*   *júnior*

8. **l**

   La letra **l** (ele) se pronuncia siempre **[l]**, pero el dígrafo **ll** se pronuncia **[ḽ]**.
   calle

   El yeísmo: la mayor parte de los hablantes de español pronuncian igual el sonido **[ḽ]** y el sonido **[y]**. Los dos sonidos los pronuncian como **[y]**. Es el fenómeno del *yeísmo*.

   Se pronuncian igual: *calló/cayó*   *valla/vaya*

   ---

9. **ñ**

   La letra **ñ** (eñe) se pronuncia **[ṇ]**.
   año

10. **p**

    La letra **p** (pe) se pronuncia **[p]**.
    papá

    La letra **p** a final de sílaba tiende a pronunciarse **[b]** ante los sonidos **[θ]** y **[s]**.
    opción [obθión]   *cápsula* [kábsula]

    En los demás casos se pronuncia **[p]**.
    apto [apto]

    En el grupo **-pt-** en el habla correcta, debe pronunciarse siempre la **p**, aunque en algunas palabras se admite también su omisión.
    septiembre o *setiembre*

11. **q**

    Siempre forma un dígrafo **(qu)** y se pronuncia **[k]** delante de las vocales **e, i**.
    queso   *quizás*

12. **r**

    La letra **r** (erre) se pronuncia **[r]** simple entre vocales, delante de consonante, detrás de consonante (excepto **s, l** y **n**) y a final de palabra.
    pera   *verde*   *abril*   *cantar*

Se pronuncia **[r̄]** múltiple a principio de palabra, detrás de las consonantes **s, l, n** y detrás de la consonante **b** cuando no forma sílabas con ella.
roca   alrededor   subrayar

El dígrafo **rr** se pronuncia **[r̄]** múltiple.
perro

13. s

La letra **s** (ese) se pronuncia **[s]** en cualquier posición.
solo   oso   país

14. t

La letra **t** (te) se pronuncia **[t]**.
tarde   patio   letra

15. w

La letra **w** (uve doble) es muy poco frecuente en español.
• Se pronuncia **[b]** en nombres propios procedentes del alemán.
Wagner   Watt
• Se pronuncia **[u]** o **[gu]** en palabras de origen inglés.
Washington

Pero en palabras totalmente incorporadas al español, esta letra se ha sustituido por **v**, y se pronuncia **[b]**.
vagón (wagon)

16. x

La letra **x** (equis) se pronuncia **[ks]** entre vocales y **[s]** a principio de palabra y delante de consonante.
examen [eksamen]   *xilófono* [silófono]   *externo* [esterno]

17. y

La letra **y** (ye) puede representar dos sonidos diferentes:
• El sonido consonántico **[y]** en posición inicial o interior de palabra.
yo   yate   ayer
• El sonido vocálico **[i]** en posición final de palabra o cuando va sola.
ley   soy   y

18. z

La letra **z** (zeta) se pronuncia **[θ]**.
zapato   zona   zumo   azteca   cruz

No se suele utilizar, salvo en algunas raras ocasiones, delante de **e** o **i**.
zepelín   zigzag   Ezequiel   Nueva Zelanda

El **seseo** también afecta a esta letra (ver punto 2).

Gramática del español lengua extranjera

Capítulo 2
Reglas
de acentuación

Para practicar:
– *Competencia gramatical en uso* A1, páginas 96-1◖

EL ACENTO DE INTENSIDAD

En todas las palabras de más de una sílaba, una de ellas se pronuncia más fuerte: es el acento de intensidad o tónico.

*ca*ra   pa*pel*

EL ACENTO GRÁFICO O TILDE

- Las palabras terminadas en **vocal**, **N** o **S** llevan el acento tónico en la penúltima sílaba. De no ser así, llevan tilde en la sílaba donde se encuentra el acento tónico.

  *hom*bre   vo*lu*men   *li*bros   sa*lón*   ca*fé*   in*glés*

- Las palabras terminadas en consonante salvo **N** y **S** llevan el acento tónico en la última sílaba. De no ser así, llevan tilde en la sílaba donde se encuentra el acento tónico.

  pa*red*   a*yer*   re*loj*   *mó*vil   *ál*bum   a*zú*car

- Las palabras que llevan el acento en la antepenúltima o en la anterior a la antepenúltima sílaba llevan siempre tilde.

  o*cé*ano   *jó*venes   es*crí*beselo   *cuén*tanosla

EL DIPTONGO Y EL TRIPTONGO

- El diptongo es la unión de dos vocales en una misma sílaba. Se produce el diptongo solo si una de las vocales es una **i** o una **u**.

  *ai*re   *au*la   *cui*dado

- El triptongo es la unión de tres vocales en la misma sílaba.

  estu*diáis*

EL HIATO

El hiato es el encuentro de dos vocales que se pronuncian en sílabas distintas.

*le-e*r   *rí-o*

LA ACENTUACIÓN GRÁFICA DE LOS MONOSÍLABOS

- Como regla general, los monosílabos no llevan tilde.

  fe   *pie*   *guion*

- Algunos llevan tilde para distinguirse de otros que se escriben igual pero que tienen diferente significado o función gramatical.

  él (pronombre)   *el* (artículo)

A. LA DIVISIÓN DE LAS PALABRAS EN SÍLABAS

1. Una consonante entre dos vocales se une con la segunda vocal.
   mo-ne-da

2. Si hay dos consonantes juntas entre dos vocales, la primera consonante se une con la vocal anterior y la segunda, con la vocal siguiente. Pero los grupos cuyo segundo elemento es **l** o **r** no se separan.
   in-mor-tal   *pre-fe-ri-ble*

3. En un grupo de tres consonantes, las dos primeras se unen con la vocal precedente y la tercera con la vocal siguiente.
   trans-por-te

   Excepto si la tercera consonante es una **l** o una **r**.
   com–pli–ca–do   *ex–tran–je–ro*

4. Para partir una palabra al final de una línea, no se deben separar los dígrafos **ch**, **ll**, **rr**, **gu**, **qu**.
   mu-cho   *ca-lle*   *tie–rra*   *á-gui-la*   *a–quel*

5. No se separan los grupos de vocales que forman diptongo o triptongo, pero sí se separan los que forman hiato.
   rei-na   *Pa-ra-guay*   *fe-o*

B. EL ACENTO DE INTENSIDAD O TÓNICO

1. En todas las palabras de más de una sílaba, una de ellas se pronuncia más fuerte: es el acento de intensidad o tónico.
   *ca*ra   *pa*pel

2. Todas las palabras tienen un acento de intensidad. La sílaba que se pronuncia más fuerte se llama **sílaba tónica** o acentuada. La que no lleva acento se llama **sílaba átona** o inacentuada.

3. Para señalar la sílaba tónica de una palabra, se utiliza a veces el acento gráfico u ortográfico, llamado **tilde** (´), que se coloca sobre la vocal de la sílaba tónica según reglas establecidas.
   *mú*sica   *ra*zón

C. EL ACENTO GRÁFICO EN PALABRAS DE MÁS DE UNA SÍLABA

1. Las palabras terminadas en **vocal**, **N** o **S** llevan el acento tónico en la penúltima sílaba. De no ser así, llevan tilde en la sílaba donde se encuentra el acento tónico.
   hermano   *cantaban*   *señores*   *cajón*   *sofá*   *además*

Gramática del español lengua extranjera

2. Las palabras terminadas en **consonante** salvo **N** y **S** llevan el acento tónico en la última sílaba. De no ser así, llevan tilde en la sílaba donde se encuentra el acento tónico.

    *pa**pel***   *fe**liz***   *escri**bir***   *di**fí**cil*   *lá**piz***   ***cés**ped*

3. Las palabras que llevan el acento en la antepenúltima o en la anterior a la antepenúltima sílaba siempre llevan tilde.

    *sí**laba***   ***ár**boles*   *pre**gún**taselo*   ***cuén**temelo*

D. EL ACENTO GRÁFICO DE LOS DIPTONGOS Y LOS TRIPTONGOS

1. El diptongo es la unión de dos vocales en una misma sílaba. Se produce el diptongo solo si una de las vocales es una **i** o una **u**.

    *ai**re***   ***au**la*   ***agua***   ***pie***   *ru**ido***

La **h** intercalada entre dos vocales no impide que se forme diptongo.

    *pro**hi**bir*

2. El triptongo es la unión de tres vocales en la misma sílaba. Se produce el triptongo solo cuando una **a**, **e** o una **o** está entre dos vocales **i, u**.

    *uei: **buey***   *iai: estu**diáis***   *uau: **guau***   *uai: Urug**uay***

Cualquier otra combinación de tres vocales no forma diptongo.

    antiaéreo: an-tia-é-re-o

3. Las palabras con diptongo y triptongo llevan tilde cuando lo exigen las reglas de la acentuación.

    a) Cuando hay una **i** o una **u**, la tilde se coloca en la otra vocal.

        *adi**ós***   *ná**utico***   *estudi**áis***   *esqui**éis***

    b) Cuando solo hay una **i** y una **u**, la tilde se pone en la segunda.

        *cu**í**date*   *conclu**í***   *intervi**ú***

E. EL HIATO

1. El hiato es el encuentro de dos vocales que se pronuncian en sílabas distintas porque son iguales, o una de ellas no es una **i** o una **u**, o cuando hay un acento sobre la **i** o la **u**.

    *le-**er***   *chi-**i**-ta*   *co-rre-**o***   *Ma-**rí**-a*   *rí-**o***   *flú-**or***

El hiato también se produce aunque haya **h** intercalada entre las dos vocales.

    *a-za-**har***   *ve-**hí**-culo*   *bú-**ho***

2. El diptongo y el triptongo se rompen en dos sílabas distintas cuando el acento tónico cae en la **i** o la **u** y se pone tilde sobre esta vocal.

    *tenía: te-**ní**–a*   *comíais: co–**mí**–ais*

g

F. EL ACENTO GRÁFICO DE LOS MONOSÍLABOS

1. Como regla general, los monosílabos no llevan tilde.

   fe   *pie*   *bien*   *dio*   *vi*   *sol*

2. Algunas palabras monosílabas llevan tilde para distinguirse de otras que se escriben igual pero que tienen diferente significado o función gramatical.

   dé (del verbo dar)   *de* (preposición)
   él (pronombre)   *el* (artículo)
   más (adverbio)   *mas* (= *pero*)
   mí (pronombre)   *mi* (adjetivo posesivo)
   sé (de los verbos *saber* y *ser*) *se* (pronombre)
   sí (adverbio y pronombre)   *si* (conjunción)
   té (bebida)   *te* (pronombre)
   tú (pronombre)   *tu* (adjetivo posesivo)

3. La palabra **aun** no lleva tilde cuando significa «incluso» o «también». Y lleva tilde cuando significa «todavía».

   Aun *vestida así, nunca ganará el premio.*   **Aún** *estoy esperando.*

4. Los **interrogativos** y **exclamativos** llevan tilde siempre: *qué, quién (quiénes), cuál (cuáles), cuánto (cuánta, cuántos, cuántas), cuándo, dónde, cómo* (ver capítulo 13). Introducen enunciados interrogativos y exclamativos.

   *¿**Dónde** vas?*   *¡**Qué** bonito!*

   Introducen también oraciones interrogativas y exclamativas indirectas.

   *Ya no sé **qué** hacer.*

G. EL ACENTO GRÁFICO EN PALABRAS COMPUESTAS

1. Las palabras compuestas con guion conservan la tilde de sus componentes.

   físico + químico = físico–químico   *histórico + artístico = histórico–artístico*

2. Las palabras formadas por un verbo y uno o varios pronombres pospuestos llevan tilde o no de acuerdo con las normas generales de acentuación.

   di + se + lo = díselo   *dé + les = deles*

3. Los adverbios terminados en **–mente** conservan la tilde si el adjetivo del que proceden la tenía. A efectos de pronunciación, estos adverbios tienen dos sílabas tónicas (una en el primer elemento y otra en la terminación **–mente**).

   fácil + mente = fácilmente   *tímida + mente = tímidamente*

Gramática del español lengua extranjera

Capítulo 2 Reglas de acentuación

H. EL ACENTO GRÁFICO EN LETRAS MAYÚSCULAS

1. Las letras mayúsculas deben llevar tilde si lo exigen las reglas de acentuación.
Álvaro   *África*   *Úrsula*

2. No se acentúan, sin embargo, las letras mayúsculas que forman parte de las siglas.
OTAN

Capítulo 3
Signos de puntuación

Punto	.	Signos de exclamación	¡ !
Coma	,	Paréntesis	( )
Punto y coma	;	Corchetes	[ ]
Dos puntos	:	Guion	-
Puntos suspensivos	...	Raya	—
Signos de interrogación	¿ ?	Comillas	« »

g Capítulo 3 Signos de puntuación

A. EL PUNTO

1. El punto se usa:
   - Al final de una frase, y se llama **punto y seguido**.
   - Al final de un párrafo, y se llama **punto y aparte**.
   - Al final de un texto, y se llama **punto final**.
   - Para marcar el final de una abreviatura.
     Sr. (señor)   *Dra. (doctora)*

2. Después de punto, la palabra siguiente comienza por mayúscula.

B. LA COMA

Los principales casos en los que se utiliza la coma son los siguientes:

- Entre los términos de una enumeración salvo cuando van precedidos de las conjunciones **y**, **e**, **o**, **u**.
  Conchita, Ángel, Ramón y Mercedes no vendrán a la cena.

- Delante y detrás de determinados enlaces como *es decir, o sea, a saber, pues bien, ahora bien, en primer lugar, por último, además, con todo, sin embargo, no obstante,* etc.
  Pienso lo mismo que tú, o sea, que no hay problema.

- Para aislar los vocativos, es decir, los sustantivos que sirven para llamar al interlocutor.
  Mira, chico, ¡qué cosa más bonita!

- Para reemplazar a un verbo que se ha mencionado antes.
  Su suegro paga la mitad y él, la otra mitad.

- Cuando la conjunción **y** equivale a **pero**.
  Se sentó aquí, y no dijo nada.

- En cartas y documentos, entre el lugar y la fecha.
  Valladolid, 21 de febrero de 2011

- En España, en las direcciones, entre la calle y el número de la casa.
  Calle Mayor, 18

C. EL PUNTO Y COMA

1. Indica una pausa mayor que la de la coma con una entonación claramente descendente.

2. Se utiliza principalmente en los casos siguientes:

- Para separar los elementos de una enumeración formados por oraciones que ya llevan comas.

  Hablaron primero los alumnos; luego, los profesores; por fin, el director.

- Para separar oraciones independientes que guardan relación entre sí.

  Los chicos gritaban al ver a sus padres; estos lloraban de alegría.

- Delante de ciertas conjunciones (*pero, aunque, sin embargo, por tanto, por consiguiente*, etc.) en una oración larga.

  Hace demasiado calor para pasear; por consiguiente, me quedo en casa.

D. LOS DOS PUNTOS

1. Indican una pausa mayor que la de la coma con una entonación descendente. Paran el discurso oral para llamar la atención sobre lo que sigue.

2. Se utilizan principalmente en los siguientes casos:

- Delante de una enumeración.

  Fuimos todos a la fiesta: Pedro, Juan y Amelia.

- Después de las fórmulas de saludo en las cartas y documentos.

  Estimada señora:

- Delante de una cita de un texto.

  Ya sabes lo que dice el refrán: «Cuando el gato no está, los ratones bailan».

- Delante de una explicación.

  Fíjate cómo llegó: cansado, sucio y muerto de hambre.

E. LOS PUNTOS SUSPENSIVOS

1. Los puntos suspensivos (tres puntos únicamente) indican una pausa con una entonación en suspenso.

2. Se utilizan principalmente en los siguientes casos:

- Para dejar el enunciado incompleto y en suspenso.

  Entonces se acercó a mí, me cogió el brazo y...

- Para evitar repetir la cita completa o dejar algo interrumpido.

  De gustos y colores...

- Para expresar duda o vacilación antes de lo que se va a decir.

  No sé qué hacer... Decírselo todo o callarme.

- Al final de enumeraciones incompletas, con el mismo valor que la palabra *etcétera*.

  Sobre la mesa tenía de todo: bolígrafos, tijeras, papeles...

F. LOS SIGNOS DE INTERROGACIÓN Y EXCLAMACIÓN

Los signos de interrogación y exclamación son signos dobles: un signo de apertura y otro de cierre. Se ponen al principio y al final de las oraciones interrogativas y exclamativas (ver capítulo 28, apartado D y E).

¿Cómo te llamas? *¡Qué sorpresa!*

G. LOS PARÉNTESIS

Se utilizan para insertar en un enunciado una información o un inciso.

Estuve en Lerma (Burgos).

H. LOS CORCHETES

1. Se utilizan como los paréntesis, para introducir información complementaria o aclaratoria. Se ponen dentro de un enunciado que va entre paréntesis cuando es necesario incluir una aclaración o información complementaria.

   La exposición estará abierta toda la semana de 10 h a 19 h (excepto el domingo [10 h a 15 h]).

2. Se usan tres puntos entre corchetes para indicar, cuando se transcribe un texto, que se ha omitido una parte de él.

   Estuvo a punto de entrar [...] entonces se dio cuenta de que iba a hacer una tontería.

I. EL GUION

Se usa:

- Para crear compuestos ocasionales uniendo dos sustantivos.

  El niño-rey

- Para unir dos gentilicios. Pero también pueden escribirse sin guion.

  Las relaciones franco-alemanas. (O también *las relaciones franco alemanas*)

- Para unir dos adjetivos referidos a un mismo sustantivo.

  Es un texto científico-técnico.

J. LA RAYA

1. Es un signo de puntuación representado por un trazo horizontal (—) de mayor longitud que el guion (-).

2. Se utiliza principalmente en los siguientes casos:

- Para aislar aclaraciones o incisos (igual que la coma o los paréntesis).

  La economía nacional —en claro crecimiento— depende de las exportaciones.

- Para indicar la intervención de los personajes en los diálogos de los relatos sin tener que poner el nombre.

  —¿Se lo dijiste?
  —Claro que se lo dije.

- Cuando las palabras del narrador interrumpen la intervención del persona-je y esta continúa inmediatamente después. Se escriben dos rayas, una de apertura y otra de cierre.

  —No se lo digas, por favor —replicó Pilar—. No se lo digas.

  (No se necesita poner una raya de cierre cuando las palabras del personaje no continúan después del comentario del narrador)

K. LAS COMILLAS

1. Existen comillas de apertura y comillas de cierre.

2. Se utilizan en los casos siguientes:

- Para indicar que una palabra o expresión se dice irónicamente o con un sentido especial.

  Si eres tan «discreto» como siempre, todos lo sabrán.

- Para encerrar una cita de una obra literaria.

  «Hacia 1951 creeré haber fabricado un cuento fantástico y habré historiado un hecho real». Jorge Luis Borges, El Aleph.

- Para citar títulos de artículos dentro de una publicación.

  Ha publicado un valioso artículo: «La nostalgia del futuro».

Grupo nominal

Para practicar:
– *Competencia gramatical en uso* A1, páginas 16-19.
– *Competencia gramatical en uso* A2, páginas 4-7.
– *Competencia gramatical en uso* B1, páginas 10-15.
– *Competencia gramatical en uso* B2, páginas 134-135.

Capítulo 4
Los artículos

	EL ARTÍCULO DETERMINADO		EL ARTÍCULO INDETERMINADO	
	Singular	Plural	Singular	Plural
Masculino	**el** *el cuadro*	**los** *los cuadros*	**un** *un cuadro*	**unos** *unos cuadros*
Femenino	**la** *la casa*	**las** *las casas*	**una** *una casas*	**unas** *unas casas*

LA CONTRACCIÓN DEL ARTÍCULO		
a + el	**al**	*Voy ~~a el~~ cine.* *al*
de + el	**del**	*Vengo ~~de el~~ parque.* *del*

EL/UN EN LUGAR DE LA/UNA
Delante de sustantivos femeninos en singular que empiezan por **a-** o **ha-** tónica:
> *el/un águila   el/un hacha*

Pero: *Las águilas, unas hachas*
> *La hermosa águila, una gran hacha...*

EL ARTÍCULO NEUTRO LO
- **Lo** + *adjetivo/participio* = expresa cualidades o ideas abstractas.
  > **Lo** *divertido de una fiesta es que conoces gente.*
- **Lo** + *adjetivo/adverbio* + **que** = da más intensidad al adjetivo.
  > *¡Hay que ver* **lo** *guapa* **que** *estás!*
  > *No sabes* **lo** *mucho* **que** *te quiero.*
- **Lo de**
  - + *nombre propio* = «el asunto de».
    > **Lo de** *Isabel es muy serio.*
  - + *infinitivo* = «el hecho de».
    > *Me encanta* **lo de** *ir de compras.*
- **Lo que** + *verbo* = «eso que».
  > **Lo que** *dices no es cierto.*

Capítulo 4 Los artículos

A. LOS USOS DEL ARTÍCULO

1. **Se utiliza siempre delante de los sustantivos.**
   *En **los** libros están todas **las** historias.*
   *He visto pasar **un** coche con **unas** luces rojas.*

   Excepto: delante de nombres de persona, continentes, países, etc.
   Sonia tiene veinte años.
   Ahora es invierno en Europa.

2. **Delante de señor/señora, doctor/doctora** (+ *nombre*) + *apellido*.
   ***La** señora Sánchez saldrá en unos minutos.*

   Excepto cuando hablamos directamente con la persona.
   Buenos días, señora Sánchez.

3. **Para indicar la hora.**
   *Son **las** tres de la tarde.*

4. **Para indicar los días de la semana.**
   ***Los** lunes y **los** miércoles voy a la piscina.*
   *Nos conocimos **un** domingo por la tarde.*

   Excepto con el verbo **ser**.
   Hoy es sábado.

5. **Con nombres de profesión, para añadir una cualidad.**
   *Ricardo es **el** actor de moda en Argentina.*
   *García Márquez es **un** escritor de gran talento.*

   Excepto: cuando solo informamos de la profesión, nacionalidad e ideología de una persona.
   Manuel es médico.
   Marta es peruana.
   Soy socialista.

6. **Con las partes del cuerpo u objetos que nos pertenecen.**
   *Mi hijo tiene **los** ojos azules.*
   *Me quité **las** botas al llegar.*

7. **Con el verbo gustar.**
   *Me gusta **la** comida picante.*
   *Me gusta **un** chico de mi clase.*

Gramática del español lengua extranjera

B. EL CONTRASTE ENTRE EL ARTÍCULO DETERMINADO Y EL INDETERMINADO

El artículo determinado	El artículo indeterminado
1. Cuando hablamos de alguien o algo conocido o del que ya hemos hablado antes. • *La presidenta está en su despacho.* • *¿Y dónde está **el** despacho?*	1. Cuando hablamos de alguien o algo por primera vez. *Ayer fui a **un** dentista muy bueno.* *Me he comprado **unos** zapatos negros.*
2. Para generalizar, cuando nos referimos a todas las personas, animales u objetos de una clase. ***Las** revistas se venden en **los** quioscos.* ***El** delfín es un pez muy simpático.*	2. Para generalizar, cuando nos referimos a cualquier persona, animal u objeto como representativo de una clase. ***Un** perro es más cariñoso que **un** gato.* ***Una** planta decora más que **una** figura.*
3. Cuando hablamos de alguien o algo único. ***El** coche de Lidia es más grande.* (Lidia tiene solo un coche)	3. Cuando hablamos de alguien o algo como parte de un grupo. *Lidia tiene **un** coche en el garaje.* (Lidia tiene varios coches)
4. Con los verbos **estar** y **gustar**. *¿Dónde está **la** mesa pequeña?* *No me gustan **los** lunes.*	4. Con el verbo **haber**. *Ayer había **un** ratón en mi habitación.*
5. Obligatoriamente después de **todos/ todas**. *Me sé todas **las** canciones de Shakira.*	5. Con valor aproximativo. *Tengo **unas** diez camisas sin estrenar.*

C. LA PRESENCIA Y LA AUSENCIA DEL ARTÍCULO

1. Con sustantivos comunes se utiliza siempre el artículo, excepto:

- Delante de los sustantivos que forman un complemento de otro sustantivo con la preposición **de**.
  la escalera de incendios   *un teléfono de urgencias*
  el libro de cocina   *una mina de oro*

- Cuando hablamos de una clase de personas o de objetos, no de personas u objetos concretos.
  Necesito sal.   *¿Venden juguetes?*
  Estoy buscando novio.   *En este pueblo no hay hospital.*

- Delante de **señor/señora**, **don/doña** y **doctor/doctora** cuando nos dirigimos a esas personas.

    Encantado, señor Pérez.   *Señora Sanz, ¿puede venir, por favor?*

- Con el verbo **ser** y los días de la semana para indicar la fecha. Y con los meses del año.

    Hoy es domingo, 3 de julio.

- Con el verbo **hacer** y actividades deportivas y de ocio.

    Hago deporte, atletismo, pintura…

- Con la palabra **casa** cuando nos referimos al lugar donde uno vive.

    Llámale ahora mismo, está en casa.

- Con las palabras **clase** y **misa** si se usan con los verbos **haber** y **estar** o con un verbo de movimiento.

    Saldré de clase a las tres.   *¿Vas a misa los domingos?*
    Hoy no hay clase de español.   *Mi madre está en misa.*

2. Con sustantivos propios no se utiliza nunca el artículo, excepto:

- **Los** + *apellidos* para referirse a las personas de una misma familia.

    Los Sánchez son un matrimonio muy amable.

- Con los ríos, montes, mares y océanos.

    el (río) Orinoco, *el* (mar) Mediterráneo,
    los (montes) Andes, *las* (islas) Filipinas

- Con los nombres de algunos países.

    la Argentina, *el* Ecuador, *los* Estados Unidos

- Con los nombres de personas, ciudades y países seguidos de complemento o con un adjetivo delante.

    el gran Rafael Nadal
    el Buenos Aires del siglo xxi
    la España de Carlos I

- En Chile suele usarse de forma habitual delante de nombres de mujer.

    la Patricia Verdugo

D. LA CONTRACCIÓN DEL ARTÍCULO

1. Las preposiciones **a** y **de** seguidas del artículo masculino singular (**el**) forman las contracciones **al** y **del**.

    *Voy **al** médico esta tarde.*   *Este es el coche **del** presidente.*

2. Cuando el artículo forma parte de un nombre propio no se realiza la contracción.

    *Voy de vacaciones a **El** Salvador.*   *Es una noticia de **El** País.*

3. Tampoco se realiza la contracción cuando el artículo forma parte del título de una obra (un libro, una película, un cuadro...).

   Haz un resumen de El coronel no tiene quien le escriba.

E. *EL/UN* EN LUGAR DE *LA/UNA*

1. Los artículos **la/una** (femenino y singular) se cambian por **el/un** cuando van seguidos de un sustantivo femenino que comienza por **a-** o **ha-** tónica.

el/un aula	*el/un águila*	*el/un arma*
el/un hacha	*el/un hada*	

2. No cambian:

   - Con los artículos en plural.

     unas aguas cristalinas   *las hadas madrinas*

   - Con el nombre de las letras.

     la a   *la hache*

   - Con los nombres propios de mujer cuando llevan artículo.

     Me gustaba la Ana Martín de la primera época, cantaba mejor.

   - Si entre el artículo y el sustantivo va un adjetivo.

     una pequeña aula   *una peligrosa arma*

F. OTROS USOS DEL ARTÍCULO

1. Se usan **el**, **la**, **los**, **las** seguidos de un **adjetivo** cuando se sabe de qué cosa hablamos.

   - *¿Me dejas un bolígrafo?*
   - *¿Cuál quieres?*
   - *El azul, por favor.*

2. El artículo **el** puede ir seguido de un **infinitivo** con el significado de «el hecho de + infinitivo».

   Me cansa el ir y el venir continuamente.
   (= Me cansa el hecho de ir y venir continuamente)

3. El artículo **el** puede ir seguido de **que** + *oración* con el significado de «el hecho de que». En estos casos el artículo puede suprimirse.

   (El) que llores no va a servirte de nada.
   (El hecho de que llores no va a servirte de nada)

G. EL ARTÍCULO CON OTROS DETERMINANTES (POSESIVOS, DEMOSTRATIVOS, INDEFINIDOS...)

1. Los posesivos y los demostrativos no pueden ir junto a los artículos, pero sí detrás del nombre.

   unos ~~mis~~ compañeros —— unos compañeros míos
   estos ~~los~~ animales —— los animales estos

2. Los indefinidos no se pueden combinar con los artículos, excepto:
   - **Todo/a/os/as** + *artículo determinado.*   ·   **todos los** profesores
   - **Todo, toda** (en singular) + *artículo determinado.*   ·   **toda una** aventura
   - *Artículo determinado* + **otro/a/os/as.**   ·   **los otros** libros
   - *Artículo determinado* + **demás.**   ·   **las demás** llamadas

H. LOS USOS DE *LO*

1. El artículo neutro **lo** nunca va delante de un sustantivo. Se utiliza con adjetivos y participios para expresar cualidades abstractas. El adjetivo siempre va en masculino singular.

   *Dieron a conocer **lo nuevo**.*   *(= La novedad)*
   ***Lo divertido** es bailar.*   *(= La diversión)*
   *Ya no podemos recuperar **lo enviado**.*   *(= El envío)*

2. Entre el artículo neutro y el adjetivo pueden ir adverbios de cantidad.

   *Dieron a conocer **lo (más) nuevo**.*
   *Solo le gusta **lo (muy) elegante**.*

3. Sirve para marcar o insistir en una cualidad de algo o de alguien.

   ***Lo interesante** de un cuento para niños es la moraleja.*

4. Con algunos adjetivos equivale a «la parte de».

   *En **lo alto** de la montaña hay un nido de águilas.*
   *Hay peces que viven en **lo (más) profundo** del océano.*

5. Puede indicar una serie de cosas que poseen la misma cualidad.

   *Me interesa todo **lo antiguo**. (= Las cosas antiguas)*

6. La estructura **a lo** + *adjetivo gentilicio* equivale a «a la manera de».

   *Iban vestidos **a lo mexicano**.*

7. Para destacar una cualidad se utiliza **lo** + *adjetivo* + **que**. Normalmente el adjetivo va en masculino singular, pero también puede ir en femenino o en plural con un valor enfático en el habla coloquial.

   *¡Madre mía! **Lo alta que** está esta niña ya.*
   *Hay que ver **lo deliciosos que** están estos pasteles.*

8. En estos casos, el artículo **lo** también puede acompañar a un adverbio.

Me sorprendió lo bien que se encontraba.
Ya no recordaba lo lejos que está tu casa.

9. Lo de sirve para referirnos a algo ya dicho o que creemos que conoce nuestro interlocutor. Suele tener el mismo significado que «el asunto de».

- **Lo de** + *nombre propio.*

  ¿Te han contado lo de Miguel?

- **Lo de** + *artículo/posesivo* + *sustantivo.*

  Lo de la reunión debe quedar en privado.
  Nadie sabe lo de nuestra boda.

- **Lo de** + *adverbio.*

  Te pido perdón por lo de antes.
  Esto es lo de siempre.

10. En el habla popular de Chile, Río de la Plata, Guatemala, Bolivia y otras áreas americanas, **lo de** + *nombre propio* sirve para referirse a lugares (bares, restaurantes y otros establecimientos comerciales).

¿Vamos a lo de Inés? (Al bar, restaurante, tienda, etc., de Inés)

Esta expresión también se usa con sustantivos de persona.

Hoy he estado en lo del médico.

11. Seguido de un infinitivo o una frase suele tener el mismo significado que «el hecho de».

- **Lo de** + *infinitivo.*

  Lo de organizar el viaje juntos es una buena idea.

- **Lo de que** + *verbo*

  No me creí lo de que estaba enferma.

12. Lo que equivale al demostrativo neutro «eso que».

Lo que comes no es saludable.

13. Las expresiones *lo primero, lo segundo, lo tercero* se usan para organizar la información en un discurso. Equivalen a «en primer lugar», «en segundo lugar», etc.

Lo primero es estudiar el problema y lo segundo buscar la solución.

14. En ocasiones **lo** + *posesivo* significa «mucho».

Ella también sufre lo suyo. (= Sufre mucho)

Para practicar:
– *Competencia gramatical en uso A1, páginas 4-1[*
– *Competencia gramatical en uso A2, páginas 8-1[*
– *Competencia gramatical en uso B1, páginas 4-9*
– *Competencia gramatical en uso B2, páginas 14[*

Capítulo 5
Los sustantivos

EL GÉNERO DE LOS SUSTANTIVOS

- Son siempre masculinos los sustantivos de personas y animales de sexo masculino y son femeninos los de sexo femenino.

  el hombre/la mujer   *el perro/la perra*

- Los sustantivos de objetos solo tienen un género (masculino o femenino).

  el libro   *la calle*   *la mesa*   *el árbol*   *la rosa*

- En general, son masculinos los sustantivos terminados en **-o** y son femeninos los terminados en **-a**.

  el hijo/la hija   *el gato/la gata*

  Excepto: *la mano, la radio, la moto* y *la foto*
              el día, el tranvía, el mapa y *el planeta*

FORMACIÓN DEL PLURAL

- Normalmente los nombres terminados en **vocal** forman el plural añadiendo **-s** y los nombres terminados en **consonante** forman el plural añadiendo **-es**.

  la lámpara/las lámparas   *la flor/las flores*
  el reloj/los relojes   *el rey/los reyes*

- Algunos sustantivos no tienen plural.

  el norte   *el cénit*   *la sed*   *el hambre*   *la salud*

- Hay sustantivos que siempre van en plural.

  las tijeras   *las gafas*

A. EL GÉNERO DE LOS SUSTANTIVOS

Son masculinos:

1. Los sustantivos de personas o animales de sexo masculino.
el hijo   el hombre   el león

2. Los sustantivos terminados en **-o**.
el pelo   el zapato

Excepto: *la mano, la radio, la foto* y *la moto*

3. Los nombres de accidentes geográficos (ríos, mares, montañas y océanos).
el Amazonas   el Pacífico   el Aconcagua

Excepto: *la sierra* y *la cordillera*

4. Los días de la semana, los nombres de los meses y los años.
el sábado   el 2012

5. Los números y los colores.
el uno   el veinte
el rojo   el azul   el rosa

6. Los sustantivos terminados en **-or**.
el calor   el amor   el ordenador   el valor

Excepto: *la flor, la coliflor* y *la labor*

7. Los sustantivos terminados en **-aje** y **-an**.
el equipaje   el garaje   el pan

8. Los sustantivos terminados en **-ma**.
el problema   el sistema   el dilema   el teorema

Excepto: *la crema* y *la cama*

9. Los sustantivos que terminan en **-í** y en **-ú**.
el maniquí   el bambú   el bisturí   el iglú

Son femeninos:

1. Los sustantivos de personas o animales de sexo femenino.
la hija   la mujer   la leona

2. Las letras del abecedario.

    la a   la be   la ce

3. Los sustantivos terminados en **-a**.

    la casa   la mesa   la silla

    Excepto: *el día, el tranvía, el mapa y el planeta*

4. Los sustantivos terminados en **-ción, -sión** y **-zón.**

    la canción   la evasión   la razón   la televisión

    Excepto: *el corazón* y *el buzón*

5. Los sustantivos terminados en **-dad, -tad, -tud, -cumbre** y **-ez.**

    la verdad   la edad   la libertad   la amistad
    la juventud   la costumbre   la sencillez

6. Los sustantivos (de persona o cosa) terminados en **-triz.**

    la actriz   la cicatriz   la emperatriz

Son masculinos o femeninos:

1. Los sustantivos terminados en **-ista** y **-ante** son masculinos o femeninos, dependiendo del sexo de la persona.

    el taxista/la taxista   el ayudante/la ayudante
    el artista/la artista   el estudiante/la estudiante

    Pero *el/la modista* puede ser también *el modisto/la modista*

2. Hay algunos sustantivos de personas o animales que solo tienen un género (masculino o femenino), independientemente del sexo.

    - Unos son masculinos: *el personaje   el delfín   el lince*
    - Otros son femeninos: *la persona   la víctima   la jirafa*

    En el caso de los sustantivos de animales, se utilizan las palabras *macho* y *hembra* para distinguir el sexo.

    el delfín macho/el delfín hembra
    la jirafa macho/la jirafa hembra

3. Algunos sustantivos de cosas pueden tener los dos géneros.

    el/la mar   el/la azúcar

Cambio de significado según el género:

Hay sustantivos que cambian de significado cuando cambian de género.

el cólera (enfermedad)	*la cólera* (ira)
el editorial (artículo de un periódico)	*la editorial* (empresa de libros)
el pendiente (joya)	*la pendiente* (desnivel)
el manzano (árbol)	*la manzana* (fruto)
el cerezo (árbol)	*la cereza* (fruto)
el frente (parte delantera)	*la frente* (parte de la cara)
el orden (de una lista)	*la orden* (la obligación)
el cometa (astro)	*la cometa* (juguete que vuela)
el capital (dinero)	*la capital* (ciudad)
el cura (sacerdote)	*la cura* (tratamiento médico)

B. LA FORMACIÓN DEL FEMENINO PARA PERSONAS Y ANIMALES

1. Normalmente los sustantivos terminados en **-o** la cambian por una **-a**.

el ministro/la ministra	*el lobo/la loba*
el médico/la médica	*el abogado/la abogada*
el cirujano/la cirujana	*el bombero/la bombera*
el alumno/la alumna	*el perro/la perra*

Excepto: *el/la piloto, el/la modelo, el/la testigo*
También son excepciones los sustantivos que vienen de acortamientos:
el/la fisio (fisioterapeuta/fisioterapeuta)
el/la otorrino (otorrinolaringólogo/otorrinolaringóloga)

2. Normalmente los sustantivos terminados en **consonante** añaden una **-a**.

el profesor/la profesora	*el bailarín/la bailarina*
el león/la leona	*el ladrón/la ladrona*
el escritor/la escritora	*el compositor/la compositora*

Excepto los acabados en **-r** (excepto -or) , **-l** o **-z**:

el/la cónsul	*el/la chófer*
el/la militar	*el/la albañil*
el/la portavoz	*el/la corresponsal*

3. Normalmente, si el masculino acaba en **-a** o en **-e**, el femenino no varía. Para distinguir el género se utiliza el artículo.

el/la pianista	*el/la psiquiatra*	*el/la astronauta*
el/la atleta	*el/la poeta (o la poetisa)*	*el/la guía*
el/la conserje	*el/la agente*	*el/la estudiante*

Hay algunas excepciones:

el jefe/la jefa	*el dependiente/la dependienta*
el cliente/la clienta	*el presidente/la presidenta*

4. Algunos sustantivos de personas y animales acabados en **-e** o en **consonante** forman el femenino cambiando la terminación.

el emperador/la emperatriz · el actor/la actriz
el alcalde/la alcaldesa · el conde/la condesa
el duque/la duquesa · el príncipe/la princesa
el héroe/la heroína · el tigre/la tigresa

5. En algunos casos, hay palabras diferentes según el sexo.

el hombre/la mujer · el caballo/la yegua · el marido/la esposa
el yerno/la nuera · el toro/la vaca · el gallo/la gallina

C. LA FORMACIÓN DEL PLURAL

1. Normalmente los sustantivos terminados en **vocal** forman el plural en **-s**.

la casa/las casas · el taxi/los taxis · el café/los cafés

2. Normalmente los sustantivos terminados en **consonante** forman el plural en **-es**.

el árbol/los árboles · la verdad/las verdades

3. Los sustantivos que terminan en **-í** y en **-ú** pueden formar el plural en **-s** o en **-es**. Pero en la lengua formal se prefiere **-es**.

el bisturí/los bisturís o bisturíes · el tabú/los tabús o tabúes
el esquí/los esquís o esquíes · el bambú/los bambús o bambúes

Excepto: el menú (solo los menús) · el champú (solo los champús)
el vermú (solo los vermús) · el tutú (solo los tutús)

4. Los sustantivos que terminan en **-y** forman el plural añadiendo **-es**.

el buey/los bueyes · la ley/las leyes · el rey/los reyes

Excepto las palabras tomadas de otras lenguas.

el jersey/los jerséis
el espray/los espráis

5. Los sustantivos terminados en **-s** o en **-x** no cambian en plural.

la crisis/las crisis · el lunes/los lunes
el paréntesis/los paréntesis · el análisis/los análisis
el tórax/los tórax · el paraguas/los paraguas

Excepto si son monosílabos o son palabras con el acento en la útima sílaba:

el mes/los meses · el vals/los valses
la tos/las toses · el autobús/los autobuses
el compás/los compases · el gas/los gases
el fax/los faxes · el país/los países

6. Muchos sustantivos de origen extranjero que terminan en **consonante** forman el plural en **-s**.

    el crac/los cracs   *el esnob/los esnobs*   *el chip/los chips*
    el cómic/los cómics   *el iceberg/los icebergs*   *el récord/los récords*

    Excepto: *el club/los clubes* o *los clubs*
               el álbum/los álbumes

Casos especiales:

1. Los sustantivos terminados en **-z** forman el plural en **-ces**.
    el pez/los peces   *la actriz/las actrices*   *la paz/las paces*
    la luz/las luces

2. Hay sustantivos que se usan normalmente en plural para referirse a un objeto.
    las tijeras   *las gafas*   *los pantalones*   *las bragas*

    Pero también es correcto usarlos en singular.
    la tijera   *la gafa*   *el pantalón*   *la braga*

3. Para formar el plural de las vocales se añade **-es**.
    la a/las aes   *la i/las íes*
    la o/las oes   *la u/las úes*

    Excepto: *la e/las es* o *las ees*.

4. Cuando las palabras **sí** y **no** funcionan como sustantivos forman el plural añadiendo **-es**.
    *La votación ha dado como resultado diez **síes** y cinco **noes**.*

5. El plural de las siglas se forma cambiando el artículo.
    la ONG/las ONG   *el CD/los CD*

6. Algunos sustantivos cambian el lugar del acento cuando se ponen en plural.
    *el **ré**gimen/los regí**menes***   *el ca**rác**ter/los carac**te**res*

7. En los sustantivos compuestos por dos palabras, solo se forma el plural en la primera.
    el hombre rana/los hombres rana
    el coche cama/los coches cama
    la hora punta/las horas punta
    la ciudad dormitorio/las ciudades dormitorio

8. El plural masculino comprende a los dos géneros.
    los profesores (el profesor y la profesora)
    los reyes (el rey y la reina)
    los clientes (el cliente y la clienta)

Capítulo 6
Los adjetivos

Para practicar:
- *Competencia gramatical en uso* A1, páginas 24-2
- *Competencia gramatical en uso* A2, páginas 8-11
  30-37.
- *Competencia gramatical en uso* B1, páginas 4-9
  88-91.

LA CONCORDANCIA DEL ADJETIVO CON EL SUSTANTIVO

- Los adjetivos concuerdan en género (masculino o femenino) y número (singular o plural) con el sustantivo al que se refieren.

  *Ahora <u>los</u> días son **cortos** y <u>las</u> noches **largas**.*

LA POSICIÓN DEL ADJETIVO

- Generalmente el adjetivo va detrás del sustantivo o detrás de los verbos **ser** y **estar**. Algunos adjetivos cambian de significado cuando van delante.

  *Vivo en una **nueva** casa. (= Otra) / Vivo en una casa **nueva**. (= Sin usar)*

LA APÓCOPE

- Algunos adjetivos pierden el final de la palabra cuando van delante del sustantivo.

  *Es un libro muy **bueno**. / Es un **buen** libro.*

EL GRADO DEL ADJETIVO

- El adjetivo en grado comparativo se usa para comparar una cualidad de dos personas o cosas.

  *El coche es **más grande que** el garaje.*

- El adjetivo superlativo expresa la cualidad en grado máximo.

  *Esta silla es **bajísima**.*
  *Luis es **el más inteligente de** la oficina.*

LOS USOS DEL ADJETIVO

- El adjetivo se utiliza para definir al sustantivo.

  *El coche **blanco** corre mucho.*

- Para comparar dos o más sustantivos.

  *Mi coche es **más rápido que** el tuyo.*

- Para expresar la cualidad máxima.

  *Este coche es **el más rápido**.*

Gramática del español lengua extranjera

A. LA FORMACIÓN DEL FEMENINO

1. Los adjetivos que terminan en **-o** forman el femenino en **-a**.
   delgado/delgada   *simpático/simpática*

2. Los que terminan en **-or**, **-án**, **-ín** y **-ón** añaden una **-a**.
   hablador/habladora
   encantador/encantadora
   alemán/alemana
   parlanchín/parlanchina
   guapetón/guapetona

   Excepto: *marrón, mayor, menor, mejor, peor* y los terminados en **-ior** (*inferior, superior, anterior, posterior, exterior...*).

3. Solo los de nacionalidad acabados en **-l**, **-n**, **-s** o **-z** añaden una **-a**.
   español/española   *inglés/inglesa*

4. Todos los que acaban en cualquier otra vocal o cualquier otra consonante no cambian.
   hipócrita   *cursi*   *caliente*   *iraní*
   feliz   *difícil*   *familiar*   *gratis*

B. LA FORMACIÓN DEL PLURAL

1. Los adjetivos que terminan en vocal añaden **-s**.
   interesante/interesantes   *simpático/simpáticos*

   Excepto: los adjetivos de nacionalidad acabados en **-í** o **-ú** forman el plural en **-es**.
   marroquí/marroquíes   *hindú/hindúes*

2. Los adjetivos que terminan en consonante añaden **-es**.
   encantador/encantadores   *especial/especiales*
   trabajador/trabajadores   *cortés/corteses*

3. Los adjetivos que terminan en **-z** cambian la **z** por **c**.
   capaz/capaces   *feliz/felices*
   andaluz/andaluces   *feroz/feroces*

4. No cambian los adjetivos terminados en **-s**.
   gratis

   Excepto *gris/grises* y los que tienen el acento en la última sílaba.
   cortés/corteses   *burgués/burgueses*

5. Tampoco cambian los adjetivos de colores derivados.

> *Sus cabellos eran **marrón claro**.*
> *Había unas aguas **azul turquesa**.*
> *Vestían camisas **rosa pálido**.*

C. LA CONCORDANCIA DEL ADJETIVO CON EL SUSTANTIVO

1. Los adjetivos concuerdan en género y número con el sustantivo al que se refieren.

> *Tengo un **hijo pequeño**.*
> *He comprado unas **sillas** muy **cómodas**.*

2. Si el adjetivo se refiere a varios sustantivos y uno es masculino, el plural se hace normalmente en masculino.

> *Se venden casas y pisos **nuevos**.*
> *Llevaba un abrigo y una bufanda **negros**.*

D. LA POSICIÓN DEL ADJETIVO

1. Generalmente, el adjetivo va detrás del sustantivo o detrás de los verbos **ser** y **estar**.

> - *¿Esta película es **interesante**?*
> - *Sí, es una película **interesante**.*

2. Se coloca delante del sustantivo para enfatizar.

> *Es una **interesante** película.*

3. Algunos adjetivos cambian de significado cuando van delante del sustantivo.

> *un hombre **pobre*** (sin dinero)   *un **pobre** hombre* (infeliz)
> *una amiga **vieja*** (de bastante edad)   *una **vieja** amiga* (amiga desde hace tiempo)
> *un hombre **grande*** (de tamaño)   *un **gran** hombre* (importante)
> *un **nuevo** apartamento* (otro)   *un apartamento **nuevo*** (sin usar)

4. Los adjetivos **mejor**, **peor**, **mayor** y **menor** suelen ir delante del sustantivo, sobre todo en construcciones con el verbo **ser**.

> *Es la **mejor** profesora que he conocido.*
> *Esta cámara es de **mayor** calidad.*

E. LA APÓCOPE

1. Los adjetivos **bueno**, **malo**, **primero** y **tercero** pierden la última vocal delante de sustantivos masculinos en singular.

> *Es un estudiante muy **bueno**. / Es un **buen** estudiante.*

*Está haciendo un tiempo **malo**. / Está haciendo **mal** tiempo.*
*Vivo en el piso **primero**. / Vivo en el **primer** piso.*

2. El adjetivo **grande** pierde **-de** delante de sustantivos (masculinos o femeninos) en singular.
   *Vivimos en un piso **grande**. / Vivimos en un **gran** piso.*
   *Es una tienda **grande**. / Es una **gran** tienda.*

3. La apócope se produce también cuando entre el adjetivo y el sustantivo hay otro adjetivo, especialmente si también está apocopado.
   *He comido un **gran primer** plato.*

4. El adjetivo **santo** pierde **-to** delante de nombres propios.
   San José   San Sebastián

   Excepto delante de los que empiezan por las sílabas **To-** y **Do-**.
   Santo Tomás   Santo Domingo

   Este adjetivo no se apocopa delante de otros sustantivos.
   *Estuvo aquí todo el **santo** día.*

Otros casos de la apócope

1. **Uno** y **veintiuno** se transforman en **un** y **veintiún** delante de un sustantivo.
   *El autobús pasa cada **veintiún** minutos.*
   *Necesitamos **un** bolígrafo negro y **uno** azul.*

2. **Cien** solo se usa para referirse al número **100**. En los demás casos se utiliza **ciento**.
   *En el teatro caben **ciento** treinta personas, pero solo han venido **cien**.*

3. Con los porcentajes se usa **cien** en la expresión **cien por cien** (100%), pero en los demás casos se utiliza **ciento**.
   *El 50% (cincuenta por **ciento**) de la población tiene estudios universitarios.*

4. **Primero**, **tercero** y todos sus derivados (como **decimoprimero, decimotercero, vigesimoprimero, vigesimotercero**, etc.) pierden la última vocal delante de un sustantivo masculino. En ese caso se representan numéricamente como **1.er, 3.er, 21.er, 23.er**, etc.
   *No uso el ascensor porque vivo en el **primer** piso.*

5. **Alguno** y **ninguno** pierden la **-o** final delante de un sustantivo masculino singular.
   * ¿Compro **algún** pastel para la cena de hoy?
   * No hace falta que traigas **ningún** postre.

6. **Alguna** y **ninguna** también pierden la vocal **-a** delante de un sustantivo femenino singular que empiece por **a-** o **ha-** tónicas. Aunque también se usa la forma normal.
   *¿Queda **algún/alguna** aula libre?*

Capítulo 6 Los adjetivos

7. **Cualquier** se usa delante del sustantivo y **cualquiera** va detrás o sin el sustantivo. Entre **cualquier** y el sustantivo puede ir otra palabra.

> *Puedes llamar a **cualquier** (otra) hora.*
> *Puedes llamar a una hora **cualquiera**, está abierto las 24 horas.*
> ***Cualquiera** diría que no me conoces.*

F. EL ADJETIVO USADO COMO SUSTANTIVO

1. Todos los adjetivos pueden usarse como sustantivos poniendo delante un artículo cuando el sustantivo que se omite es evidente o conocido.

> *¿Qué sombrero prefiere? **El azul** o **el verde**.*
> *Me quedo con **los buenos**.*
> *Solo tendrán premio **los ganadores**.*
> *Se casó con **una rubia**.*
> ***El alto** de la derecha es mi padre.*

2. Algunos adjetivos también pueden usarse como sustantivos sin necesidad del artículo.

> *Esta aventura no es para (los) **cobardes**.*

3. Con el artículo neutro **lo** se utiliza para expresar una cualidad abstracta (ver capítulo 4, apartado H).

> *Dieron a conocer **lo nuevo**.*　　　*(= La novedad)*
> ***Lo divertido** es bailar.*　　　*(= La diversión)*
> *Ya no podemos recuperar **lo enviado**.*　*(= El envío)*

G. EL ADJETIVO USADO COMO ADVERBIO

1. Algunos adjetivos pueden usarse también como adverbios: **alto**, **bajo**, **claro**, **rápido**, **caro**, **barato**...

> *Este chico no habla **claro**.*
> *Has llegado muy **rápido**.*
> *Me gusta comprar **barato**.*
> *Habla más **alto**, por favor.*

2. Muchos de estos adjetivos pueden cambiarse por las formas acabadas en **-mente** (ver capítulo 24, apartado A).

> *Este chico no habla **claramente**.*
> *Has llegado muy **rápidamente**.*

Gramática del español lengua extranjera

H. LOS ADJETIVOS COMPARATIVOS

1. Los adjetivos pueden expresar diferentes grados. Hablamos de grado comparativo cuando usamos el adjetivo para comparar dos personas o cosas.

Comparativo de superioridad	**Más** + *adjetivo* + **que** *El libro es **más interesante que** la película.*
Comparativo de inferioridad	**Menos** + *adjetivo* + **que** *Pedro es **menos estudioso que** su hermana.*
Comparativo de igualdad	**Tan** + *adjetivo* + **como** *La camisa es **tan cara como** el pantalón.* **Igual de** + *adjetivo* + **que** *El sofá es **igual de cómodo que** la cama.*

2. Algunos adjetivos tienen un comparativo de superioridad irregular.
Más bueno/a/os/as – mejor/es   *Más malo/a/os/as – peor/es*
Más grande/s – mayor/es   *Más pequeño/a/os/as – menor/es*

3. **Mayor** y **menor** se refieren a la edad. Cuando se refieren al tamaño se utilizan con la forma regular **más grande** y **más pequeño**.
*Mi hijo Luis es **menor** que tu hija, pero es más **grande**, mide metro y medio.*
(Tiene menos edad pero es más alto)

4. Los comparativos de igualdad en forma negativa equivalen normalmente a los comparativos de inferioridad.
*Marta **no** es **tan habladora como** Pablo. = Marta es **menos habladora que** Pablo.*

I. LOS ADJETIVOS SUPERLATIVOS

Los adjetivos superlativos expresan la cualidad en grado muy alto. Hay dos tipos de adjetivo superlativo:

- El **superlativo absoluto** expresa una cualidad de una persona o cosa en grado muy alto, pero sin compararla con otras.
*Juan es **muy alto**.*
*Esta silla es **comodísima**.*

- El **superlativo relativo** expresa una cualidad de una persona o cosa en grado muy alto en comparación con otras.
*Juan es **el más alto** de la clase.*
*Esta silla es **la más cómoda** de la casa.*

Superlativo absoluto

1. El superlativo absoluto se forma con las siguientes estructuras:

Adjetivo + **-ÍSIMO/A**
    Este problema es **facilísimo.**
    Sandra es una chica **guapísima.**

SUPER-/RE-/REQUETE-/EXTRA-/HIPER-/MEGA-/ULTRA- *+ adjetivo*
    He visto una película **superlenta.**
    Mi hijo es un niño **hiperactivo.**

MUY/ALTAMENTE/EXTRAORDINARIAMENTE/SUMAMENTE *+ adjetivo*
    Hoy me siento **muy feliz.**
    He tenido un día **sumamente complicado.**

2. El superlativo absoluto se forma normalmente añadiendo **-ísimo/a** al adjetivo, pero si el adjetivo termina en vocal, se quita la vocal.
    difícil – dificilísimo   grande – grandísimo   guapa – guapísima

3. Algunos adjetivos sufren cambios ortográficos al añadirles **-ísimo:**
   - Si el adjetivo termina en **-co** o en **-ca**, la **c** se cambia por **qu.**
       simpático – simpatiquísimo   rica – riquísima
   - Si el adjetivo termina en **-go** o en **-ga**, se añade una **u.**
       largo – larguísimo
   - Si el adjetivo acaba en **-z** se cambia por una **c.**
       feliz – felicísimo
   - Si el adjetivo termina en **-n** o en **-or** se añade una **c.**
       joven – jovencísimo   mayor – mayorcísimo
   - Si el adjetivo termina en **-ble** el superlativo es **-bilísimo.**
       amable – amabilísimo   agradable – agradabilísimo

4. Algunos adjetivos con diptongo admiten dos formas en **-ísimo.**
    bueno: *buenísimo - bonísimo*
    fuerte: *fuertísimo - fortísimo*
    nuevo: *nuevísimo - novísimo*
    tierno: *tiernísimo - ternísimo*

5. Hay algunos superlativos irregulares.
    antiguo: *antiquísimo*   **cruel:** *crudelísimo*
    simple: *simplicísimo*   **fiel:** *fidelísimo*
    libre: *libérrimo*   **pobre:** *paupérrimo (o pobrísimo)*

6. También se puede formar el superlativo absoluto con los adverbios **muy, extraordinariamente, altamente, sumamente...**
    Tu vestido es **muy elegante.** *(= Elegantísimo)*
    Este producto es **altamente peligroso.** *(= Peligrosísimo)*

7. En el habla coloquial se pueden formar superlativos con los prefijos **archi**-, **super**-, **re**-, **requete**-, **extra**-, **hiper**-, **mega**- o **ultra**-.
   *Estuvimos en un hotel **superbonito**.*
   *Es una artista **archiconocido**.*
   *La paella está **requetebuena**.*
   *He comprado un ordenador portátil **ultraligero**.*
   *Tengo la piel **hipersensible**.*

   El prefijo **re**- se usa especialmente en el habla coloquial de Argentina, Uruguay y Chile.
   *Fue una fiesta **redivertida**.*
   *Este niño está ya **regrande**.*

8. Existen adjetivos que no admiten superlativo porque su significado ya implica grado máximo.
   espléndido   *maravilloso*   *excepcional*   *enorme*   *fabuloso*

Superlativo relativo

1. El superlativo relativo se forma con las siguientes estructuras:

el/la/los/las (+ *sustantivo*) **más** + *adjetivo*	**de** + *sustantivo*
el/la/los/las (+ *sustantivo*) **menos** + *adjetivo*	**que** + *frase*

   *Este es **el** tema **más importante de** la reunión.*
   *Esta es **la** película **más romántica que** he visto.*
   *Pedro es **el** alumno **menos estudioso de** la clase.*
   *Noemí es **la** mujer **menos nerviosa que** conozco.*

2. Hay algunos superlativos irregulares:
   el/la más grande (de edad) - el/la mayor
   el/la más pequeño/a (de edad) - el/la menor
   el/la más bueno/a - el/la mejor
   el/la más malo/a - el/la peor
   *Marcos es **el menor de** mis nietos.*
   *Isabel es **la mejor** alumna **de** la clase.*

   Estos superlativos irregulares tienen también un adjetivo culto:
   el/la mayor - máximo/a
   el/la menor - mínimo/a
   el/la mejor - óptimo/a
   el/la peor - pésimo/a
   *Nuestros sofás tienen la **máxima** comodidad y un precio **mínimo**.*

Para practicar:
- *Competencia gramatical en uso* A1, páginas 56-5[
- *Competencia gramatical en uso* B1, páginas 16-2[

Capítulo 7

Los demostrativos

		MASCULINO		FEMENINO		NEUTRO
		SINGULAR	PLURAL	SINGULAR	PLURAL	
SEGÚN EL LUGAR QUE INDICAN	Cerca	este	estos	esta	estas	esto
	Lejos	ese	esos	esa	esas	eso
	Muy lejos	aquel	aquellos	aquella	aquellas	aquello

LOS USOS DE LOS DEMOSTRATIVOS

RELACIÓN ESPACIAL	RELACIÓN TEMPORAL	ADVERBIOS DE LUGAR	DEMOSTRATIVOS
Próximo a yo y nosotros	Cuando hablamos del presente	AQUÍ	este, estos/esta, estas/esto *Me gusta **esta** camisa de **aquí**.* ***Este** verano me quedo en casa.*
Próximo a tú y vosotros	Cuando hablamos del pasado	AHÍ	ese, esos/esa, esas/eso *¿Puedes darme **ese** paraguas de **ahí**?* ***Ese** mes fuimos a Canarias.*
Próximo a él y ellos	Cuando hablamos de un pasado lejano	ALLÍ	aquel, aquellos/aquella, aquellas/aquello ***Aquellas** sillas de **allí** están libres.* ***Aquel** año yo estaba en la universidad.*

Gramática del español lengua extranjera

g

A. LAS CARACTERÍSTICAS Y LA POSICIÓN DE LOS DEMOSTRATIVOS

1. Los demostrativos masculinos y femeninos pueden ir con un sustantivo o sin él, pero nunca van detrás de un artículo. Concuerdan en género y número con el sustantivo al que acompañan o sustituyen.

   *Me gusta **este** ordenador, pero **aquel** es más barato.*
   ***Estas** fotos son del año pasado y **esas** son más antiguas.*

2. Siempre van delante de **ser** y **estar** y normalmente van delante del sustantivo.

   ***Esta** es mi hermana, se llama Raquel.*
   *Ordena **aquellos** libros de allí, por favor.*

   Pero a veces pueden ir detrás, precedidos de un artículo determinado. En esta posición, **este** y **ese** suelen tener un matiz negativo.

   *El invierno **aquel** llegó de repente.*
   *Son muy ruidosos los niños **esos**. (Matiz negativo)*

3. Permiten intercalar adjetivos entre ellos y el sustantivo.

   *¿Vives en **esta** (fantástica) casa?*

4. Pueden ir delante de los números y de **poco**, **mucho** y **otro**.
   - *¿Puedo llevarme **estas dos** sillas?*
   - *Claro. Y **esa otra** también.*

   *Cómete **estos pocos** bombones que quedan.*

5. Pueden ir detrás de **todo/a/os/as**.

   *¿Tengo que hacer **todos estos** ejercicios?*

6. Los demostrativos neutros nunca van acompañando al sustantivo.

   ***Eso** no es interesante.*

B. LOS USOS DE LOS DEMOSTRATIVOS

1. Los demostrativos indican la situación, en el espacio o en el tiempo, de las cosas a las que nos referimos:
   a) **Este, esta, estos, estas, esto** señalan algo próximo al hablante en el espacio. También se utilizan para referirse al tiempo presente, al pasado cercano y al futuro próximo.

   *¿Me llevo **estos** libros de **aquí**?*
   *No quedan más camisas azules en **este** momento.*
   ***Este** fin de semana, me voy de viaje.*

b) **Ese, esa, esos, esas, eso** señalan algo que está próximo al oyente. También se utilizan para hablar del pasado no muy lejano.

> *¿Me llevo **esos** libros de **ahí**?*
> ***Ese** año yo vivía en Chile.*

c) **Aquel, aquella, aquellos, aquellas, aquello** señalan algo lejano del hablante y del oyente. También se utilizan para referirse a un pasado lejano.

> *¿Me llevo **aquellos** libros de **allí**?*
> ***Aquel** verano nos casamos.*

2. **Este... aquel** se utilizan para especificar de qué persona se habla cuando se han mencionado varias anteriormente.

> *Primero se fue Nieves y después, Armando. **Aquella**, a las 9 y **este**, a las 10.*

3. **Este** y **esto** se utilizan para introducir las palabras exactas de otra persona.

> *Me lo pidió con **estas** palabras: «Por favor, no me abandones».*
> *Y entonces me dijo **esto**: «Aquí no soy feliz, quiero irme lejos».*

4. Cuando se identifican personas u objetos que ya se han mencionado antes, **el, la, los, la** y **lo + que** sustituyen al demostrativo.

> - *¿Qué lápices puedo utilizar?*
> - ***Los que** tienes aquí. (= **Estos** que tienes aquí)*

> *Esta chica es **la que** te presenté el sábado pasado.*
> *(= Esta chica es **aquella** que te presenté el sábado pasado)*

> *No es verdad **lo que** te dije ayer.*
> *(= No es verdad **aquello** que te dije ayer)*

5. Los demostrativos neutros se usan para:

a) Referirnos a una cosa cuyo nombre no sabemos o no es necesario decir o no sabemos qué es.

> *¿Puedes traer **aquello**, por favor?*
> *¿Qué es **eso** que estás comiendo?*

b) Referirnos a una idea o a algo abstracto o cuando nos referimos a una frase dicha antes.

> - *Ya no quiero verla más.*
> - *¿Por qué dices **eso**?*

C. USOS ESPECIALES DE LOS DEMOSTRATIVOS

1. **Este** y **esto** se usan a veces como muletillas. El primero es más frecuente en el español americano.

> *Yo... es que... **este**... no sé muy bien qué decir.*
> *Oye, Pedro, **esto**... quería pedirte un favor.*

2. **Eso** se usa para expresar aprobación. Es equivalente a «claro, sí, en efecto».
   * *Tengo que estudiar más, ¿verdad?*
   * ***Eso** (es).*

3. **A eso de** seguido de las horas equivale a «aproximadamente».
   *Suele llegar **a eso de** las diez.*
   (= Suele llegar aproximadamente a las diez)

4. **En esto** y **en eso** equivalen a «de repente».
   *Estaba viendo la tele y, **en eso**, llamaron a la puerta.*

5. **Y eso que** equivale a «aunque».
   *No encuentra trabajo. **Y eso que** tiene dos carreras.*

6. **Eso de** se usa para referirse a un asunto mencionado previamente por otra persona.
   *A mí **eso de** ir de compras, como tú propones, no me apetece nada.*

7. **Eso sí** se utiliza para añadir una información que contrasta en parte con algo dicho antes.
   *A mí este hotel me parece malísimo. **Eso sí**, es muy barato.*

8. **Esto es** sirve para aclarar lo que se acaba de decir. Su uso es más frecuente en el lenguaje formal.
   *Ernesto estudia odontología, **esto es**, quiere ser dentista.*

9. **¡Qué** *(sustantivo)* + *demostrativo*! se utiliza para expresar un exclamación.
   * *¿Te acuerdas de lo bien que nos lo pasábamos en el colegio?*
   * *Sí, **¡qué tiempos aquellos!***

Capítulo 8
Los posesivos

Para practicar:
– *Competencia gramatical en uso* A1, páginas 60-6.
– *Competencia gramatical en uso* A2, páginas 26-2?
– *Competencia gramatical en uso* B1, páginas 16-2?

ADJETIVOS POSESIVOS (CON SUSTANTIVOS)

			UN POSEEDOR			VARIOS POSEEDORES		
			yo	tú	él ella usted	nosotros nosotras	vosotros vosotras	ellos ellas ustedes
Persona u objeto poseído	Masculino	Singular	mi	tu	su	nuestro	vuestro	su
		Plural	mis	tus	sus	nuestros	vuestros	sus
	Femenino	Singular	mi	tu	su	nuestra	vuestra	su
		Plural	mis	tus	sus	nuestras	vuestras	sus

PRONOMBRES POSESIVOS

			UN POSEEDOR			VARIOS POSEEDORES		
			yo	tú	él ella usted	nosotros nosotras	vosotros vosotras	ellos ellas ustedes
Persona u objeto poseído	Masculino	Singular	mío	tuyo	suyo	nuestro	vuestro	suyo
		Plural	míos	tuyos	suyos	nuestros	vuestros	suyos
	Femenino	Singular	mía	tuya	suya	nuestra	vuestra	suya
		Plural	mías	tuyas	suyas	nuestras	vuestras	suyas

Gramática del español lengua extranjera

g

A. LAS CARACTERÍSTICAS DE LOS POSESIVOS

1. Indican la posesión o la pertenencia y concuerdan en género y número con la persona o el objeto poseído.
   - *No funciona **mi** impresora.*
   - *Puedes utilizar **la mía**.*

2. La forma del posesivo corresponde a la persona poseedora.
   *__Ella__ ha comprado el disco, así que es **suyo**.*
   *__Nosotros__ no encontramos **nuestra** habitación.*

3. Las formas **su**, **sus**, **suyos** y **suyas** son a veces ambiguas. Pueden referirse a: *de él, de ella, de usted, de ellos, de ellas, de usted* y *de ustedes*.
   *Llamó a casa con **su** móvil.* (Puede ser *de él, de ella, de ellos*, etc.)

4. No se usa el posesivo cuando la relación de posesión es evidente (partes del cuerpo, vestidos, objetos personales, etc.). Se usa entonces el artículo: *el, la, los, las*.
   *He perdido **la** cartera.* Y no **He perdido mi cartera*.
   *Le duele **la** cabeza.* Y no **Le duele su cabeza*.

B. LOS ADJETIVOS POSESIVOS

1. Siempre van delante del sustantivo.
   *Vamos a **mi** casa y en **mi** coche.*

2. Solo **nuestro** y **vuestro** tienen terminaciones femeninas y son las mismas formas que los pronombres. Además, a veces pueden ir detrás del sustantivo.
   *Hacemos una fiesta en **nuestra** casa.*
   *¿Juan es hijo **vuestro**?*

3. Permiten intercalar adjetivos entre ellos y el sustantivo. También pueden combinarse con **todo/a/os/as**.
   *Voy a inaugurar **mi** (**nueva**) casa.*
   *Este es **nuestro** (**único**) coche.*
   *Me contó (**todos**) **sus** problemas.*

4. A veces se usan delante de nombres propios para enfatizar o dar carácter afectivo.
   __Mi Carlos__ es muy estudioso.
   *Siempre está hablando de **su Sofía**.*

5. También pueden tener valor enfático cuando describimos situaciones habituales.
   *Me levanté temprano y me tomé **mi** desayuno mientras leía **mi** periódico.*
   Estos posesivos con valor enfático pueden sustituirse por artículos.
   *Me levanté temprano y me tomé **el** desayuno mientras leía **el** periódico.*

C. LOS PRONOMBRES POSESIVOS

1. Se utilizan con artículo determinado cuando se refieren a un sustantivo ya mencionado o cuando ya se sabe de qué cosa o persona hablamos.

   *He perdido mi teléfono móvil. ¿Puedo llamar con **el tuyo**? (Tu teléfono)*

2. En ese caso, con artículos en plural para referirse a personas, equivale a «familiares, partidarios, adeptos».

   *Ganamos las elecciones con el voto de **los nuestros**.* (= Partidarios)

3. Se utilizan detrás de un artículo indeterminado y un sustantivo cuando hablamos de una cosa o una persona como parte de un grupo.

   *Conozco a **un compañero tuyo**. (Tienes varios)*
   *Conozco a **tu compañero**. (Solo tienes uno)*
   *Ayer vi a **una** amiga **tuya** en el teatro.*
   *He leído **un** artículo **suyo** en el periódico.*

4. **Lo** + *posesivo* equivale a «lo que me pertenece», «lo que está relacionado conmigo» o «lo que es mi especialidad» (ver capítulo 4, apartado H).

   - *¿Puedes ayudarme con este problema de Matemáticas?*
   - *No sé nada de Matemáticas. **Lo mío** es la Historia.* (Mi especialidad)

   También puede expresar cantidad: equivale a «mucho».

   *Para este examen he estudiado **lo mío**.*
   *He trabajado **lo mío** para conseguir todo lo que tengo.*

5. Se pueden utilizar detrás de **uno**, **alguno**, **ninguno**, **nada** y **algo** para referirse a las propiedades de una persona. En estos casos nunca se puede utilizar el adjetivo posesivo.

   *Tengo algo **tuyo**, es un libro que me dejaste hace un mes.*

6. Puede combinarse con artículos, demostrativos, números o indefinidos.

   *Mónica es <u>una</u> compañera **mía** de la universidad.*
   *Te presento a <u>estos</u> amigos **míos**.*
   *Tengo todavía <u>dos</u> libros **suyos**.*
   *Hemos traído <u>algunas</u> sillas **nuestras**.*

Para practicar:
– *Competencia gramatical en uso* A1, páginas 36-39, 64-67 y 68-71.
– *Competencia gramatical en uso* A2, páginas 42-45 y 78-81.
– *Competencia gramatical en uso* B1, páginas 96-101.
– *Competencia gramatical en uso* B2, páginas 4-11.

Capítulo 9
Los pronombres personales

Sujeto		Reflexivos	Complementos	
			Directo	Indirecto
yo		me	me	
tú, vos		te	te	
él, usted	ello	se	lo	le > se
ella, usted			la	
nosotros, nosotras		nos	nos	
vosotros, vosotras		os	os	
ellos, ustedes		se	los	les > se
ellas, ustedes			las	

LOS USOS DE LOS PRONOMBRES PERSONALES

- El verbo concuerda con el sujeto, por ello, en general, no es necesario utilizar los pronombres sujeto.

  ¿Cómo te llamas (tú)?

- Los pronombres siempre van delante del verbo, primero el de complemento indirecto y luego el directo.

  *¿**Os** digo <u>un secreto</u>? = ¿**Os lo** digo?*

A. LOS USOS DE LOS PRONOMBRES SUJETO

1. En algunos países de América Latina se usa **vos** en lugar de **tú** o **ti**. Se usa con una forma verbal como la de *vosotros* pero sin la **i**.
   Tengo un mensaje para **vos** *= Tengo un mensaje para* **ti**.
   ¿Qué **hacés vos** *aquí? = ¿Qué haces tú aquí?*
   ¿ **Vos** **recibistes** *el correo? = ¿Tú recibiste el correo?*

2. Los pronombres **usted** y **ustedes** se usan en frases de cortesía. Pero la mayoría de los hispanohablantes utiliza también **ustedes** para el plural, tanto formal como informal, y solo en algunas partes de la Península Ibérica se dice **vosotros, vosotras**.
   ¿ **(Ustedes)** *estudian aquí? = ¿* **(Vosotros)** *estudiáis aquí?*

3. Los pronombres **él, ella, ellos** y **ellas** se usan siempre para referirse a seres animados. Cuando se trata de cosas, se emplean los demostrativos.
   He comprado dos libros. **Este** *es para* **ella**.

4. El pronombre neutro **ello** se refiere solo a un conjunto de cosas o ideas. Se usa sobre todo en lengua escrita y equivale al demostrativo neutro **eso**.
   No sabe informática ni habla inglés. Es por **ello** *que no puedo contratarlo.*
   Estoy triste, pero prefiero no hablar de **ello**.

5. Si utilizamos los pronombres sujeto **yo** o **nosotros, nosotras**, se ponen detrás de los otros pronombres. Es una forma de cortesía.
   (**Ella** *y* **yo** *) Vivimos juntos.*
   El trabajo lo terminaremos entre **tú** *y* **yo**.

B. LA PRESENCIA Y LA AUSENCIA DE LOS PRONOMBRES SUJETO

1. En general, no es necesario usar los pronombres sujeto porque el verbo indica claramente cuál es el sujeto.
   - *¿De dónde eres (tú)?*
   - *(Yo) Soy de Madrid, pero (yo) vivo en Sevilla.*

2. Es necesario utilizarlo:
   a) Cuando hay dos o más sujetos.
   - *¿Cómo os llamáis?*
   - ***Yo** me llamo Carlos y **ella** Teresa.*

   b) Cuando el verbo está omitido.
   Laura ya está de vacaciones, pero **yo** *todavía no (estoy de vacaciones).*

   c) En casos de ambigüedad cuando el verbo puede ser de primera o tercera persona del singular.
   ***Él** escuchaba música mientras **yo** leía el periódico.*

d) Para deshacer la ambigüedad cuando el verbo es de tercera persona y puede referirse a **él/ellos** o **usted/ustedes**.

> *Debe* **usted** *irse ahora mismo.*

e) Para dar énfasis o más fuerza a la persona.

> *Tienes que hacerlo porque lo digo* **yo**.
> **Tú** *lo has ensuciado, así que* **tú** *lo limpias.*

f) Con verbos de **habla** (*hablar, decir, explicar, contestar, informar...*) y de **pensamiento** u **opinión** en frases negativas (*no creer, no pensar...*) cuando el sujeto
es diferente al de la oración principal, para evitar ambigüedades.

> *Os dije que vendría tarde. (¿Él o yo?) Os dije que* **él** *vendría tarde.*
> *No creo que salga esta noche. (¿Él o yo?) No creo que* **yo** *salga esta noche.*

C. LOS PRONOMBRES CON LAS PREPOSICIONES

1. Con las preposiciones se utilizan los pronombres sujeto, excepto con las formas de
yo y **tú** que son **mí** y **ti**, menos con **entre**, **según**, **incluso**, **excepto**, **menos**, **salvo**
y **hasta** (cuando significa «incluso»).

> *Esto podría hacerlo* **hasta yo**.

2. Con la preposición **con** los pronombres para **yo** y **tú** son **conmigo** y **contigo**. Para **él**
o **ella** se usa **consigo** solo con valor reflexivo y suele ir acompañado de la palabra
mismo/a.

- *¿Vendrás* **conmigo** *mañana?*
- *Todavía no sé si iré* **contigo** *o* **con ellos**.

> *Marta es muy extraña, siempre la veo hablando* **consigo** *misma.*

D. LOS PRONOMBRES REFLEXIVOS

1. Los pronombres reflexivos concuerdan con el sujeto y con el verbo.

> *(Yo)* **Me** *duch**o** por las noches.*
> *Alberto* **se** *lav**a** las manos antes de comer.*

2. Siempre van delante del verbo excepto si es un infinitivo o un gerundio.

> *Jaime tiene que afeitar**se** todos los días.*

3. Los pronombres reflexivos también indican la posesión evidente (partes del cuerpo,
vestidos, objetos personales, etc.), por lo que no es necesario utilizar los posesivos.

> **Se** *hizo daño en la pierna. Y no* **Se hizo daño en s̶u̶ pierna.*
> **Me** *puse el sombrero. Y no* **Me puse m̶i̶ sombrero.*

E. LOS PRONOMBRES COMPLEMENTO DIRECTO

1. Cuando el complemento directo es masculino (persona, animal o cosa) de tercera persona se utiliza **lo** o **los**. Pero si es una persona, también se puede utilizar **le** o **les**. Y cuando es femenino se utiliza **la** o **las**.
   - *¿Has leído <u>ese libro</u>?*
   - *No **lo** he leído.*
   - *¿Has visto <u>a mis hermanos</u>?*
   - *No **los** he visto hoy.*

2. Si el pronombre se refiere a una palabra masculina y otra femenina, se utiliza la forma **los**.
   *Busco <u>un lápiz</u> y <u>una goma</u>. **Los** necesito para dibujar.*

3. Es obligatorio usar los pronombres cuando el complemento directo al que se refiere está delante del verbo.
   *¿Dónde está <u>Juan</u>? Ah, sí, ya **lo** veo.*
   *<u>El examen</u> **lo** hice muy bien.*

4. En Argentina y Uruguay, si el complemento directo va detrás del verbo, puede usarse también el pronombre de complemento directo solo si se refiere a un ser animado.
   *(**La**) saludé <u>a tu madre</u>.*
   *(**Lo**) vi <u>a Juan</u> paseando en bicicleta.*

5. Pero con el verbo **haber** no se sustituye el complemento directo por pronombres.
   - ¿Hay periódicos?
   - Sí, hay.

6. El pronombre neutro **lo** se utiliza para:
   a) Referirse a una idea o concepto dicho anteriormente.
   - *No me gusta ir al cine.*
   - *Ya **lo** sé.*

   b) Referirse a una oración.
   *No se puede pasar, ya **lo** he dicho dos veces.*

   c) Referirse a un adjetivo que va detrás de los verbos **ser** o **estar**.
   - *Está guapa, ¿verdad?*
   - *Sí, **lo** está.*

F. LOS PRONOMBRES COMPLEMENTO INDIRECTO

1. Cuando el complemento indirecto es **le** o **les** y se combina con **lo, la, los** o **las** se cambia por **se**.
   ¿~~Les~~ compro <u>este ordenador</u> <u>a los niños</u>?   *¿*~~Les lo~~ *compro? > ¿**Se** lo compro?*

   OD = lo   OI = les

2. Muchas veces aparecen en la misma frase el pronombre de complemento indirecto y el mismo complemento indirecto al que se refiere. Esto pasa sobre todo cuando también está el complemento directo en la frase.

*¿**Le** envié un ramo de rosas **a Silvia**?*   ***Se lo** envié a Silvia. / *~~Lo~~ envié a Silvia.*
*¿**Le** compro este libro **a Diego**?*
***Os** voy a decir la verdad solo **a vosotras**.*

3. Además de los pronombres personales (*me, te, le, lo, la...*), a veces también utilizamos *a mí, a ti, a él...* en la misma frase:

a) Para dejar claro de quién hablamos.
    *¿**Les** pago ahora?* (Puede ser a ellos, a ellas o a ustedes)
    *¿**Les** pago **a ellos** ahora?*

b) Para marcar un contraste.
- *¿El profesor os ha castigado?*
- *No, **me** ha castigado **a mí**.* (A los demás no, solo a mí)

c) Para dar énfasis.
- *Os gusta esta canción, ¿verdad?*
- *No, **a mí** no **me** gusta* (Tal vez les gusta a otros, pero a mí no).

4. Si el complemento indirecto va detrás del verbo, puede usarse también el pronombre de complemento indirecto, pero no es obligatorio.

*(**Les**) he explicado toda la lección <u>a los alumnos</u>.*

5. Con los verbos que expresan gustos o sentimientos (*gustar, encantar, molestar, divertir, aburrir, interesar, cansar...*) es obligatorio, esté o no el complemento indirecto al que se refiere.

- *¿**Le** gusta leer <u>a tu abuela</u>?*
- *No, no **le** interesa mucho.*

Excepto cuando el complemento indirecto es **todo/a/os/as** o **nadie**.
Esta película no (le) ha gustado a nadie.
Tu discurso (les) interesó a todos.

G. LA POSICIÓN Y LA COMBINACIÓN DE LOS PRONOMBRES

1. Los pronombres de complemento van normalmente delante del verbo, primero el indirecto y luego el directo.

- *¿Has enviado el correo a Ernesto?*
- *No, **se lo** mandaré esta tarde.*

2. El pronombre reflexivo de los verbos pronominales (*olvidarse, alegrarse...*) o reflexivos (*levantarse, peinarse...*) siempre va delante de otros pronombres.

- *¿No tienes las gafas?*
- ***Me las** olvidé en casa.*

- *María lleva el pelo fatal.*
- *No **se lo** ha peinado esta mañana.*

3. En las perífrasis con infinitivo (*ir a, tener que, poder, volver a, dejar de, ponerse a, estar a punto de...*) y gerundio (*estar, seguir, soler...*) pueden ir delante o detrás, pero siempre juntos, excepto con la perífrasis *hay que* (con la que siempre van detrás).

    *Voy a escribírselo. / **Se lo** voy a escribir.   *Se voy a escribírlo. / *Lo voy a escribírse.*
    Hay que llamarla ahora mismo. / *La hay que llamar ahora mismo.

4. Con otros verbos con los que el infinitivo no forma perífrasis, como los verbos que expresan **emoción y sentimiento** (*gustar, encantar, molestar, doler, apetecer, interesar, preocupar...*) o los verbos de **opinión y necesidad** (*convenir, olvidar, necesitar, aceptar, prometer...*), el pronombre de complemento directo siempre va detrás.

    Me gustaría veros. / *Me os gustaría ver.
    Olvidé llamarla. / *La olvidé llamar.

5. Con el imperativo afirmativo los pronombres van siempre detrás. Con el negativo, siempre delante.

    Pídeselo.   *No se lo pidas.*

6. El imperativo puede tener modificaciones cuando lleva los pronombres detrás:
  a) Cuando va seguido de **nos** o **se** desaparece la **-s** final de la primera persona del plural.

    Hagamos + nos   ***Hagámonos** unos bocadillos ahora.*
    Digamos + se + lo   ***Digámoselo** a la profesora.*

  b) Cuando va seguido de **os**, desaparece la **-d** final de la forma *vosotros*.
    Duchad + os   *Niños, **duchaos** antes de desayunar.*

    Excepto **id** (verbo ir), que conserva la **-d**: ***idos***.

H. EL PRONOMBRE *SE*

1. Se usa en sustitución de **le** o **les** cuando se combina con **lo**, **la**, **los** o **las**.
    ¿Les compro <u>este ordenador</u> <u>a los niños</u>?   ¿ **Les lo compro? > ¿Se lo compro?*
              OD = lo   OI = les

2. Con valor reflexivo o recíproco.
    *Rosa **se** duchó antes de salir de casa.*
    *Charo y Enrique **se** escriben muy a menudo.* (El uno al otro)

3. Para expresar la impersonalidad, para generalizar (ver capítulo 22, apartado C).
    *En esta ciudad **se** vive muy bien.*

4. En la pasiva refleja, para expresar que no importa quién realiza la acción (ver capítulo 20, apartado E).
    ***Se** alquila un apartamento en la playa.*
    *Aquí **se** arreglan relojes.*

5. Para expresar un cambio físico involuntario en un sujeto no animado.
   *La paella **se** ha quemado.*

6. Para expresar un cambio de estado de ánimo de la persona. Verbos como *asustarse, alegrarse, enfadarse, entristecerse...*
   *Mi padre **se** asustó al ver el accidente.*
   *Sandra **se** enfadó porque no la llamamos.*

I. VERBOS CON PRONOMBRE

1. Hay verbos que cambian de significado sin llevan los pronombres personales.

Acordar (hacer un pacto, llegar a un acuerdo).
__Hemos acordado__ vernos todos los jueves a las 10.

Acordarse (recordar algo)
*No **me** acordé de la cita con el médico.*

Hacer (actuar)
Hizo un examen ayer.

Hacerse (simular algo que no se es o también convertirse en algo)
*Este animal **se hace** el muerto para defenderse.*
__Me hice__ rico en un año.

Volver (regresar a un lugar)
__Volvió__ a casa antes de las 12.

Volverse (convertirse en algo)
__Se volvió__ loco jugando al ordenador.

Parecer (tener aspecto de...)
*Juan **parece** un político con ese traje nuevo.*

Parecerse (tener aspecto o una similitud con alguien)
*Juan **se parece** a su padre.*

Llevar (trasladar una cosa de un lugar a otro)
*Mañana **llevaré** estos libros a la biblioteca.*

Llevarse (robar, sacar algo de un lugar sin permiso o sin intención)
__Nos llevamos__ estos vasos del restaurante.

2. Hay otros verbos que siempre se usan con los pronombres reflexivos. Se llaman verbos pronominales, como *atreverse, arrepentirse, quejarse, suicidarse...*
   *Todos los alumnos **se quejaron** por las bajas notas del examen.*
   *No **me atrevo** a saltar, está muy alto.*

g Capítulo 10
Los números

Para practicar:
– *Competencia gramatical en uso* A1, páginas 78-8
– *Competencia gramatical en uso* B1, páginas 38-4

LOS NÚMEROS BÁSICOS

0 cero	10 diez	20 veinte
1 uno	11 once	30 treinta
2 dos	12 doce	40 cuarenta
3 tres	13 trece	50 cincuenta
4 cuatro	14 catorce	60 sesenta
5 cinco	15 quince	70 setenta
6 seis	16 dieciséis	80 ochenta
7 siete	17 diecisiete	90 noventa
8 ocho	18 dieciocho	100 cien
9 nueve	19 diecinueve	101 ciento uno

200 doscientos	300 trescientos	400 cuatrocientos	500 quinientos
600 seiscientos	700 setecientos	800 ochocientos	900 novecientos
1.000 mil		1.000.000 un millón	
1.000.000.000 mil millones		1.000.000.000.000 un billón	

LOS NÚMEROS ORDINALES

1.º/1.ª	primero/a	11.º/11.ª	undécimo/a (o decimoprimero/a)	
2.º/2.ª	segundo/a	12.º/12.ª	duodécimo/a (o decimosegundo/a)	
3.º/3.ª	tercero/a	13.º/13.ª	decimotercero/a	30.º/30.ª trigésimo/a
4.º/4.ª	cuarto/a	14.º/14.ª	decimocuarto/a	40.º/40.ª cuadragésimo/a
5.º/5.ª	quinto/a	15.º/15.ª	decimoquinto/a	50.º/50.ª quincuagésimo/a
6.º/6.ª	sexto/a	16.º/16.ª	decimosexto/a	60.º/60.ª sexagésimo/a
7.º/7.ª	séptimo/a	17.º/17.ª	decimoséptimo/a	70.º/70.ª septuagésimo/a
8.º/8.ª	octavo/a	18.º/18.ª	decimoctavo/a	80.º/80.ª octogésimo/a
9.º/9.ª	noveno/a	19.º/19.ª	decimonoveno/a	90.º/90.ª nonagésimo/a
10.º/10.ª	décimo/a	20.º/20.ª	vigésimo/a	100.º/100.ª centésimo/a

LOS NÚMEROS PARTITIVOS

1/2 mitad o medio/a	1/7 séptimo/a	1/12 doceavo/a o duodécimo/a	1/100 centésimo/a
1/3 tercio	1/8 octavo/a	1/13 treceavo/a	1/1.000 milésimo/a
1/4 cuarto/a	1/9 noveno/a	1/20 veinteavo/a o vigésimo/a	1/10.000 diezmilésimo/a
1/5 quinto/a	1/10 décimo/a	1/21 veintiunavo/a	1/1.000.000 millonésimo/a
1/6 sexto/a	1/11 onceavo/a o undécimo/a	1/30 treintavo/a o trigésimo/a	

LOS NÚMEROS MULTIPLICATIVOS

2 doble	4 cuádruple	6 séxtuple
3 triple	5 quíntuple	

A. LOS NÚMEROS BÁSICOS

1. Se utilizan para expresar cantidades.

   *Tengo **un** lápiz, **dos** bolígrafos, **tres** libros...*

2. Pueden ir acompañando a un sustantivo (delante o detrás) y también solos.

   *Tengo una caja de **cincuenta** lápices, ¿quieres **dos** o **tres**?*
   *Por favor, abrid el libro por la página **ciento veintidós**.*

3. Son invariables, excepto **uno** (**una**), los números que se forman con **uno** (*vein-tiuno*, *treinta y uno*, etc.) y los números del **200** al **900**, que concuerdan con el sustantivo en género.

   *Solo tenemos **un** ordenador y **una** impresora.*
   *Vinieron al concierto más de **quinientas cincuenta** personas.*

4. Los números **millón** y **billón** siempre necesitan la preposición **de** cuando acompañan al sustantivo. Pero no si van seguidos de otro número.

   *En esta ciudad viven más de un **millón de** habitantes.*
   *Hay un **millón** doscientos mil habitantes.*

5. Cuando queremos dar una cantidad imprecisa, se pueden usar los números con las expresiones **y pico** o **y tantos**.

   - *¿Cuántos años crees que tiene la profesora?*
   - *No sé, unos **treinta y pico** (o **treinta y tantos**).*

6. **Uno** y **veintiuno** se transforman en **un** y **veintiún** delante de un sustantivo.

   - *Cada plato cuesta **veintiún** euros.*
   - *Pues pedimos **un** plato de carne y **uno** de pescado.*

7. Del **16** al **29** los números se escriben en una sola palabra.

   *Aquí hay **veintitrés** alumnos y solo **diecinueve** sillas.*

8. La conjunción **y** solo se pone entre las decenas y las unidades.

   *Mi padre tiene **cincuenta y seis** años y yo **treinta y dos**.*

9. **Cien** solo se usa para referirse al número **100**. En los demás casos se utiliza **ciento**.

   *Este móvil vale **ciento** treinta euros y yo solo tengo **cien**.*

10. Con los porcentajes, se usa **cien** en la expresión **cien por cien** (100%), pero en los demás casos se utiliza **ciento**.

    *Me han subido el salario un 20% (veinte por **ciento**).*

11. Se utilizan también para referirse a los años o a los días del mes.

    *Nació en 1964 (**mil novecientos sesenta y cuatro**).*
    *Estamos a **doce** de febrero.*

    Aunque para referirse al día 1 puede usarse también el número ordinal.
    *Nos casaremos el **primero** de agosto.*

12. Para referirse a las décadas se utilizan las decenas junto a la palabra **años**.

*Me gusta la música de **los (años) sesenta**.*

13. Tradicionalmente, cuando se escribían en cifras, se ponía un punto cada tres cifras desde la derecha, excepto cuando se hablaba de los años.

Ciento cincuenta y siete mil = 157.000
Diez millones, novecientos ochenta mil cuatro = 10.980.004

B. LOS NÚMEROS ORDINALES

1. Los ordinales se utilizan para expresar un orden.

*El **primero** será Juan, la **segunda** Sonia y el **tercero** yo.*

2. También se utilizan para ordenar el discurso.

***Primero** voy a buscar a Elena, **segundo** hablaré con ella...*

3. Pueden ir delante o detrás del sustantivo (aunque es más habitual delante) y también sin él. Concuerdan en género (masculino o femenino) y en número (singular o plural) con él.

*Yo me bajo en la **segunda** parada, ¿y tú?*
*Voy por el capítulo **quinto** del libro que me dejaste.*
*Había más de cien atletas y he quedado el **noveno** en la carrera.*
***Los** primer**os** estudiant**es** en llegar fueron estos.*

4. Siempre llevan delante un determinante (artículo, posesivo, demostrativo, etc.).

*Es **la tercera** vez que llama hoy.*
*Este es **mi segundo** matrimonio.*

Excepto cuando se usan para ordenar el discurso:
***Primero** se ducha y en **segundo** lugar desayuna.*

5. Desde el **decimoprimero** hasta el **vigesimonoveno** también pueden escribirse en dos palabras.

décimo primero, décimo octavo, vigésimo tercero, etc.

6. **Primero**, **tercero** y todos sus derivados (como **decimoprimero, decimotercero, vigesimoprimero, vigesimotercero**, etc.) pierden la última vocal delante de un sustantivo masculino. En ese caso se representan numéricamente como **1.ᵉʳ, 3.ᵉʳ, 21.ᵉʳ, 23.ᵉʳ**, etc.

*Llegó en **decimoprimer** lugar en la carrera de los 100 metros lisos.*

Incluso cuando entre el ordinal y el sustantivo haya otra palabra.
*Teresa fue mi **primer** gran amor.*

7. En la lengua coloquial se suele sustituir el uso de los ordinales (sobre todo en los números altos) por los números básicos.

*Este año se celebra la **45.ª** (**cuarenta y cinco**) edición del concurso literario.*

8. Para representar los ordinales también se usa la numeración romana.

   XXXV Concurso de poesía Antonio Machado
   Juan Carlos I
   Benedicto XVI

9. Para referirse a los **siglos** se pueden usar los ordinales o los básicos. Aunque a partir del xi se utilizan solo los básicos.

   *Este escritor vivió en el siglo ii (**dos** o **segundo**).*
   *El Renacimiento empezó en Italia el siglo xiv (**catorce**).*

C. LOS NÚMEROS PARTITIVOS

1. Se usan para expresar una parte de un todo.

   *Los niños ya se han comido un **tercio** del pastel.*

2. Los partitivos correspondientes a los números **4** al **10** coinciden en las formas con los ordinales. El resto se forma con los básicos y el sufijo **-avo**. Si el número termina en **-a**, se suprime esta vocal.

   *veintitrés – **veintitresavo***
   *cuarenta – **cuarentaavo***

3. Los correspondientes a los números **11** y **12** y los correspondientes a las **decenas** admiten las dos formas (la de los ordinales y las acabadas en **-avo**).

   *Los votos emitidos son una **treintava** (o **trigésima**) parte del total.*

4. Solo **medio/a** puede ir delante del sustantivo. Los demás partitivos necesitan la preposición **de** para acompañar al sustantivo. Y siempre llevan delante un número, excepto **la mitad de**, que va con artículo.

   *Estuvieron **medio** año en Brasil.*
   *He pasado **media** vida en el extranjero.*
   *La enfermedad afectó a **un tercio de** la población.*
   *Se marcharon **tres cuartos de** los asistentes.*

5. Excepto **medio** y **mitad**, pueden acompañar al sustantivo **parte (de)**. En ese caso siempre van en femenino.

   *Por el piso pago al mes la **tercera parte de** mi salario.*

D. LOS NÚMEROS MULTIPLICATIVOS

1. Sirven para indicar repeticiones: **doble** (2 veces), **triple** (3 veces), **cuádruple** (4 veces), **quíntuple** (5 veces) y **séxtuple** (6 veces).

   *La gimnasta hizo un **triple** salto mortal.*
   *La RR es una letra **doble**.*
   *En este hotel hay habitaciones **cuádruples**.*

2. Pueden ir con artículo y sin el sustantivo.
   - *Me he comido un gran plato de paella.*
   - *Pues yo he comido **el triple**.*

   Si después queremos especificar el sustantivo al que se refiere, añadimos **de**.
   *Yo he comido **el triple de** paella.*

3. En el lenguaje coloquial solo es normal el uso de los multiplicativos más bajos (**doble**, **triple** y **cuádruple**). Para otras repeticiones, se usa el número básico junto la expresión **veces más** o **veces mayor**.
   *Este apartamento vale **seis veces más** que el mío. No puedo comprarlo.*
   *Tu casa es **diez veces mayor** que la mía.*

Para practicar:
– *Competencia gramatical en uso* A1, páginas 72-75.
– *Competencia gramatical en uso* A2, páginas 38-41.
– *Competencia gramatical en uso* B1, páginas 34-37.

Capítulo 11

Los indefinidos

INDICAN CANTIDAD O INTENSIDAD

Demasiado/a/os/as	cantidad o intensidad excesiva	*Trabaja **demasiadas** horas.* *Come **demasiado**.*
Muy	cantidad o intensidad abundante	*Elena es **muy** delgada.* *Habla **muy** sinceramente.*
Mucho/a/os/as		*Toma **muchas** pastillas.* *Sale **mucho** por las noches.*
Bastante/s	cantidad o intensidad necesaria	*No tenemos **bastantes** mesas.* *Habla **bastante** en clase.*
Poco/a/os/as	cantidad o intensidad pequeña	*Hemos preparado **poca** paella.* *Este niño duerme **poco**.*

INDICAN LA EXISTENCIA

	Afirmativo	Negativo
Persona	**Alguien** (= alguna persona) *¿**Alguien** lo sabe?*	**Nadie** (= ninguna persona) *No ha venido **nadie**.*
Objeto	**Algo** (= alguna cosa) *Tengo **algo** para ti.*	**Nada** (= ninguna cosa) *No recuerdo **nada**.*
Persona u objeto	**Algún/alguno, alguna, algunos, algunas** *Han venido **algunos** chicos.*	**Ningún/ninguno, ninguna, ningunos, ningunas** *No tengo **ninguna** posibilidad.*

INDICAN UNO, VARIOS O TODOS LOS ELEMENTOS DE UN GRUPO

Todo/a/os/as	*Están vendidas **todas** las entradas.*
Otro/a/os/as	*Ya no tengo más sellos, dame **otro**.*
Mismo/a/os/as, propio/a/os/as, igual/es	*Tengo los **mismos** años que Juan.* *Lo vi con mis **propios** ojos.*
Varios/as, cierto/a/os/as, diferente/s, distinto/a/os/as, diverso/a/os/as	*Hoy han llegado **varias** cartas.* *Hemos visitado **distintos** países europeos.*
Semejante/s, tal/es	*No son verdaderas **tales** noticias.*
Cada	*Hay un yogur para **cada** niño.*
Demás	*¿Estás tú sola? ¿Dónde están las **demás**?*
Ambos/as	*Hay dos sillas y **ambas** están reservadas.*
Cualquier/cualquiera, cualesquiera	*Lo puedo hacer **cualquier** día.*

A. LAS CARACTERÍSTICAS DE LOS INDEFINIDOS

1. Los indefinidos se utilizan para referirse a:
   a) Una cantidad no concreta de personas, animales o cosas.
      *Tengo **muchos** problemas.*
      *Hoy tengo **demasiado** trabajo.*

   b) La intensidad de una cualidad.
      *Con este vestido estás **poco** elegante.*

   c) La existencia de un elemento no definido.
      *Tengo **algo** para ti.*

   d) Uno, varios o todos los elementos de un grupo.
      *Todavía quedan móviles a bajo precio, ¿quieres **alguno**?*

2. Si los indefinidos negativos van detrás del verbo, se usa **NO** delante del verbo.
   - *¿Tengo **algún** mensaje?*
   - *No, **nadie** te ha llamado. / No, **no** te ha llamado **nadie**.*

   - *Ya sabes cómo funciona este aparato, ¿verdad?*
   - *No, **nunca** he tenido **ninguno**. / No, **no** he tenido **nunca ninguno**.*

3. Excepto **demasiado**, **muy**, **todo/a/os/as**, **demás**, **ambos** y **cada**, los indefinidos pueden combinarse con **más** para expresar más elementos de lo esperado o ya sabido.
   - *¿Va a venir **alguien más**?*
   - *No, no va a venir **nadie más**.*

B. DEMASIADO/A/OS/AS, MUCHO/A/OS/AS, POCO/A/OS/AS, BASTANTE/S

1. Concuerdan en género (masculino o femenino) y en número (singular o plural) con el sustantivo al que se refieren. Y se usan para indicar cantidad.
   *Hace **demasiado** calor.*   *Recibo **demasiados** mensajes cada día.*
   *Este plato tiene **mucha** sal.*   *Llevo esperando **muchas** horas.*
   *Aquí hay **poca** luz.*   *Tenemos **pocos** libros nuevos.*
   *Hoy tengo **bastante** tiempo.*   *Ya tiene **bastantes** años.*

2. También se usan delante de adjetivos y adverbios.
   *Llevas más de diez horas en la oficina. Trabajas **demasiado**.*
   *Duermo **mucho** los domingos, me levanto a las doce.*
   *Saca malas notas porque estudia **poco**.*
   *Es **demasiado** tímida, habla muy poco en clase.*
   *Es un paisaje **muy** bonito.*
   *Escribe **muy** mal. No entiendo la letra.*

g

C. EL CONTRASTE *MUY Y MUCHO*

1. **Mucho** se utiliza detrás de verbos y **mucho/a/os/as**, delante de sustantivos.
   *Lee **mucho**, dos libros a la semana.*   *Tengo **muchas** amigas.*

2. **Muy** se utiliza delante de adjetivos y adverbios.
   *Es **muy** buena estudiante.*   *Vivimos **muy** cerca del hospital.*

3. **Mucho** también se usa delante de los adjetivos **mejor**, **peor**, **mayor** y **menor**, y de los adverbios **más**, **menos**, **antes** y **después**.
   *Salomé ha cantado **mucho** mejor que Sheila.*
   *Hemos llegado **mucho** antes que vosotros.*

D. EL CONTRASTE *POCO Y UN POCO DE*

1. Los dos indican cantidad pequeña, pero con **poco** damos importancia a lo que no hay, a lo que falta, y con **un poco de** damos importancia a lo que sí hay, a lo que se tiene.
   *Queda **poco** tiempo. No conseguiremos terminar el trabajo.*
   *Todavía queda **un poco de** tiempo. Podemos terminar el trabajo hoy.*

2. **Poco** se utiliza con cualquier sustantivo y concuerda con él en género y número. **Un poco de** se utiliza solo con sustantivos no contables y es invariable.
   *Hay **poca** sal.*   *Hay **un poco de** sal.*
   *Quedan **pocos** días.*   **Quedan un poco de días.*

E. *ALGUIEN, NADIE, ALGO, NADA*

1. **Alguien** y **algo** se refieren a una persona o a una cosa sin mencionarla.
   *¿**Alguien** conoce a Pedro?*   *¿Quieres tomar **algo?***

2. **Nadie** y **nada** se refieren a la no existencia de una persona o de una cosa.
   *No hay **nadie** en clase.*   *No hay **nada** en la nevera.*

3. Cuando acompañan a un sustantivo, necesitan la preposición **de**.
   *No ha venido **nadie de** su familia.*
   *Ya no queda **nada de** arroz.*
   *Sé **algo de** Historia. (Equivale a **un poco de**)*

4. **Algo** y **nada** pueden ir seguidos de un adjetivo o de un adverbio.
   *Las noticias no son **nada** buenas.*
   *Este ejercicio no está **nada** bien.*
   *Esta mujer es **algo** creída.*
   *Mi casa está **algo** lejos. (Equivale a **un poco**)*

F. *ALGUNO/A/OS/AS* Y *NINGUNO/A/OS/AS*

1. Se refieren a individuos o a elementos de un mismo grupo.
- *¿Vienen tus amigos?*
- *Sí, vienen **algunos** (amigos).*
- *¿Te quedan **algunas** botellas de agua?*
- *No, no queda **ninguna** (botella).*

2. Alguno y **ninguno** pierden la **-o** final delante de un sustantivo masculino singular.
- *¿Hay **algún** médico en la sala?*
- *No, no hay **ningún** médico.*

3. Alguna y **ninguna** también pierden la vocal **-a** delante de un sustantivo femenino singular que empieza por **a-** o **ha-** tónicas. Aunque también se usa la forma normal.
*¿Queda **algún/alguna** aula libre?*

4. Ninguno/a no se suele usar en plural, excepto:
a) Con sustantivos que siempre van en plural.
*Aquí no hay **ningunas** tijeras.*

b) Con valor enfático.
*No tengo **ningunas** ganas de salir ahora.*

G. *TODO/A/OS/AS*

1. En singular equivale a «entero, completo». Y en plural se refiere a un grupo total de personas o cosas.
*Se pasó **toda** la vida fuera de Cuba.*   *¿Son tuyas **todas** estas películas?*

2. En caso de ir con sustantivo, entre **todo/a/os/as** y el sustantivo hay un artículo determinado, un demostrativo o un posesivo.
*Son mías **todas**.*   *Me gustan **todas** tus fotos.*
*Son mías **todas** esas películas.*   *Me he despedido de **todo** el mundo.*

3. Concuerda en género y número con el sustantivo al que se refiere.

4. La forma invariable **todo** es lo contrario de **nada**.
- *¿Qué te gusta de este cuadro?*
- *Me gusta **todo**: el color, el paisaje, la luz...*

5. En el habla formal, **todo** y **toda** se pueden poner delante de un sustantivo para generalizar, y equivale a «todos los» o «todas las».
***Toda** ayuda será bien recibida.* (= Todas las ayudas)

6. Con el verbo **ser**, **todo/a** delante de un artículo y un sustantivo indica «auténtico, muy bueno».
*Jorge es **todo un** director.* (Es muy buen director)

7. **Todo/a** con adjetivos expresa grado superlativo.

   *Mi madre está **toda orgullosa** de mis notas.* (Está muy orgullosa)
   *Javier llegó **todo contento** con su coche nuevo.* (Llegó muy contento)

8. Otros usos de **todo** invariable:

   a) **Con todo (y eso)** significa «no obstante, sin embargo».

   *No era buen estudiante, **con todo (y eso)** ya tiene dos carreras.*

   b) **Con + *sustantivo* + y todo** tiene valor enfático.

   *Te has comido la madalena **con papel y todo.***

   c) **Sobre todo** significa «especialmente, principalmente».

   *Me gusta leer, **sobre todo** novelas de aventuras.*

H. OTRO/A/OS/AS

1. Se refiere a varias personas o cosas diferentes, pero del mismo grupo.

   *Esta empresa tiene muchos números de teléfono. ¿Llama a **otro**?*

2. Concuerda en género y número con el sustantivo al que se refiere.

   *Además de ser profesora, tiene **otros** trabajos.*
   *Están muy buenas estas manzanas, dame **otra**.*

3. Delante de **otro/a/os/as** puede ir un artículo determinado, un posesivo, un demostrativo u otro indefinido.

   *Consultaré con **la otra** doctora.*
   *Usaré **mi otro** coche.*
   *Si necesitas más sillas, puedes llevarte **estas otras**.*
   *¿Tiene **alguna otra** pregunta?*

   Pero no puede ir acompañado por el artículo indeterminado.

   *He visto una película, pero voy a ver una otra.

4. Con los números, **otro/a/os/as** va delante.

   *Necesito **otros tres** sellos.*

I. MISMO/A/OS/AS, PROPIO/A/OS/AS, IGUAL/ES

1. **Mismo** es lo contrario de **otro**. En estos casos siempre lleva un determinante delante.

   • *¿Te has comprado otro coche?*
   • *No, es el **mismo** (coche), pero lo he pintado de rojo.*

   *He visto esta **misma** película tres veces.*

2. **Mismo** puede usarse con valor enfático. Este también es el significado de **propio**.

   *No hace falta comprar las entradas por internet, puedes hacerlo en el **mismo/propio** museo.*
   *Lo hizo con sus **propias** manos.*

3. Con el uso enfático, **mismo** puede aparecer detrás del sustantivo, de un pronombre o de un adverbio. Pero **propio** solo va delante de sustantivos.

   *La profesora **misma** será quien corrija los exámenes.*
   *Nosotros **mismos** lavaremos los platos.*
   *Deja los libros aquí **mismo**.*

4. **Mismo** se utiliza también con pronombres reflexivos (ver capítulo 9, apartados C y D).

   *Siempre está hablando de sí **misma**.*

5. **Igual** y **mismo** se usan para construir oraciones comparativas de igualdad (ver capítulo 31, apartado H).

   a) *Verbo* + **igual que**/**lo mismo que**.
   *Me gusta vestir **igual que** mi hermana.*
   *Hizo **lo mismo que** yo.*

   b) **Igual de** + *adjetivo/adverbio...* **(+ que)**.
   *Esta película es **igual de** interesante (**que** la primera).*

   c) **El/la/los/las mismo/a/os/as** + *sustantivo* + **que**.
   *Sandra se puso **la misma** falda **que** su madre.*

6. **Igual** también se usa como adverbio de duda, equivalente a «tal vez», «a lo mejor», «quizá».

   *No ha venido a trabajar, **igual** está enfermo.*

J. VARIOS/AS, CIERTO/A/OS/AS, DIFERENTE/S, DISTINTO/A/OS/AS, DIVERSO/A/OS/AS

1. Tienen un significado parecido a **algunos/algunas**: existencia de un número indeterminado de individuos u objetos.

   - *¿Tienes algún libro de cocina?*
   - *Sí, tengo **varios**. ¿Qué prefieres: cocina española, mexicana, portuguesa...?*

   *Este médico trabaja **ciertos** días a la semana.*
   *Iremos a Chile y visitaremos **diferentes** ciudades.*
   *Son fotografías de **distintos** momentos de mi vida.*

2. Excepto **cierto**, se usan normalmente en plural y pueden ir delante de un sustantivo o sin él.

   *Busco una farmacia. Me han dicho que en este barrio hay **varias**.*
   *Han dejado **diversos** mensajes para ti.*

3. **Cierto** también se usa para referirse a alguien o a algo con un matiz de imprecisión. En este caso puede ir con el artículo indeterminado.

   *(Un) **cierto** día se presentaron unos policías en mi casa.*
   *Ha preguntado por ti (una) **cierta** señora López.*

K. SEMEJANTE/S, TAL/ES

1. Se usan en el lenguaje formal para referirse a uno o varios elementos ya menciona-
dos. En casi todos los casos, se pueden sustituir por los demostrativos.
   - *Estos alumnos no respetan a los profesores y suspenden todas las asignaturas.*
   - ***Semejantes** chicos no tienen un buen futuro.*

   *Jesús ha dejado el trabajo. Nunca pensé que haría **tal** tontería, era un buen puesto.*

2. En el habla coloquial, **un tal** seguido de un nombre de persona se refiere a una
persona que es poco conocida por los que hablan.
   *En la radio hablaban de **un tal** Luis Gutiérrez. Es cantante, ¿lo conoces?*

3. *Artículo determinado* o *demostrativo* + **tal** seguido de un nombre de persona se refiere a alguien en sentido despectivo.
   *No me gusta **esa tal** Susana, es muy egoísta.*

L. CADA

1. Señala uno por uno los elementos de un grupo o las divisiones de algo. No cambia
de género ni de número y siempre va delante de sustantivos contables en singular.
   *Mi padre nos ha comprado un apartamento a **cada** hijo.*

2. Se puede usar con sustantivos en plural, pero entonces va seguido de un número.
   *En esta sala hay un ordenador para **cada dos** estudiantes.*

3. Con un sustantivo que indica tiempo (*días, semanas, meses...*) expresa la periodicidad con que se realiza algo.
   *Visitamos a los abuelos **cada dos semanas**.*

4. **Cada uno/a, cada cual** y **cada uno/a de** se usan para referirse a los individuos de
un grupo de uno en uno.
   ***Cada uno/cual** hace su trabajo de forma individual.*
   *El presidente respondió a **cada una de** las preguntas.*

5. Precedido de la preposición **de** tiene valor de porcentaje.
   *Solo cinco **de cada** diez alumnos aprueba el primer curso.*

M. DEMÁS

1. **Demás** se usa para referirse a un grupo de personas o cosas restantes del total.
Significa «el resto» o «lo otro».
   *Hay solo tres chicos en el aula, los **demás** alumnos se han ido.*

2. Siempre va acompañado de **los**, **las**, o de **lo**.

*Tengo seis hermanas; dos viven en Barcelona y **las demás**, en Madrid.*
*Me he comprado el traje y los zapatos, porque todo **lo demás** ya lo tenía: la corbata, el cinturón y la camisa.*

3. Va sin artículo cuando está al final de una enumeración de elementos.

*Necesitarás lápices, bolígrafos, hojas y **demás** objetos escolares.*

N. AMBOS/AS

Se usa en el lenguaje formal y significa «los/las dos». Siempre va en plural.

*Lo has resuelto de dos maneras y **ambas** soluciones son correctas.*
*Se han presentado solo dos candidatos y **ambos** están muy bien preparados.*

Ñ. CUALQUIER/CUALQUIERA, CUALESQUIERA

1. Se refiere a una persona o cosa indeterminada dentro de un grupo.
- *Tengo tres vestidos, ¿cuál me pongo?*
- *Cualquiera.*

2. Cualquier se usa delante del sustantivo y **cualquiera** va detrás o sin el sustantivo. Entre **cualquier** y el sustantivo puede ir otra palabra.

*Llama a **cualquier** (otro) médico, no conocemos a ninguno.*
*Voy a comprar un móvil **cualquiera**, lo importante es que funcione bien.*

3. Puede usarse también como generalizador, con el significado de «todo el mundo».
- *¿Te gusta viajar gratis?*
- *Claro, eso le gusta a **cualquiera**. (= A todo el mundo)*

4. El plural de **cualquier** y **cualquiera** es **cualesquiera**.

*Elegiremos dos estudiantes **cualesquiera** que representarán a la escuela.*

5. Cualquiera puede ir seguido de **que** + *subjuntivo*. En estos casos también puede usarse **quienquiera**.

Cualquiera (o *quienquiera*) *que te vea con esa ropa pensará que estás loco.*

6. Cualquiera que sea significa «no importa».

*Necesitamos una secretaria, **cualquiera que sea** su formación. (= No importa su formación)*

7. Cualquiera se puede utilizar como un sustantivo seguido de **un** o **una** con el significado de «persona de poca importancia». En este caso el plural es **cualquieras**.

*Rodrigo no era **un cualquiera**, había sido alcalde de su ciudad.*

Para practicar:
– *Competencia gramatical en uso A1, páginas 86-89.*
– *Competencia gramatical en uso A2, páginas 106-109.*
– *Competencia gramatical en uso B1, páginas 140-145.*
– *Competencia gramatical en uso B2, páginas 12-17.*

Capítulo 12
Los relativos

Sirven para unir oraciones que dan información detallada sobre cosas o personas, sobre un lugar o sobre un modo, evitando su repetición.

*La <u>mujer</u> a **quien** saludé era mi profesora.*
*El <u>coche</u> **que** me he comprado es un todoterreno*
*Hemos cenado en un <u>restaurante</u> **donde** trabaja mi hermano.*

Se refiere a...	Relativo	
Personas y objetos	que	*El médico **que** visité era oculista.*
	el que, la que, los que, las que	*Hay muchas galletas, come **las que** quieras.*
	el cual, la cual, los cuales, las cuales	*Hablemos del tema por **el cual** estamos aquí.*
Personas	quien, quienes	*Este es el amigo de **quien** te he hablado tanto.*
Situaciones e ideas	lo que, lo cual	*Dime **lo que** estás pensando.*
Posesivos	cuyo, cuya, cuyos, cuyas	*Los escritores **cuyos** libros se venden bien son ricos.*
Modo en que se realiza la acción	como	*Me gusta el modo **como** cocinas.*
Lugares	donde	*Esta es la oficina **donde** trabaja mi padre.*
Tiempo o momento	cuando	*He olvidado el momento **cuando** nos conocimos.*
Cantidades	cuanto, cuanta, cuantos, cuantas	*Puedes comer todo **cuanto** quieras.*

Capítulo 12 Los relativos

A. QUE

1. Es invariable y siempre lleva antecedente.
   *Los atletas **que** participaron en la carrera están muy cansados.*

2. En las oraciones explicativas puede sustituirse por **el/la cual, los/las cuales**.
   *Todos los atletas, **que/los cuales** participaron en la carrera, están cansados.*
   *Allí está la chica de **la que/la cual** te hablé.*

B. EL QUE, LA QUE, LOS QUE, LAS QUE

1. Se refiere tanto a personas como a cosas y nunca lleva antecedente porque:
   a) El relativo está al principio de la frase. En estos casos casi siempre equivale a un demostrativo.
   ***La que** entra ahora es la profesora.* (= Esa/Aquella que)

   b) Ya se sabe de quién o de qué estamos hablando.
   - *¿Estas sillas están libres?*
   - *Sí, llévate **las que** necesites.*

   c) Va detrás de una preposición.
   *La casa de Valladolid, **en la que** vivió diez años, es ahora un hotel.*

   Excepto con las preposiciones **a, con, de, en** y **por**, con las que puede ir **que** o **el que** si las frases son afirmativas (no negativas).
   *He perdido la llave **con (la) que** se abre la puerta del sótano.*
   *Para la reunión, buscaremos una sala **en la que** no haya nadie.*

2. El artículo siempre debe concordar con el sustantivo al que se refiere.
   *Tengo muchos <u>libros</u>, pero ya los he leído. Puedes llevarte **los que** quieras.*

3. Normalmente, delante del artículo puede llevar **todo/a/os/as**.
   *Ya no queda leche, se ha terminado **(toda) la que** compraste ayer.*
   *He telefoneado a **(todos) los que** estaban en la lista.*

C. LO QUE

1. Se refiere a una situación o una idea.
   *<u>Que siempre llegues tarde</u> es **lo que** me molesta.*
   *¿Has olvidado <u>aquello</u> de **lo que** hablamos?*

2. Normalmente no lleva antecedente y equivale a «la(s) cosa(s) que» o «aquello que». Puede llevar delante la palabra **todo**.
   *Me encanta **(todo) lo que** hay en esta tienda.* (= Las cosas que)

g

3. **Lo que** aparece en algunas frases fijas del habla coloquial:

- **Lo que faltaba** expresa desánimo ante algo inesperado.
  *¡Oh, no! Tengo mucho trabajo y, encima, **lo que faltaba**, el ordenador no funciona.*

- **Lo que me temía** expresa también desánimo ante una situación esperada.
  *Somos muchos pero, **lo que me temía**, ninguno sabe cocinar.*

- **Lo que son las cosas** expresa una situación contradictoria.
  *Entré en la empresa gracias a él y ahora, **lo que son las cosas**, soy su jefa.*

- **Lo que oyes** expresa la confirmación de una información que al interlocutor le resulta difícil creer.
  *Lleva varios años mintiendo, sí, **lo que oyes**.*

- **Lo que tú digas** expresa que el hablante cede en una discusión.
  *Vale, vale, no me quieres hacer caso, pues **lo que tú digas**.*

D. EL CUAL, LA CUAL, LOS CUALES, LAS CUALES

1. Se refieren a personas o cosas y varían en género y número. Tienen siempre antecedente y se usan sobre todo en el lenguaje formal.
   *Fuimos a poner una reclamación, **la cual** presentamos también por escrito.*

2. Pueden usarse en lugar de **que** en las oraciones explicativas sobre todo para evitar ambigüedades cuando el antecedente está un poco lejos.
   *El abuelo me contaba a menudo sus aventuras durante su vida de marinero, **las cuales** siempre acababan felizmente.*

3. En las oraciones especificativas puede usarse en lugar de **el que**, **la que**, **los que**, **las que** si llevan delante una preposición.
   *En este libro he leído cosas **con las que (las cuales)** no estoy de acuerdo.*

4. Es obligatorio usar **el cual** en lugar de **que** en los siguientes casos:
   a) Detrás de los números o de sustantivos que indican una parte de algo.
      *Tiene cinco hijos, **dos de los cuales** son abogados.*
      *Tiene muchos cedés, **la mayoría de los cuales** son de música clásica.*

   b) Detrás de un participio que va al principio de la frase.
      *Primero, tendremos una reunión. **Terminada** la cual, cada uno hará su trabajo.*

   c) Detrás de **según** y de **a través de**, **gracias a**, **a pesar de**, **a consecuencia de**.
      *Declararon varios testigos, **según los cuales** el incendio fue accidental.*
      *Felipe ganó importantes premios, **gracias a los cuales** se hizo rico y famoso.*

E. *LO CUAL*

El antecedente es siempre una oración o un participio al principio de la frase.
*Era bueno y generoso, **lo cual** le ayudó a tener muchos amigos.*
*Dicho **lo cual**, vamos a pasar a los ejercicios prácticos.*

F. *QUIEN, QUIENES*

1. Se refiere siempre a una persona y concuerda con ella en número. Puede ir sin antecedente al principio de la frase y con el significado de «la/s persona/s que».
   Quien quiera salir antes tiene que pedir permiso al director. (= La persona que)

2. Puede llevar antecedente en oraciones explicativas, con o sin preposición.
   *Contactamos con los astronautas, **quienes** expresaron su deseo de volver.*
   *Luis y Sandra, **con quienes** estuvimos cenando, nos explicaron sus proyectos.*

3. Puede llevar antecedente en oraciones especificativas, pero siempre con una preposición (*a quien, de quien, para quien...*).
   *Los hombres **con quien** me viste son mis compañeros de trabajo.*

4. Se puede sustituir por **el que/la que/los que/las que**.
   Quien (El que) salga ahora ya no podrá volver.
   *Ellos son **quienes** (los que) me lo contaron.*
   *Las chicas **con quienes** (las que) estaba jugando son mis mejores amigas.*

   Excepto en las oraciones explicativas sin preposición.
   *Los profesores, **quienes** (*los que) la conocían, ya no estaban.*

G. *CUYO, CUYA, CUYOS, CUYAS*

1. Es un relativo posesivo. Siempre va con antecedente (que expresa el poseedor) y va delante de un sustantivo que expresa lo poseído.
   *Nos alojamos en un hotel **cuyas** habitaciones tenían sauna privada.*

2. Siempre concuerda en género y número con el sustantivo al que acompaña, no con su antecedente.
   *Se casó con una mujer **cuyo padre** es embajador.*

3. Aparece sobre todo en el lenguaje formal y escrito. En la lengua hablada suele sustituirse por el relativo **que** seguido de un verbo de posesión.
   Es un libro cuyas ilustraciones son de Goya. (= Que tiene ilustraciones de Goya)

H. *DONDE*

1. Indica un lugar, acontecimiento o situación.
*Trabajo en un <u>despacho</u> **donde** no hay calefacción.*
*Hemos organizado un <u>partido</u> **donde** puedan jugar chicos y chicas juntos.*
*Me quedaré **donde** me digas.*

2. Cuando el antecedente es un sustantivo que indica lugar, **donde** se puede sustituir por **en el que** o **en el cual**.
*Trabajo en un despacho **donde / en el que / en el cual** no hay calefacción.*

3. El antecedente también puede ser un adverbio de lugar: *aquí, acá, ahí, allí, allá, delante, enfrente...*
*Puedes dejar la caja <u>ahí</u>, **donde** están las demás.*
*Iremos a comer <u>enfrente</u>, **donde** han abierto el nuevo restaurante.*

4. Puede ir con preposición.
*Conozco un <u>lugar</u> **desde donde** podremos verlo mejor.*
*Iremos **por donde** tú nos digas.*

5. Cuando el verbo indica movimiento, para indicar destino, pueden emplearse **donde, adonde** y **a donde**.
*La <u>casa</u> **adonde/a donde/donde** vamos era de mis abuelos.*
*Este verano iremos **adonde/a donde/donde** tú prefieras.*

6. Para indicar estado o situación puede emplearse **en donde** o **donde**.
*Lo dejaron en una sala **en donde/donde** hacía mucho frío.*

7. En el habla coloquial se usa a veces seguido de sustantivos de persona con el significado de «junto a» o «a casa de».
*Fue **donde** María para ver qué le pasaba.*
*Hoy iré a comer **donde** la abuela.*

8. Es obligatorio en las estructuras **ser** + *lugar* + **donde** y *lugar* + **ser donde**.
*Es en Madrid **donde** se celebra la feria.*
*En mi casa fue **donde** se conocieron.*

I. *COMO*

1. Se usa sin antecedente o con los antecedentes **modo, manera, forma, así** y **tal**; en estos casos, se puede sustituir por **en que**.
*Voy a cocinar el pollo a la <u>manera</u> **como/en que** me explicó mi abuela.*
*Recuerdo perfectamente el <u>modo</u> **como/en que** me hablaste.*
*El aula quedó <u>así</u> **como** la estás viendo.*
*Te lo he dicho <u>tal</u> **como** me lo contaron a mí.*

2. Delante de una expresión de tiempo o cantidad indica una idea aproximada.
   *Estuvimos esperando en la puerta **como** una hora.* (= Aproximadamente)
   *Esta bolsa pesa **como** dos kilos.* (= Aproximadamente dos kilos)

3. Es obligatorio en la estructura **ser** + *gerundio* + **como**.
   *No **es llorando como** solucionarás tus problemas.*

J. *CUANDO*

1. Se refiere a un tiempo. Si va detrás de un antecedente como **momento, día, año**, es más frecuente el uso de **en que**.
   *¿Recuerdas **cuando** nos conocimos?*
   *Estamos esperando el <u>momento</u> **cuando/en que** todos estén sentados.*

2. Es obligatorio en la estructura **ser** + *tiempo* + **cuando**.
   *Fue en 1960 **cuando** nació.*

3. Otros usos de **cuando**:
   a) Valor de causa, equivalente a «porque».
      *Deben de ser la diez, **cuando** tú lo dices.*

   b) Valor concesivo, equivalente a «a pesar de que».
      *Sigue hablando de deporte, **cuando** lo importante es la política.*

   c) **Cuando** + *sustantivo* equivale a «en el tiempo de» o «durante».
      *Eso ocurrió **cuando la guerra**.*

K. *CUANTO, CUANTA, CUANTOS, CUANTAS*

1. Se refieren a personas o cosas. Normalmente van sin antecedente y equivalen a «los que» o «las que».
   ***Cuantos** le conocían sabían que era un buen hombre.* (= Los que le conocían)

   • *¿Tienes naranjas?*
   • *Sí, muchas. Llévate **cuantas** quieras.* (= Las que quieras)

   Como antecedente, admiten solo **todos/todas**.
   *Necesito muchos bolígrafos, déjame <u>todos</u> **cuantos** tengas.*

2. El neutro **cuanto** equivale a «todo lo que». Puede llevar como antecedente **todo**.
   *Descansa **cuanto** puedas, mañana tenemos mucho trabajo.* (= Todo lo que puedas)
   *Habla <u>todo</u> **cuanto** quieras, tienes la palabra.* (= Lo que quieras)

3. Se utilizan en el lenguaje formal.

4. **Cuanto/a/os/as más/menos** introduce oraciones comparativas en las que se expresa el aumento o la disminución de dos elementos al mismo tiempo.
   Cuanto más estudies, más sabrás.
   Cuantos menos participantes seamos, más posibilidades de ganar.

   La elección de **más** o **menos** en el primer elemento no obliga a usar la misma palabra en el segundo elemento.
   Cuanto más trabajo, más me canso (o también **menos** me gusta).

5. **Cuanto antes** significa «lo más pronto posible».
   Me gustaría que llegara cuanto antes.

L. LAS ORACIONES DE RELATIVO

1. Hay de dos tipos:
   a) Las **especificativas** sirven para definir o localizar el antecedente (expreso o no) del que hablamos.
      Llevé bocadillos a los chicos que estaban estudiando.
      (No llevé bocadillos a todos, solo a los que estaban estudiando)

   b) Las **explicativas** sirven para dar detalles o aclarar de qué persona, animal, objeto o lugar hablamos. Van entre comas y hay pausas en la entonación.
      Llevé bocadillos a los chicos, que estaban estudiando.
      (Llevé bocadillos a todos los chicos, porque estaban estudiando)

2. Pueden ir con verbos en indicativo o en subjuntivo según sea el antecedente al que se refieren.
   a) Van con indicativo si se refieren a un antecedente conocido o específico.
      Conozco a un médico que es muy bueno. ¿Te doy su teléfono?
      La mujer con quien estaba reunido era la presidenta de la empresa.

   b) Van con subjuntivo si se refieren a un antecedente no conocido ni específico.
      Busco a un médico que sea bueno. ¿Conoces tú alguno?
      Quien tenga el número premiado puede acercarse. (Personas en general)
      Busco a una persona a quien le guste leer. (Persona no conocida)

3. Con **cuando**, van con indicativo si se refieren a acciones en presente o en pasado y con subjuntivo si se refieren a acciones futuras.
   Lo vi entre el público cuando me levanté.
   Lo verás entre el público cuando te levantes.

Para practicar:
- *Competencia gramatical en uso* A1, páginas 44-47.
- *Competencia gramatical en uso* B1, páginas 44-47.

Capítulo 13
Los interrogativos y los exclamativos

Se refiere a...	Interrogativo o exclamativo	
Objetos, ideas o acciones diversos	**Qué**	*¿**Qué** tienes en la mano?* *¿En **qué** piensas?* *¿**Qué** vas a hacer hoy?*
Personas, objetos o ideas entre varias posibles	**Cuál, cuáles**	*¿**Cuál** de ellos es tu padre?* *No sé con **cuál** quedarme.*
Personas	**Quién, quienes**	*¿**Quién** es la directora?*
Un lugar	**Dónde**	*¿**Dónde** vamos ahora?*
Un modo, el estado o las características de algo o alguien	**Cómo**	*¿**Cómo** has llegado hasta aquí?*
Un momento	**Cuándo**	*¿Desde **cuándo** vives en Madrid?*
Una cantidad	**Cuánto, cuánta, cuántos, cuántas**	*¿**Cuánto** arroz le pongo a la paella?*

A. CARACTERÍSTICAS GENERALES

1. Siempre llevan acento gráfico (tilde). Las preguntas directas se escriben con interrogación inicial (¿) y final (?). Las exclamaciones con ¡!
   ¿Cuántos años tienes?   *¡Qué sorpresa!*

2. Las preguntas indirectas no llevan signos de interrogación y suelen ir introducidas por verbos como **preguntar** o **decir** (con el significado de preguntar).
   *Pregúntale **dónde** vive.*   *Dile que a **qué** hora va a venir.*

3. También se utilizan los interrogativos en oraciones donde se expresa desconocimiento de algo.
   *No sé **cómo** se llama mi profesora.*
   *No hemos averiguado **cuál** es la solución.*

4. Solo los interrogativos **qué** y **cuánto/a/os/as** pueden ir seguidos de un sustantivo.
   *¿**Qué habitación** prefieres?*   *¿**Cuánto tiempo** necesitamos?*

5. Los interrogativos pueden ir precedidos de preposición.
   - *Voy a comer el arroz <u>con palillos</u>.*
   - *¿**Con qué** vas a comer el arroz?*
   - *Le pedí los palillos <u>al camarero</u>?*
   - *¿**A quién** le pediste los palillos?*

6. Los exclamativos más frecuentes son **qué**, **cómo** y **cuánto**, pero en algunos casos también se pueden usar como exclamativos todos los demás.

7. Algunos interrogativos pueden usarse como sustantivos con un artículo.
   *Quiero saber **el cómo** y **el cuándo** de esta negociación.*

B. QUÉ

1. Es invariable y va seguido de un verbo para identificar cosas, ideas o acciones.
   - *¿**Qué** estás comiendo?*
   - *Una manzana.*
   - *¿**Qué** ha ocurrido?*
   - *Un accidente.*
   *Dígame **qué** necesita, tal vez pueda ayudarle.*

2. También se usa seguido de un sustantivo para identificar a personas o cosas de un grupo.
   - *¿**Qué** novela busca?*
   - *La última de Vargas Llosa.*
   - *¿**Qué** médico necesita?*
   - *Un dentista.*

3. En un diálogo, como reacción a lo que otra persona dice, también se suele usar con artículo en el habla coloquial.
   - *Oye, esto no me gusta nada.*
   - *¿**El qué**?*

4. Como exclamativo, se utiliza seguido de un adjetivo, un sustantivo o un adverbio.

*¡**Qué** (mala) suerte tengo!*   *¡**Qué** divertido (es)!*
*¡**Qué** frío (hace)!*   *¡**Qué** lejos (vives)!*

5. En el habla coloquial suele usarse con verbos de peso, medida o precio con el significado de «cuánto».

*¿**Qué** vale este cuadro?*   *¿**Qué** mide esta lámpara?*

6. Qué aparece en algunas frases fijas del habla coloquial:

a) **¿Qué tal?** se utiliza como fórmula de saludo, para proponer algo o con el significado de «cómo».

*Hola, ¿**qué tal**?* (Saludo)
*¿**Qué tal** si vamos al cine?* (Proposición)
*¿**Qué tal** lo he hecho?* (= Cómo)

b) **¿Qué hay?** se utiliza como fórmula de saludo.

- *Hola, ¿**qué hay?***
- *Hola.*

c) **No hay de qué** se utiliza como respuesta a la palabra **gracias**.

- *Muchas gracias por dejarme pasar.*
- ***No hay de qué**.*

d) **¿Y (a mí) qué?** expresa desprecio o indiferencia a algo que se ha dicho.

- *Mañana es fiesta.*
- *¿**Y (a mí) qué?** Yo trabajo todos los días.*

e) **¡Qué va!** se usa como negación enfática.

- *¿Estás enfermo?*
- *¡**Qué va!** Estoy muy bien.*

C. EL CONTRASTE *POR QUÉ, PORQUE Y PORQUÉ*

1. Por qué es la preposición **por** con el pronombre interrogativo **qué**. Sirve para preguntar por la causa de algo.

*¿**Por qué** has llegado tarde?*
*No sé **por qué** me has dicho eso.*

2. ¿Por qué no? se utiliza para proponer una actividad.

*¿**Por qué no** vamos al cine esta tarde?*

3. Porque es una conjunción que explica la causa de algo.

*He llegado tarde **porque** el autobús se ha estropeado.*

4. **Porqué** es un sustantivo que significa «motivo, razón». Lleva siempre un determinante y se puede poner en plural (**porqués**).

> Todavía no sé el **porqué** de su decisión.
> Mercedes tenía sus **porqués** para dejar el trabajo.

D. QUIÉN, QUIÉNES

1. Se utiliza para identificar a personas.

> ¿**Quién** es usted?
> Me preguntó **quiénes** vendrían a la fiesta.

2. A veces se utiliza también como exclamativo para expresar sorpresa.
   - José Pedro es abogado y economista.
   - ¡**Quién** lo iba a decir! De pequeño era muy mal estudiante.

3. Seguido de subjuntivo en pasado suele expresar un deseo imposible.

> ¡**Quién fuera** rico!

E. CUÁL, CUÁLES

Se usa para identificar a personas o cosas entre varias posibles.

> En tu opinión, ¿**cuál** es el mejor de estos ordenadores?
> No me ha dicho **cuáles** son los candidatos elegidos.

F. EL CONTRASTE QUÉ Y CUÁL

1. **Qué** se utiliza para preguntar por cosas o acciones sin especificar la categoría. Son preguntas abiertas, con muchas respuestas posibles.
  • ¿**Qué** quieres comer?
  • Una ensalada.
	1. **Cuál** se utiliza para preguntar sobre una persona, cosa o acción de un grupo concreto.
	  • ¿**Cuál** (de estos platos) vas a comer?
	  • La ensalada.

2. Se utiliza seguido de un sustantivo o de un verbo.
  ¿**Qué coche** vas a comprar?
  ¿**Qué quieres** hacer hoy?
	2. Se usa seguido de la preposición **de** o de un verbo, nunca de un sustantivo.
	  ¿**Cuál de** estos coches prefieres?
	  ¿**Cuál quieres** comprar?

G. DÓNDE

1. Se utiliza para identificar un lugar.

*¿**Dónde** estudian tus hijos?*   *No me ha dicho **dónde** están.*

2. Puede ir con las preposiciones **a**, **de**, **desde**, **en**, **hacia**, **hasta**, **para** y **por**.
- *¿**De dónde** vienes? Pareces cansada.*
- *De la oficina.*

3. Con los verbos de movimiento que indican destino, pueden usarse las formas **dónde**, **a dónde** y **adónde**.
- *¿**A dónde** van? / ¿**Adónde** van? / ¿**Dónde** van?*
- *A la piscina.*

4. Para indicar estado o situación puede emplearse **en dónde** o **dónde**.
- *¿**Dónde/En dónde** lo has dejado?*
- *En mi habitación.*

H. CUÁNDO

1. Se utiliza para identificar el momento en que ocurre algo.

*¿**Cuándo** van a terminar tu nueva casa?*
*No le preguntes **cuándo** se va, es de mala educación.*

2. Puede ir con las preposiciones **de**, **desde**, **hacia**, **hasta** y **para**.

*¿**Desde cuándo** vives en Panamá?*

I. CÓMO

1. Se usa para preguntar por el modo, el estado o las características de alguien o algo.

*¿**Cómo** está tu madre? Hace tiempo que no la veo.*
*Me dijo **cómo** funcionaba la máquina, pero no me acuerdo.*

2. Puede usarse también con valor de causa, equivalente a «¿por qué?».
- *¿**Cómo** (es que) no me llamaste ayer?*
- *Es que salí tarde de trabajar.*

3. Se utiliza como exclamativo delante de los verbos para intensificar la acción.

*¡**Cómo** nevó anoche!*

4. En el lenguaje coloquial, también se utiliza como exclamativo con la preposición **de** seguida de un adjetivo o un adverbio.
   *¡**Cómo** llegó **de** cansado!* (= ¡Qué cansado llegó!)
   *¡**Cómo** está **de** lejos!* (= ¡Qué lejos está!)

5. También en el lenguaje coloquial, se utiliza como exclamativo seguido de **que** para expresar extrañeza o que no se está de acuerdo.
   - *No sabes nada.*
   - *¡**Cómo que** no sé nada!*

6. La expresión coloquial **¡cómo no!** significa «claro», «por supuesto».
   - *¿Puede pasarme el periódico, por favor?*
   - ***¡Cómo no!** Aquí lo tiene.*

J. *CUÁNTO, CUÁNTA, CUÁNTOS, CUÁNTAS*

1. Se usa seguidos de un sustantivo o de un verbo para preguntar por una cantidad.
   *¿**Cuántas** habitaciones tiene la casa?*
   *Me parece que hay poca sal, ¿**cuánta** queda?*
   *El camarero quiere saber **cuántos** invitados vienen a la cena.*

2. Puede usarse también como exclamativo delante de sustantivos o verbos.
   *¡**Cuánto** tiempo sin vernos!*
   *¡Mira **cuántas** he encontrado!*
   *¡**Cuánto** te quiero!*
   *¡**Cuánto** me alegro de verte!*

3. Delante de sustantivos que expresan sensaciones, es más frecuente sustituirlo por **qué**.
   *¡**Cuánta** sed tengo!* (= *¡Qué sed tengo!*)
   *¡**Cuánto** miedo tenía!* (= *¡Qué miedo tenía!*)

4. El exclamativo **cuánto** se apocopa en **cuán** delante de adjetivos y adverbios. Se usa muy poco en el lenguaje hablado.
   *¡**Cuán** rara es esta situación!*
   *¡**Cuán** lejos estaba de la solución!*

5. **¿A cuánto está/-n?** se utiliza para preguntar por un precio cambiante, no fijo.
   - *¿**A cuánto están** las naranjas hoy?*
   - *A 3 euros.*

6. **¿A cuántos estamos?** se utiliza para preguntar por la fecha actual.
   - *¿**A cuántos estamos** hoy?*
   - *A 13 de febrero.*

Capítulo **14**

Para practicar:
- *Competencia gramatical en uso* B1, páginas 152–
- *Competencia gramatical en uso* B2, páginas 136–

La formación de sustantivos y adjetivos

LA FORMACIÓN DE SUSTANTIVOS

Para convertir adjetivos en sustantivos abstractos	**-ía**	*alegre > alegría*
	-dad	*humilde > humildad*
	-ez	*rápido > rapidez*

Para expresar oficio o profesión	**-or/-ora**	*pintar > pintor/pintora*
	-ero/-era	*libro > librero/librera*
	-ista	*recepción > recepcionista*

Para expresar lugar	**-dor**	*mirar > mirador* *vestir > vestidor*
	-ería	*libro > librería*
	-ero	*azúcar > azucarero*
	-era	*papel > papelera*

LA FORMACIÓN DE ADJETIVOS

Para convertir sustantivos en adjetivos de relación o semejanza	**-al**	*nación > nacional*
	-oso/-osa	*cariño > cariñoso/cariñosa*

Para expresar capacidad o actitud	**-ble (-able** o **-ible)**	*agradar > agradable* *creer > creíble*

Para expresar el lugar de origen (gentilicios)	**-ano/-ana**	*México > mexicano/mexicana*
	-ense	*Estados Unidos > estadounidense*
	-eño/-eña	*Panamá > panameño/panameña*
	-í	*Irán > iraní*
	-és/-esa	*Portugal > portugués/portuguesa*

Para expresar lo contrario	**in-**	*inútil*
	des-	*desconocido*

g

A. LA FORMACIÓN DE SUSTANTIVOS

1. Para formar sustantivos abstractos a partir de adjetivos, podemos utilizar los sufijos **-cia, -ía, -tad, -dad, -idad, -bilidad, -ez, -eza** y **-ura**. Los sustantivos que resultan también dan cualidades a otro sustantivo con la preposición **de**.

*alegre > alegr**ía***
  Sergio está muy alegre.
  *La **alegría de** Sergio nos anima.*
*sencillo > sencill**ez***
  Los ejercicios son sencillos.
  *Me gusta la **sencillez de** los ejercicios.*
*feliz > felic**idad***
  Mi hijo es feliz.
  *Me preocupa la **felicidad de** mi hijo.*

*grande > grand**eza***
  Roma es una ciudad grande.
  *Es famosa la **grandeza de** Roma.*
*sincero > sincer**idad***
  Nuria es sincera.
  *Me sorprende la **sinceridad de** Nuria.*
*blanco > blanc**ura***
  Tu ropa es blanca.
  *Me encanta la **blancura de** tu ropa.*

En la mayoría de los casos, no hay una regla para saber qué sufijo podemos utilizar, pero los adjetivos acabados en **-te** cambian a **-cia** y los acabados en **-ble** cambian a **-bilidad**.

*elegante > elegan**cia***
*urgente > urgen**cia***

*amable > ama**bilidad***
*culpable > culpa**bilidad***

2. Los sustantivos que tienen estas terminaciones son femeninos.

la frecuencia   *la valentía*   *la seriedad*
la libertad   *la sencillez*   *la grandeza*

*Voy al cine con mucha **frecuencia**.*
*Sonia trabaja con **seriedad**.*
*La **valentía** no es una de sus cualidades.*

3. Para formar sustantivos de oficio o profesión, se usan los sufijos **-ario/-aria, -or/-ora, -ero/-era** e **-ista**.

*escribir > escrit**or**/escrit**ora***
*carta > cart**ero**/cart**era***
*piano > pian**ista***

*oficina > oficin**ista***
*función > funcion**ario**/funcion**aria***

*Mi madre es **funcionaria**, trabaja en el ayuntamiento de Cádiz.*
*Estoy esperando una carta urgente, ¿a qué hora pasa el **cartero**?*

4. Para formar sustantivos que indican lugar, se usan los sufijos **-ería, -ero** y **-era**.

*reloj > reloj**ería***   *leche > lech**ería***   *libro > libr**ería***
*paraguas > paragü**ero***   *ceniza > ceni**cero***   *toalla > toall**ero***
*sal > sal**ero***   *pez > pe**cera***   *baño > ba**ñera***

*He comprado una **pecera** con dos peces de colores.*
*Por favor, deje el paraguas mojado en el **paragüero**, gracias.*

5. A partir de verbos también se pueden formar sustantivos que indican lugar. Para ello se usa el sufijos **-dor**.

*proba**r** > proba**dor*** (en una tienda, lugar donde nos probamos la ropa)
> *Puede probarse la falda en ese **probador**, está libre.*

*come**r** > come**dor*** (lugar donde se come)
> *No podemos invitar a comer a tantas personas porque no hay sitio en el **comedor**.*

*recibi**r** > recibi**dor*** (en una casa, lugar que da entrada a las habitaciones)
> *Dile a José que no espere en el **recibidor** y que entre.*

Algunos de estos sustantivos también se refieren a la persona que realiza la acción.
> *Mi padre trabaja como **probador** de coches nuevos.*
> *Marcos es un gran **comedor**, le gusta cualquier plato.*

B. LA FORMACIÓN DE ADJETIVOS

1. Para formar adjetivos de relación o semejanza, se utilizan los sufijos **-ar, -al** e **-il**, que significan «con aspecto de». No hay ninguna regla para saber qué sufijo usar.

*famili**a** > famili**ar***

*espectácul**o** > espectacul**ar***

*cultur**a** > cultur**al***

*seman**a** > seman**al***

*var**ón** > varon**il***

*estudiant**e** > estudiant**il***

> *Jorge pasa los fines de semana en casa con sus hijos, es muy **familiar**.*
> *Esta revista es **semanal**, sale todos los jueves.*

2. Para formar adjetivos que expresan abundancia, se utiliza el sufijo **-oso/-osa**.

*orgull**o** > orgull**oso**/orgull**osa*** (que tiene mucho orgullo)
*fam**a** > fam**oso**/fam**osa*** (que tiene mucha fama)
*mentir**a** > mentir**oso**/mentir**osa*** (que dice muchas mentiras)
*cariñ**o** > cariñ**oso**/cariñ**osa*** (que da mucho cariño)

> *Mi hijo ha terminado la carrera, estoy muy **orgullosa** de él.*
> *Néstor sale en televisión, es **famoso**.*

3. Para formar adjetivos que indican capacidad o actitud, se utilizan los sufijos **-able** para los verbos terminados en **-ar** e **-ible** para los verbos terminados en **-er** o en **-ir**.

*naveg**ar** > naveg**able***

*agrad**ar** > agrad**able***

*serv**ir** > serv**ible***

*reconoc**er** > reconoc**ible***

> *Este río tiene poca agua, no es **navegable**.*
> *Mónica no está **reconocible**, se ha hecho un peinado nuevo.*

4. Para formar gentilicios (adjetivos que indican el lugar de origen), se utilizan los sufijos **-ano/-ana, -ense, -eño/-eña, -í**, y **-és/-esa**.

*Cub**a** > cub**ano**/cub**ana***

*Nicaragu**a** > nicaragü**ense***

*Franci**a** > franc**és**/franc**esa***

*Panam**á** > panam**eño**/panam**eña***

*Israel > israel**í***

> *Soy **cubana**, pero vivo en España.*
> *Voy a preparar un plato **panameño** de pescado.*

5. Podemos utilizar los prefijos **in-** y **des-** para formar adjetivos de significado contrario.

     útil/inútil   *agradable/desagradable*
- *¿Es **útil** esta herramienta?*
- *No, para trabajar aquí esta herramienta es **inútil**.*

El prefijo **in-** cambia de forma según el adjetivo:
a) Delante de adjetivos que empiezan por **b-** o **p-** es prefijo es **im-**.
     bebible/imbebible   *posible/imposible*

b) Delante de adjetivos que empiezan por **r-** el prefijo es **ir-**.
     real/irreal   *regular/irregular*

c) Delante de adjetivos que empiezan por **l-** el prefijo es **i-**.
     lógico/ilógico   *legal/ilegal*

C. LOS DIMINUTIVOS

1. Los **diminutivos** dan a las palabras un valor afectivo (positivo o negativo).
     *Esa mujer les da de comer a los **pajaritos**.*
     *¡Cómo pesa esta **maletita**!*

2. Los diminutivos se forman con las terminaciones **-ito/-ita/-illo/-illa**. Y se pueden aplicar a sustantivos o adjetivos.
a) Las palabras terminadas en **-a** y **-o** pierden la vocal y añaden **-ito/-ita**.
     maleta > maletita   *guapo > guapito*

b) Las palabras terminadas en **consonante** (excepto **n** y **r**) añaden **-ito/-ita**.
     árbol > arbolito   *fácil > facilito*

c) Las palabras terminadas en **-e**, **-n** y **-r** añaden **-cito/-cita**.
     coche > cochecito   *grande > grandecito*

d) Las palabras de una sílaba añaden **-ecito/-ecita**.
     flor > florecita   *pan > panecito*

e) Algunas palabras que llevan diptongo tónico añaden **-ecito/-ecita**.
     puerta > puertecita   *bueno > buenecito*

3. A veces el diminutivo acabado en **-illo/-illa** cambia el significado de la palabra.
     cama > camilla (de hospital y con ruedas)   *mesa > mesilla* (de noche)
     ventana > ventanilla (de un vehículo)   *palo > palillo* (de dientes)

     *Le llevaron al quirófano en una **camilla**.*
     *Me gusta pedir un asiento al lado de la **ventanilla** en los aviones.*
     *He dejado un libro en la **mesilla** de noche.*
     *Para comer aceitunas utiliza los **palillos**.*

4. Algunos nombres propios también admiten el diminutivo en el lenguaje coloquial.

Carlos > Carlitos   Pedro > Pedrito   Rosa > Rosita
Manolo > Manolito   Carmen > Carmencita   Isabel > Isabelita
Ángel > Angelito   Elena > Elenita

A menudo las formas de estos diminutivos no siguen las reglas y son formas apo-copadas e incluso muy diferentes de los nombres. Estos son algunos ejemplos de nombres muy comunes:

Antonia > Toñi   Manuel > Manolo o Manolito   Pilar > Pili o Pilarín
Antonio > Toni   María > Mari o Maruja   Rafael > Rafa o Rafi
Concepción > Concha o Conchita   María Isabel > Maribel   Rosa > Rosi
Dolores > Lola, Loli o Lolita   Jesús > Chus   Rosario > Charo
Enrique > Quique   María Teresa > Maite   Susana > Susi
Francisco > Paco, Paquito   Montserrat > Montse   Teresa > Tere
José > Pepe o Pepito   Pedro > Perico

D. LOS AUMENTATIVOS

1. Los aumentativos se pueden aplicar a sustantivos y adjetivos. Los más usados se forman con los sufijos **-ón/-ona**, **-azo/-aza** y **-ote/-ota**.

novela > novelón   casa > casona
coche > cochazo   bueno > buenazo/buenaza
libro > librote   gordo > gordote/gordota

Vive en una **casona** de diez habitaciones en el campo.
Jorge es un **buenazo**, te hace cualquier favor que le pidas.
Vaya **librote** estás leyendo, tiene más de mil páginas.

2. Algunas veces también añaden un matiz despectivo.

solterón/solterona (soltero o soltera y con cierta edad)
palabrota (palabra malsonante, taco)

3. También puede añadir el significado de propensión a algo.

burlón/burlona (que hace burlas)
cabezota (muy obstinado)
mandón/mandona (que le gusta mucho mandar)

4. El sufijo **-azo** pueden expresar además la idea de un golpe dado con algo.

cabezazo (golpe dado con la cabeza)
portazo (con la puerta)

Se ha enfadado y se ha ido dando un **portazo**.

5. Algunas palabras admiten más de un sufijo aumentativo.

hombre: hombrón, hombretón, hombrazo.
fuerte: fuertote/fuertota, fortachón/fortachona
bueno/a: buenazo/buenaza, bonachón/bonachona

Grupo verbal

g

Capítulo 15

La clasificación y la descripción de los verbos

1.ª conjugación: infinitivo terminado en **-AR** (cant*ar*).
2.ª conjugación: infinitivo terminado en **-ER** (beb*er*).
3.ª conjugación: infinitivo terminado en **-IR** (viv*ir*).

		Español de España (6 personas)	Español de Hispanoamérica (5 personas)
Singular	1.ª	yo	yo
	2.ª	tú	tú, **vos**
	3.ª	él, ella, usted	él, ella, usted
Plural	1.ª	nosotros, nosotras	nosotros, nosotras
	2.ª	vosotros, vosotras	**ustedes**
	3.ª	ellos, ellas, ustedes	ellos, ellas, ustedes

TIEMPOS SIMPLES	TIEMPOS COMPUESTOS
Indicativo	
Presente (canto)	Pretérito perfecto compuesto (he cantado)
Pretérito imperfecto (cantaba)	Pretérito pluscuamperfecto (había cantado)
Pretérito perfecto simple (canté)	Pretérito anterior (hube cantado)
Futuro simple (cantaré)	Futuro compuesto (habré cantado)
Condicional simple (cantaría)	Condicional compuesto (habría cantado)
Subjuntivo	
Presente (cante)	Pretérito perfecto (haya cantado)
Pretérito imperfecto (cantara o cantase)	Pretérito pluscuamperfecto (hubiera o hubiese cantado)
Futuro simple (cantare)	Futuro compuesto (hubiere cantado)
Imperativo	
(canta tú)	

TIEMPOS SIMPLES	TIEMPOS COMPUESTOS
Infinitivo simple (cantar)	Infinitivo compuesto (haber cantado)
Gerundio simple (cantando)	Gerundio compuesto (habiendo cantado)
Participio (cantado)	

A. LA CLASIFICACIÓN DE LOS VERBOS

Según la terminación de los infinitivos, los verbos se clasifican en tres grupos:

Primera conjugación: infinitivo terminado en **–AR** (*cantar*).
Segunda conjugación: infinitivo terminado en **-ER** (*beber*).
Tercera conjugación: infinitivo terminado en **–IR** (*vivir*).

B. LA DESCRIPCIÓN DE LOS VERBOS

La forma verbal

1. La forma verbal se compone de raíz, marcas de tiempo y terminaciones.
   Hablar: *habl* (raíz) + *ar* (terminación del infinitivo)

2. Las formas verbales pueden ser **personales** —si indican la persona— y **no personales** —si no la indican.

3. Las formas no personales son tres: **infinitivo, gerundio** y **participio**.

Las personas gramaticales

1. Son seis: tres personas en el singular y tres en plural. **Usted** y **ustedes** son las formas de tratamiento de cortesía de segunda persona (**tú** y **vosotros/as**), pero concuerdan con el verbo en tercera persona (ver capítulo 9, apartados A, B, y C).

singular	1.ª yo
	2.ª tú
	3.ª él, ella, usted
plural	1.ª nosotros/as
	2.ª vosotros/as
	3.ª ellos, ellas, ustedes

2. En español no es necesario usar el pronombre personal con los verbos.

3. En toda Hispanoamérica, sur de España y en las islas Canarias no se utiliza la forma **vosotros** —2.ª persona del plural— y se sustituye por **ustedes**, que se utiliza como plural de **tú** y de **usted**.

Los modos y los tiempos

1. Hay tres modos en español: **indicativo, subjuntivo** e **imperativo**.

2. Los tiempos se clasifican en simples y compuestos. Los **simples** son una combinación de una raíz con una terminación. Y los **compuestos** se forman con los tiempos simples del verbo **HABER** y el participio del verbo que se conjuga.

Observaciones:

- Los futuros de subjuntivo son de poco uso. Son propios de un lenguaje culto y arcaico. Se usan sobre todo en textos de leyes y normas.
  *Será multado el que **comunicare** a otro o **diere** publicidad...*
  *En el caso de que se **hubieren producido** esas circunstancias, entonces...*

- El futuro simple de subjuntivo también se utiliza en algunos refranes antiguos.
  *Adonde **fueres** haz lo que **vieres**.*

- El pretérito anterior se usa muy poco en la lengua oral, se emplea sobre todo en registros cultos de la lengua escrita. Se suele sustituir por el pretérito perfecto simple.
  *Cerré la puerta en cuanto **hubieron salido** (= salieron) los alumnos.*

C. EL VOSEO

1. El **voseo** es un fenómeno propio de muchas zonas de Hispanoamérica. Consiste en usar **vos** en lugar de **tú** y de **ti**.

2. De un modo general, y referido sobre todo a la zona de Río de la Plata, es decir, Argentina y Uruguay, que es la de mayor uso del **voseo**, podemos decir que este es el tipo de **voseo** más extendido:

VOS + 2.ª persona del plural modificada	
2.ª persona del plural (VOSOTROS)	**2.ª persona del singular (VOS)**
vosotros cantáis	vos cantás
vosotros bebéis	vos bebés
vosotros vivís	vos vivís

3. Hay otros dos tipos de **voseo**, pero son menos frecuentes:
   - Cambio solo en el pronombre: **vos** + *2.ª persona del singular.*
     vos cantas, vos bebes, vos vives
   - Cambio solo en el verbo: **tú** + *2.ª persona del plural modificada.*
     tú cantás, tú bebés, tú vivís

4. El **voseo** no afecta a todos los tiempos verbales, solo al presente de indicativo y subjuntivo, al pretérito perfecto de subjuntivo y al imperativo.

5. El presente del verbo **SER** tiene una formación diferente:

tú eres	vos sos

Capítulo **16**
El indicativo

Para practicar:
- *Competencia gramatical en uso* A1, páginas 32-35.
- *Competencia gramatical en uso* A2, páginas 12-21, 82-89 y 94-97.
- *Competencia gramatical en uso* B1, páginas 28-33, 48-69, 84-87 y 92-95.
- *Competencia gramatical en uso* B2, páginas 18-25.

PRESENTE. Se usa para expresar informaciones generales y actuales.
__Son__ las dos de la tarde, __tengo__ hambre.

PRETÉRITO PERFECTO SIMPLE. Se usa para expresar una acción realizada y acabada en el pasado sin relación con el presente, como *ayer, la semana pasada, hace dos meses, el año pasado, en 1990...*
El mes pasado me __examiné__ del permiso de conducir.

PRETÉRITO PERFECTO COMPUESTO. Se usa para expresar un acontecimiento pasado dentro de una unidad de tiempo no terminada, como *hoy, esta semana, este mes, este año...*
Hoy __he dormido__ muy bien.

PRETÉRITO IMPERFECTO. Se usa para describir en pasado las circunstancias, las situaciones, los lugares, las personas... que intervienen en los acontecimientos.
La profesora de Historia me recibió en su despacho. __Era__ grande y __tenía__ muebles antiguos. Ella __era__ mayor y __estaba__ un poco sorda.

PRETÉRITO PLUSCUAMPERFECTO. Se usa para contar un acontecimiento pasado anterior a otra información también pasada.
Cuando me llamaste por teléfono, yo ya __había cenado__.

FUTURO SIMPLE. Se usa para expresar acciones futuras. Aparece con marcadores temporales como *después, luego, más tarde, mañana, la semana que viene, el año próximo, en 2020*, etc.
El próximo fin de semana __iremos__ a la playa.

FUTURO COMPUESTO. Se usa para expresar una acción futura anterior a otra acción futura.
Cuando vuelvas a casa, nosotros ya __habremos cenado__.

CONDICIONAL SIMPLE. Se usa para expresar consejo, sugerencia, deseo o cortesía.
Yo que tú, __iría__ más despacio.

CONDICIONAL COMPUESTO. Se usa para expresar probabilidad o hipótesis en el pasado o también futuro con respecto a un momento pasado.
Se presentó sin avisar, supongo que tú lo __habrías invitado__, ¿no?

Capítulo 16 El indicativo

A. EL PRESENTE

1. Forma del presente regular

	Verbos terminados en -AR	Verbos terminados en -ER	Verbos terminados en -IR
yo	-o	-o	-o
tú/vos	-as/-ás	-es/-és	-es/-ís
usted, él, ella	-a	-e	-e
nosotros, nosotras	-amos	-emos	-imos
vosotros, vosotras	-áis	-éis	-ís
ustedes, ellos, ellas	-an	-en	-en

2. Forma del presente irregular
a) Cambios vocálicos
- Verbos que cambian **E por IE** en *yo* y *tú*, y en las 3.ªs personas.
  - ***pensar:*** *pienso, piensas, piensa, etc.*   Tabla 5
  - ***perder:*** *pierdo, pierdes, pierde, etc.*   Tabla 6
  - ***sentir:*** *siento, sientes, siente, etc.*   Tabla 7

- Verbos que cambian **O por UE** en las formas *yo* y *tú*, y en las 3.ªs personas.
  - ***contar:*** *cuento, cuentas, cuenta, etc.*   Tabla 8
  - ***mover:*** *muevo, mueves, mueve, etc.*   Tabla 9
  - ***dormir:*** *duermo, duermes, duerme, etc.*   Tabla 10

- El verbo ***jugar*** cambia **U por UE** en las formas *yo* y *tú*, y en las 3.ªs personas.
  - ***jugar:*** *juego, juegas, juega, etc.*   Tabla 12

- Verbos que cambian **E por I** en las formas *yo* y *tú*, y las 3.ªs personas.
  - ***pedir:*** *pido, pides, pide, etc.*   Tabla 11

b) Cambios consonánticos
- Los verbos terminados en **-ACER, -ECER, -OCER** y **-UCIR** cambian **C por ZC** en *yo*.
  - ***obedecer:*** *obedezco.*   Tabla 13
  - ***traducir:*** *traduzco.*   Tabla 14

- Los verbos terminados en **-UIR** cambian **I por Y** en las 3.ªs personas.
  - ***concluir:*** *concluyo, concluyes, concluye, etc.*   Tabla 15

- Los verbos que forman la primera persona en **–GO**. Estos son algunos de los más importantes:
  - ***caer:*** *caigo, caes, cae...*   Tabla 18
  - ***hacer:*** *hago, haces, hace...*   Tabla 22
  - ***poner:*** *pongo, pones, pone...*   Tabla 26
  - ***salir:*** *salgo, sales, sale...*   Tabla 29

traer: *traigo, traes, trae...*   Tabla 32
valer: *valgo, vales, vale...*   Tabla 33

- Algunos verbos, de uso frecuente, tienen numerosas irregularidades:

dar	(Tabla 19)	oír	(Tabla 24)	venir	(Tabla 34)
decir	(Tabla 20)	saber	(Tabla 28)	ver	(Tabla 35)
estar	(Tabla 21)	ser	(Tabla 30)		
ir	(Tabla 23)	tener	(Tabla 31)		

c) **Cambios ortográficos**
- Los verbos terminados en **-CER** y **-CIR** se escriben con **Z** en *yo*.
    *ven**c**er*: *venzo, vences...*

- Los verbos terminados en **-GER** y **-GIR** se escriben con **J** en *yo*.
    *reco**g**er*: *recojo, recoges...*

- Los verbos terminados en **-GUIR** se escriben sin la **U** en *yo*.
    *se**gu**ir*: *sigo, sigues...*

3. Usos del presente

a) Se usa para pedir o dar información general y permanente.
- *¿Cómo te **llamas**?*
- *Me **llamo** Carolina, **soy** argentina.*

b) Expresa acciones habituales o frecuentes.
    *Normalmente **ceno** a las 9 de la noche.*
    ***Voy** al gimnasio todas las tardes.*

c) Puede utilizarse para referirse a acciones futuras inmediatas como seguras de que se van a producir o como programadas.
    *Pedro **viaja** a Inglaterra el mes que viene.*
    ***Quedamos** mañana a las seis, ¿de acuerdo?*

d) Presenta datos, sentencias o verdades universales.
    *La vida **es** corta.*
    *Los años bisiestos **tienen** 366 días.*

e) En las oraciones condicionales reales, expresa una condición futura.
    *Si vienes mañana, te **hago** un regalo.*

f) Puede utilizarse para describir y contar acciones pasadas.
    *Ayer, **estoy** sentado en el parque, **se acerca** un señor y me **pide** el periódico.*

g) Expresa una instrucción o una sugerencia.
    ***Vas** a la panadería y me **compras** una barra de pan.* (Instrucción)
    *¿Por qué no te **compras** este vestido? Es muy bonito.* (Sugerencia)

Capítulo 16 El indicativo

B. EL PRETÉRITO PERFECTO SIMPLE

También se llama pretérito **indefinido** o pretérito.

1. Forma del pretérito perfecto simple regular

	Verbos terminados en -AR	Verbos terminados en -ER y en -IR
yo	-é	-í
tú, vos	-aste	-iste
usted, él, ella	-ó	-ió
nosotros, nosotras	-amos	-imos
vosotros, vosotras	-asteis	-isteis
ustedes, ellos, ellas	-aron	-ieron

2. Forma del pretérito perfecto simple irregular
a) **Cambios vocálicos**
 * Verbos terminados en **-IR** cambian **E por I** (son los mismos verbos en **-IR** que en el presente cambian la vocal **E** por **IE** o por **I**), en las 3.ªs personas.
   sentir: sentí, sentiste, sintió, sentimos, sentisteis, sintieron.   Tabla 7

 * Los verbos *dormir* y *morir* cambian **O por U** (en el presente también cambian la vocal **O** por **UE**), en las 3.ªs personas.
   dormir: durmió.   Tabla 10

b) **Cambios consonánticos**
 * Verbos terminados en **-DUCIR** cambian a **-DUJ** en todas las personas.
   traducir: traduje, tradujiste, tradujo, etc.   Tabla 14

 * Verbos terminados en **-UIR** cambian **I por Y** en las 3.ªs personas.
   concluir: concluyó... concluyeron.   Tabla 15

 * Algunos verbos, de uso frecuente, tienen numerosas irregularidades.

andar	(Tabla 17)	ir	(Tabla 23)	ser	(Tabla 30)
dar	(Tabla 19)	poder	(Tabla 25)	tener	(Tabla 31)
decir	(Tabla 20)	poner	(Tabla 26)	traer	(Tabla 32)
estar	(Tabla 21)	querer	(Tabla 27)	venir	(Tabla 34)
hacer	(Tabla 22)	saber	(Tabla 28)		

c) **Cambios de pronunciación**
 * Verbos que cambian **I por Y** cuando está entre vocales en las 3.ªs personas.
   leer: leyó... leyeron.   Tabla 16

d) **Cambios ortográficos**
 * Los verbos terminados en **-CAR** se escriben con **QU** en *yo.*
   aparcar: aparqué, aparcaste, aparcó...

- Los verbos terminados en **-GAR** se escriben con **GU** en *yo*.
  > *apagar*: *apagué, apagaste, apagó...*

- Los verbos terminados en **-ZAR** se escriben con **C** en *yo*.
  > *cruzar*: *crucé, cruzaste, cruzó...*

3. Usos del pretérito perfecto simple

a) Expresa una acción realizada y acabada en el pasado sin relación con el presente.
> *Cervantes* **escribió** *el Quijote en el siglo XVII.*

b) Se usa para enumerar una serie de acciones pasadas y todas terminadas.
> *Elena* **llegó** *a casa por la noche,* **cenó** *y* **se acostó.**

c) Para contar acontecimientos que ocurrieron en un momento del pasado, una vez o un número determinado de veces, no como una costumbre repetida. Suele utilizarse con marcadores temporales: *ayer, la semana pasada, hace dos meses, el año pasado, en 1990...*
> *Me* **compré** *esta casa en 2005.*
> *Durante mi viaje a Perú* **comí** *muchos días cebiche.*

d) Se utiliza para valorar hechos del pasado.
> *No me* **gustó** *la película.*

e) Para expresar el momento preciso y exacto en que se conoce algo. Suele usarse con verbos de conocimiento (*conocer, saber, darse cuenta, comprender, entender, averiguar, descubrir, recordar...*) y con verbos de percepción (*oír, escuchar, ver, mirar, oler...*).
  - *Tu ordenador es muy bueno.*
  - *Sí, lo* **descubrí** *al comprármelo.*
  - *Rafa Nadal ha ganado el partido.*
  - *Ya lo sé,* **vi** *la noticia en la televisión.*

C. EL PRETÉRITO PERFECTO COMPUESTO

1. Forma del pretérito perfecto compuesto

	El verbo HABER en presente	+ participio
yo	he	
tú, vos	has	
usted, él, ella	ha	+ ado
nosotros, nosotras	hemos	+ ido
vosotros, vosotras	habéis	
ustedes, ellos, ellas	han	

2. Usos del pretérito perfecto compuesto

a) Expresa un acontecimiento pasado dentro de una unidad de tiempo no terminada. Suele utilizarse con expresiones como *hoy, esta semana, este mes, este año...*
> *Hoy me **he roto** el brazo.*
> *Este semana **hemos ido** dos veces al cine.*

b) Con **siempre** y **nunca** expresa que el acontecimiento ocurrió en el pasado y que todavía continúa.
> *Siempre nos **ha gustado** viajar.*
> *Nunca **he subido** en globo.*

c) Se usa para contar acontecimientos pasados muy recientes (*hace un rato, hace cinco minutos, hace una hora...*).
> *Te **han llamado** por teléfono hace un momento.*

d) Con **todavía/aún no**, expresa que una acción esperada no se ha realizado, pero la intención es realizarla.
> • *Todavía no **ha llegado** el profesor.*
> • *Pero llegará enseguida.*

e) Se usa para hablar de experiencias y actividades pasadas sin especificar cuándo se realizaron.
> • *¿**Has probado** alguna vez la paella?*
> • *No, todavía no.*

f) Pretérito perfecto compuesto con valor de futuro: expresa la intención de terminar algo en un tiempo límite futuro.
> *En unos días lo **he terminado**.*

D. EL CONTRASTE ENTRE EL PRETÉRITO PERFECTO SIMPLE Y EL COMPUESTO

Pretérito perfecto compuesto	Pretérito perfecto simple
1. Para contar acontecimientos pasados dentro de una unidad de tiempo no terminada. Suele utilizarse con expresiones como *hoy, esta semana, este mes, este año, últimamente, actualmente, hasta ahora...* *Hasta ahora no **he salido** de casa.*	1. Para contar acontecimientos pasados dentro de unidades de tiempo terminadas. Suele utilizarse con expresiones como *ayer, la semana pasada, el año pasado...* *La semana pasada **estuve** en París.*
2. Con **siempre** y **nunca** expresan que el acontecimiento ocurrió en el pasado y que todavía continúa. *Siempre te **he querido**.* (Sigo queriéndote ahora)	2. Con **siempre** y **nunca** expresan que el acontecimiento ocurrió y terminó en el pasado. *Siempre **te quise** mucho.* (Antes te quise, pero ahora no)

3. Para hablar de experiencias y actividades pasadas sin especificar cuándo se realizaron. <ul><li>*¿**Has estado** en España?*</li><li>*Sí, **he estado** una vez.*</li></ul>	3. Para informar sobre acontecimientos que sucedieron en un momento exacto del pasado. *****Estuve** en España en 1990.* También se puede usar sin decir un marcador temporal, pero se presupone que ocurrió en un momento exacto del pasado. <ul><li>*¿Sabes algo de Roberto?*</li><li>*Pues **se fue** a España.*</li></ul>
4. Para indicar si ha ocurrido o no un acontecimiento esperado con **ya** o **todavía**. <ul><li>*¿**Ha visto** ya la película?*</li><li>*No, la veré mañana.*</li></ul>	4. También se puede usar con **ya**, pero entonces se presupone que ocurrió en un momento exacto del pasado o bien en un pasado que consideramos totalmente terminado. <ul><li>*¿Has visto ya la película?*</li><li>*Ya la **vi**.* (La semana pasada)</li></ul>

E. EL PRETÉRITO IMPERFECTO

1. Forma del pretérito imperfecto regular

	Verbos terminados en -AR	Verbos terminados en -ER y en -IR
yo	-aba	-ía
tú, vos	-abas	-ías
usted, él, ella	-aba	-ía
nosotros, nosotras	-ábamos	-íamos
vosotros, vosotras	-abais	-íais
ustedes, ellos, ellas	-aban	-ían

2. Forma del pretérito imperfecto irregular
Solo hay tres verbos irregulares en el pretérito imperfecto.

	SER	IR	VER
yo	era	iba	veía
tú, vos	eras	ibas	veías
usted, él, ella	era	iba	veía
nosotros, nosotras	éramos	íbamos	veíamos
vosotros, vosotras	erais	ibais	veíais
ustedes, ellos, ellas	eran	iban	veían

3. Usos del pretérito imperfecto

a) Se usa para describir algo o a alguien en el pasado.

*Mi abuelo **era** un hombre alto y fuerte. **Tenía** una gran personalidad.*
*La casa **tenía** cuatro pisos, pero no **había** ascensor.*

b) También se usa para decir la edad en pasado.

*Cuando salí de la universidad, yo **tenía** 22 años.*

c) Describe acciones habituales o cíclicas en el pasado. Suele ir acompañado de expresiones de frecuencia: *generalmente, a veces, siempre, casi siempre, nunca...*

*En aquella época, mi madre **me llamaba** a casa todos los días.*

d) Para describir las circunstancias en las que se desarrolla una acción pasada.

***Estaba** en el metro, no **había** mucha gente y ya **era** tarde. En ese momento entró Paco.*
*Cuando **estaba** en la universidad, conocí a una chica que se **llamaba** Elena y **era** muy guapa. Hoy es mi mujer.*

e) Para expresar una acción que es interrumpida por otra.

***Leía** el periódico cuando me llamaron por teléfono.*

f) Indica el inicio de una acción o la intención de hacer algo, que no llega a realizarse por completo.

***Íbamos** a cenar, pero llegaron unos amigos.*

g) Se utiliza para expresar la coincidencia de dos acciones pasadas.

*Yo **trabajaba** de camarero cuando tú **estudiabas** en la universidad.*

h) En lenguaje coloquial, puede tener valor de cortesía (especialmente con los verbos *querer*, *buscar* y *necesitar*).

*¿**Buscaba** usted a alguna persona?*

i) En lenguaje coloquial, reemplaza al condicional.

*Si pudiera, me **casaba** de nuevo. (En lugar de me casaría)*

j) Se utiliza para referirse a algo que se dijo sobre el futuro, pero que no se ha producido.

*¿No **teníamos** que ir de compras este fin de semana?*

k) En el estilo indirecto cuando repetimos una información pasada.

*Me contó que su madre **estaba** enferma.*   *Creí que **necesitabas** dinero.*

l) Para retomar una conversación interrumpida.

*Perdona. Como te **iba** diciendo...*   *Lo siento, ¿qué me **decías**?*

m) Para describir un sueño o para hablar de juegos.

*Ayer soñé que **viajaba** en un avión que **tenía** las ventanas cerradas y...*
*Tú **eras** el policía y yo **era** un ladrón que **robaba** un banco y...*

F. EL CONTRASTE ENTRE LOS PRETÉRITOS PERFECTOS Y EL IMPERFECTO

Pretéritos perfectos	Pretérito imperfecto
1. Se usan para expresar los acontecimientos. *Ayer entré a una librería y me **compré** dos libros. Uno lo **he leído** esta semana.*	1. Se usa para describir las circunstancias, las situaciones, los lugares, las personas, etc., que intervienen en los acontecimientos. *Ayer fui a una librería. **Era** pequeña pero **tenía** todas las novedades. El librero **era** muy simpático.*
2. Para informar sobre acciones que se repitieron un número determinado de veces. *En enero **fui** dos tardes al cine. Hoy nos **hemos visto** tres veces.*	2. Para hablar de acciones habituales o cíclicas del pasado. *El año pasado **trabajaba** tres días a la semana, pero a veces **iba** también los domingos.*
3. Para hablar de una acción ya terminada en un momento concreto del pasado. *He leído el periódico y me he acordado de ti.* (Leí el periódico y después me acordé de ti)	3. Para hablar de una acción no terminada todavía en un momento concreto del pasado. *Mientras **leía** el periódico, me he acordado de ti.* Se suele utilizar la perífrasis *imperfecto de* **ESTAR** + gerundio. *Mientras **estaba leyendo** el periódico, me he acordado de ti.*
4. Para valorar actividades pasadas. *Ayer fui al cine y vi una película que me **gustó** mucho.*	4. Para describir el pasado. *Vi una película que **era** muy divertida. Se **trataba** de una comedia romántica.*

G. EL PRETÉRITO PLUSCUAMPERFECTO

1. Forma del pretérito pluscuamperfecto

	El verbo HABER en imperfecto	+ participio
yo	había	
tú, vos	habías	
usted, él, ella	había	+ ado
nosotros, nosotras	habíamos	+ ido
vosotros, vosotras	habíais	
ustedes, ellos, ellas	habían	

2. Usos del pretérito pluscuamperfecto

a) Contar un acontecimiento pasado anterior a otra información también pasada.
*Cuando entré en la sala, la película ya **había empezado** hacía un minuto.*

b) En algunos casos, la acción expresada por el pluscuamperfecto es anterior a un momento indicado por un adverbio o por una expresión de tiempo (*a las pocas horas ya, al poco rato ya, al día siguiente ya...*).
*Le conté un secreto y, al poco rato, ya se lo **había dicho** a todo el mundo.*

c) Con **nunca**, expresa que algo se hace por primera vez en ese momento.
*Nunca (hasta ahora) **habíamos visto** un platillo volante.*

d) En lenguaje coloquial, puede tener valor de cortesía. Igual que el pretérito imperfecto de cortesía se relaciona con el presente, el pluscuamperfecto se relaciona con el pretérito perfecto compuesto.
Presente: *¿Busca usted a alguien?*
Pretérito imperfecto (cortesía): *¿**Buscaba** usted a alguien?*

Pretérito perfecto compuesto: *¿Ha dicho usted algo?*
Pretérito pluscuamperfecto (cortesía): *¿**Había dicho** usted algo?*

e) Expresa una intención tomada o pensada pero que finalmente no se realiza.
***Había pensado** cenar en casa, pero no pude porque no tenía nada.*

H. EL FUTURO SIMPLE

1. Forma del futuro simple regular

yo		-é
tú, vos		-ás
usted, él, ella	*Infinitivo +*	-á
nosotros, nosotras		-emos
vosotros, vosotras		-éis
ustedes, ellos, ellas		-án

2. Forma del futuro simple irregular

Algunos verbos, de uso frecuente, tienen numerosas irregularidades.

decir	(Tabla 20)	querer	(Tabla 27)	traer	(Tabla 32)
hacer	(Tabla 22)	saber	(Tabla 28)	valer	(Tabla 33)
poder	(Tabla 25)	salir	(Tabla 29)	venir	(Tabla 34)
poner	(Tabla 26)	tener	(Tabla 31)		

3. Usos del futuro simple

a) Para expresar acciones posibles y futuras. Aparece con marcadores temporales: *después, luego, más tarde, mañana, la semana que viene, el año próximo, en 2020*, etc.

   *El próximo fin de semana **iremos** a la playa.*

b) Para expresar algo probable, es decir, una suposición en el presente.
   - *¿Qué hora es?*
   - *No sé. **Serán** las seis.*
   - *¿Qué tiempo hace en Chile?*
   - *Supongo que **hará** frío, allí es invierno.*

c) Para plantear una hipótesis. Suele usarse en oraciones interrogativas.
   - *Eduardo no ha venido hoy a trabajar.*
   - *¿Qué **pasará**? ¿**Estará** enfermo?*

d) Para hacer pronósticos y predicciones.

   *Según han dicho en la tele, **hará** buen tiempo toda la semana.*

e) Puede tener valor de imperativo o de obligación orientada hacia el futuro.

   ***Llamarás** a tu amigo y le **pedirás** perdón por lo que dijiste.*

f) También se puede usar para expresar sorpresa.

   *No me ha visto, ¡**será** despistado!*

I. EL FUTURO COMPUESTO

1. Forma del futuro compuesto

	El verbo HABER en futuro	+ participio
yo	habré	
tú, vos	habrás	
usted, él, ella	habrá	+ ado
nosotros, nosotras	habremos	+ ido
vosotros, vosotras	habréis	
ustedes, ellos, ellas	habrán	

2. Usos del futuro compuesto

a) Expresa una acción terminada en el futuro antes de algún momento futuro que normalmente está expreso.

   *El viernes, a estas horas, me **habré ido** de viaje.*

b) Con **ya** se refuerza la probable acción, futura y acabada.

   *Mañana ya **habré terminado** todos los informes.*

c) Expresa una acción futura terminada anterior a otra acción futura.

*Cuando vuelvas a casa nosotros ya **habremos cenado**.*

*(**Vuelvas** y **habremos cenado** son dos acciones futuras, pero primero nosotros cenaremos y después tú volverás a casa)*

d) También se usa para expresar una probabilidad o suposición sobre una acción pasada.
- *No encuentro las llaves, ¿las **habré perdido**?*
- *Probablemente las **habrás dejado** en la oficina.*

J. EL CONDICIONAL SIMPLE

1. Forma del condicional simple regular

yo		-ía
tú, vos		-ías
usted, él, ella	Infinitivo +	-ía
nosotros, nosotras		-íamos
vosotros, vosotras		-íais
ustedes, ellos, ellas		-ían

2. Forma del condicional simple irregular

Algunos verbos, de uso frecuente, tienen numerosas irregularidades. Son los mismos verbos y tienen la misma irregularidad que en el futuro simple.

decir	(Tabla 20)	querer	(Tabla 27)	traer	(Tabla 32)
hacer	(Tabla 21)	saber	(Tabla 28)	valer	(Tabla 33)
poder	(Tabla 25)	salir	(Tabla 29)	venir	(Tabla 34)
poner	(Tabla 26)	tener	(Tabla 31)		

3. Usos del condicional simple

a) Se utiliza para expresar cortesía.

*¿Me **harías** un favor?   ¿Le **importaría** dejarme un bolígrafo, por favor?*

b) Para expresar una sugerencia con los verbos **deber** y **poder**.

***Deberías** hacer más ejercicio.   **Podríamos** ir al cine esta noche.*

c) Para expresar modestia.

*Yo **diría** que todos tenéis razón.*

d) Para expresar deseos de difícil realización o imposibles con verbos como **gustar, encantar, preferir, querer**, etc.

*Me **gustaría** ser más alta.*

e) También se usa en la oraciones condicionales que expresan consecuencias poco probables o imposibles.

*Si tuviera más tiempo, **aprendería** idiomas.*

f) Para ponerse en lugar de otro y dar consejos con las expresiones **yo que tú/usted** y **yo en tu/su lugar**.

*Yo que tú me **pondría** unos zapatos más cómodos.*

g) Expresa probabilidad en el pasado.

- *¿A qué hora llegaste anoche?*
- *No lo sé exactamente, **serían** las tres de la madrugada.*

h) Se utiliza en el estilo indirecto para transmitir ideas futuras o promesas.

«El año que viene compraré un coche nuevo».
*Dijo que el año que viene **compraría** un coche nuevo.*

K. EL CONDICIONAL COMPUESTO

1. Forma del condicional compuesto

	El verbo HABER en condicional	+ participio
yo	habría	
tú, vos	habrías	
usted, él, ella	habría	+ ado
nosotros, nosotras	habríamos	+ ido
vosotros, vosotras	habríais	
ustedes, ellos, ellas	habrían	

2. Usos del condicional compuesto

a) Se usa para expresar una probabilidad o posibilidad en el pasado, normalmente en un pasado anterior a otro pasado.

*Ella te mandó un correo electrónico, pero supongo que tú ya le **habrías escrito** antes, ¿no?*

b) Para expresar una acción futura y posible relacionada con un momento pasado. Se utiliza frecuentemente en el estilo indirecto.

*Me dijiste que a estas horas Pablo ya **habría llegado**, pero no está aquí.*

c) Puede expresar deseos no cumplidos, no realizados, en el pasado.

*La fiesta de ayer fue muy divertida, te **habría encantado** ir.*

d) Como el condicional simple, también puede expresar consejo o cortesía.

***Habrías podido** tener más cuidado.*

Gramática del español lengua extranjera

Para practicar:
- *Competencia gramatical en uso* B1, páginas 102
- *Competencia gramatical en uso* B2, páginas 26-

Capítulo 17
El subjuntivo

PRESENTE

- Se utiliza después de expresiones de deseo, preferencia, solicitud, mandato, prohibición, consejo, duda e hipótesis.

  *Espero que **gane** mi equipo.*
  *Te pido que no **hagas** ruido.*
  *Te aconsejo que **estudies** más.*
  *Quizá no **podamos** irnos de vacaciones.*

- Se utiliza después de expresiones de gustos, sentimientos, estados de ánimo y valoraciones.

  *Me gusta que **conduzcas** despacio.*
  *Me parece bien que nos **levantemos** temprano.*

PRETÉRITO IMPERFECTO

En los mismos casos donde se necesita el presente de subjuntivo, se usa el pretérito imperfecto de subjuntivo si el verbo principal está en pasado o en condicional.

  *Esperaba que **ganara** mi equipo.*
  *Te pedí que no **hicieras** ruido.*
  *Me gustaría que **condujeras** más despacio.*

PRETÉRITO PERFECTO

En las oraciones donde se necesita el subjuntivo, expresa una acción acabada y completa en el pasado, pero en relación con el presente.

  *Es estupendo que **hayan arreglado** la carretera.*
  (En el pasado y ahora esté en buen estado)

PRETÉRITO PLUSCUAMPERFECTO

En general, su uso es similar al pretérito imperfecto de subjuntivo, pero se refiere a una acción que se expresa como anterior a otra pasada.

  *Me encanta que **compres** un coche rojo.*
  (Ahora o mañana)
  *Me encantaría que **hubieras comprado** un coche rojo.*
  (Ya has comprado un coche y no es rojo)

g

1. Forma del presente de subjuntivo regular

	Verbos terminados en -AR	Verbos terminados en -ER y en -IR
yo	-e	-a
tú/vos	-es/-és	-as/-ás
usted, él, ella	-e	-a
nosotros, nosotras	-emos	-amos
vosotros, vosotras	-éis	-áis
ustedes, ellos, ellas	-en	-an

2. Forma del presente de subjuntivo irregular
a) Cambios vocálicos

- Verbos que cambian **E por IE** (son los mismos verbos en -AR y en -ER que en el presente de indicativo cambian **E por IE**) en las formas *yo* y *tú*, y en las 3.ª[s] personas.

  pensar: *piense, pienses, piense, etc.*   Tabla 5
  perder: *pierda, pierdas, pierda, etc.*   Tabla 6

- Verbos que cambian **E por IE** (son los mismos verbos en -IR que en el presente de indicativo cambian **E por IE**) en las formas *yo* y *tú*, y en las 3.ª[s] personas, y cambian también **E por I** en las otras.

  sentir: *sienta, sientas/sintás, sienta, sintamos, sintáis, sientan.*   Tabla 7

- Verbos que cambian **O por UE** (son los mismos verbos en -AR y en -ER que en el presente de indicativo cambian **O por UE**) en las formas *yo* y *tú*, y en las 3.ª[s] personas.

  contar: *cuente, cuentes, cuente, etc.*   Tabla 8
  mover: *mueva, muevas, mueva, etc.*   Tabla 9

- Los verbos ***dormir*** y ***morir*** cambian **O por UE** en las formas *yo* y *tú* y en las 3.ª[s] personas, y cambian también **O por U** en las otras.

  dormir: *duerma, duermas/durmás, duerma, durmamos, durmáis, duerman.*   Tabla 10

- El verbo ***jugar*** cambia **U por UE** en las formas *yo* y *tú*, y en las 3.ª[s] personas, y tiene también cambio ortográfico **G por GU** en todas las personas.

  jugar: *juegue, juegues, juegue, etc.*   Tabla 12

- Verbos que cambian **E por I** en todas las personas.
  pedir: *pida, pidas, pida, etc.*   Tabla 11

b) **Cambios consonánticos**

- Los verbos terminados en **-ACER, -ECER, -OCER** y **-UCIR** cambian **C por ZC** en todas las personas.

  obedecer: obedezca, obedezcas obedezca...   Tabla 13
  traducir: traduzca, traduzcas, traduzca...   Tabla 14

- Los verbos terminados en **-UIR** cambian **I por Y** en todas las personas.

  concluir: concluya, concluyas, concluya...   Tabla 15

- Los verbos que forman el presente de subjuntivo en **-GA** en todas las personas. Son los mismos verbos que en presente de indicativo toman **-go**.

  caer: caiga, caigas, caiga, caigamos, caigáis, caigan. Tabla 18

- Algunos verbos, de uso frecuente, tienen numerosas irregularidades.

  dar   (Tabla 19)   saber   (Tabla 28)
  estar   (Tabla 21)   ser   (Tabla 30)
  ir   (Tabla 23)   ver   (Tabla 35)

c) **Cambios ortográficos**

- Los verbos terminados en **-CER** y **-CIR** se escriben con **Z** en todas las personas.
  vencer: venza, venzas, venza, etc.

- Los verbos terminados en **-GER** y **-GIR** se escriben con **J** en todas las personas.
  recoger: recoja, recojas, recoja, etc.

- Los verbos terminados en **-GUIR** se escriben sin la **U** en todas las personas.
  seguir: siga, sigas, siga, etc.

- Los verbos terminados en **-CAR** se escriben con **QU** en todas las personas.
  atacar: ataque, ataques, ataque, etc.

- Los verbos terminados en **-ZAR** se escriben con **C** en todas las personas.
  cruzar: cruce, cruces, cruce, etc.

- Los verbos terminados en **-GAR** se escriben con **GU** en todas las personas.
  pagar: pague, pagues, pague, etc.

3. **Usos del presente de subjuntivo**

a) Se usa después de **ojalá (que)** o **que** para expresar deseos posibles en el presente o en el futuro.

  ¡Ojalá (que) **apruebes** *el examen de conducir!*
  ¡Que **tengas** *suerte!*

b) Con verbos y expresiones que indican deseo y preferencia (*querer, desear, necesitar, esperar, preferir, tener ganas de, apetecer,* etc. seguidos de **que**) cuando la persona que realiza la acción y la que expresa el sentimiento son distintas. Si son la misma, va con infinitivo (ver capítulo 19, apartado A).
   *Estoy esperando que **estrenen** esa película.*
   *Necesito que me **enseñes** a cocinar.*

c) Con verbos como *pedir, decir, rogar, prohibir, dejar, exigir, impedir, mandar, obligar, ordenar, proponer, aconsejar, recomendar, sugerir,* etc., para expresar un mandato, ruego o consejo.
   *Les ruego que me **envíen** el paquete hoy mismo, por favor.*
   *Carmen propone que **vayamos** a su casa.*

d) Con expresiones como **quizá(s)**, **tal vez**, **es probable**, **es posible**, **puede que**, **posiblemente** y **probablemente** para expresar una hipótesis.
   *Quizá/tal vez **llueva** el domingo próximo.*
   *Es probable que nos **quedemos** sin gasolina dentro de un rato.*

Tal vez también puede ir con indicativo.
   *Tal vez no **tiene** dinero suficiente.*

e) Se usa para expresar gustos, sentimientos y estados de ánimo con la expresión **¡qué** + *alegría, pena, sorpresa, raro...* + **que!**
   *¡Qué pena que no **tengamos** más dinero!*

f) Con los verbos y las construcciones que indican gustos y sentimientos: *me gusta / encanta / interesa / molesta / sorprende / fastidia / llama la atención / preocupa / pone nervioso / da miedo..., sentir, lamentar, odiar* y *alegrarse de...* seguidos de **que**. En estos casos se utiliza el subjuntivo cuando la persona que realiza la acción y la que expresa el gusto o el sentimiento son distintas.
   *No me interesa que Santiago **sepa** toda la verdad.*
   *Siento que Marta **esté** enferma.*

g) Para valorar hechos y situaciones con construcciones impersonales (*es / me parece... bueno, malo, lógico, importante, extraño, natural, mejor, peor, una pena, una vergüenza, etc.* + **que**) cuando se refiere a una persona en concreto.
   *Es lógico que **te preocupes** por tus hijos.*

h) Expresa finalidad detrás de **para que** o **a fin de que** cuando los sujetos de las dos oraciones son distintos.
   *Te lo doy para que **tengas** un recuerdo mío.*

i) Detrás de las expresiones condicionales, como **siempre que**, **siempre y cuando**, **con tal de que** y **a condición de que**, para expresar una condición imprescindible para que se cumpla la acción en el presente o en el futuro.
   *Te ayudaré en tu trabajo siempre y cuando **acabe** primero el mío.*

j) También expresa una condición negativa detrás de **a no ser que** y **salvo que**. Indica un impedimento que normalmente no va a ocurrir.

*Llegaré pronto a no ser que **haya** un atasco.*

k) Detrás de **de ahí que** expresa un consecuencia.

*Está haciendo régimen, de ahí que **esté** tan delgada.*

l) Con **cuando** expresa dos acciones simultáneas en el futuro.

*Mándanos un SMS cuando **llegues** a casa.*
*Cuando **salga** de trabajar, te llamaré.*

m) Con **antes de que** y **después de que** presenta una acción como anterior o posterior a otra en el futuro.

*Terminaré el trabajo antes de que **vengas**.*
*Deja tu mensaje después de que **suene** la señal.*

n) Con **hasta que** presenta una acción como el final de otra en el futuro.

*Estoy preocupado, no me acostaré hasta que **vuelva** mi hijo.*

ñ) Con **aunque** y **a pesar de que** expresa una oposición para que se realice la acción, pero no la impide. Esa oposición es conocida por los hablantes.

*Aunque no te **guste**, tienes que comer verduras. Son muy saludables.*

o) Con **como** expresa una manera de actuar no experimentada anteriormente.

*Haz las cosas como te **digan**.*

p) Detrás de un pronombre relativo (*que, quien, donde...*) se usa para localizar o definir una persona, animal, cosa o lugar desconocidos.

*Necesito una secretaria que **hable** inglés.*
*Busco un lugar donde **haya** silencio para estudiar.*

B. EL PRETÉRITO IMPERFECTO

1. Forma del pretérito imperfecto de subjuntivo

Se forma con la 3.ª persona del plural del pretérito perfecto simple (o indefinido) quitando el final **-ron** y añadiendo las terminaciones. Tiene dos terminaciones:

Comer > comie(ron) + **-ra** o **-se** > *comiera* o *comiese*
Ir > fue(ron) + **-ra** o **-se** > *fuera* o *fuese*

	Formas en -ra	Formas en -se
yo	-ra	-se
tú, vos	-ras	-ses
usted, él, ella	-ra	-se
nosotros, nosotras	-ramos	-semos
vosotros, vosotras	-rais	-seis
ustedes, ellos, ellas	-ran	-sen

2. Usos del pretérito imperfecto de subjuntivo

a) Se usa después de **ojalá (que)** o **que** para expresar deseos poco posibles o imposibles en el presente o en el futuro.

*¡Ojalá **tuviera/tuviese** otro trabajo!*

b) Con expresiones como *quizá(s), tal vez, es probable, es posible, puede que, posiblemente* y *probablemente* para expresar hipótesis sobre el pasado.

*Quizá/tal vez **lloviera/lloviese** el domingo pasado.*
*Es probable que ayer se **quedaran/quedasen** sin gasolina.*

c) Expresa gustos, sentimientos y estados de ánimo en el pasado con la expresión **¡qué** + *alegría, pena, sorpresa, raro...* + **que!**

*¡Qué pena que ayer no **tuviéramos/tuviésemos** más dinero!*

d) También sirve para expresar cortesía con los verbos *querer, deber, poder* y *valer*. En estos casos solo se admite la forma terminada en **-ra.**

- *Buenos días, ¿qué desea?*
- ***Quisiera** un café con leche, por favor.*

e) En los mismos casos donde se necesita el presente de subjuntivo, se usa el pretérito imperfecto de subjuntivo si el verbo principal está en pasado o en condicional.

*Carmen propuso que **fuéramos/fuésemos** a su casa.*
*No me interesaba que Santiago **supiera/supiese** toda la verdad.*
*Te lo di para que **tuvieras/tuvieses** un recuerdo mío.*
*Estuvo haciendo régimen, de ahí que **estuviera/estuviese** tan delgada.*
*Terminaría el trabajo antes de que **viniera/viniese**.*
*Buscaría una secretaria que **hablara/hablase** inglés.*

f) Se usa para expresar una condición irreal o de difícil cumplimiento en el presente o en el futuro.

*Si **estuviéramos/estuviésemos** en verano, me bañaría en el mar.*
*Si **tuviera/tuviese** más formación, buscaría otro trabajo.*

Capítulo 11 El subjuntivo

C. EL PRETÉRITO PERFECTO

1. Forma del pretérito perfecto de subjuntivo

	El verbo HABER en presente de subjuntivo	+ participio
yo	haya	
tú/vos	hayas/hayás	
usted, él, ella	haya	+ ado
nosotros, nosotras	hayamos	+ ido
vosotros, vosotras	hayáis	
ustedes, ellos, ellas	hayan	

2. Usos del pretérito perfecto de subjuntivo

a) En las oraciones donde se necesita el subjuntivo, expresa una acción acabada y completa en el pasado, pero en relación con el presente.

Me alegro de que te llamen para ese trabajo. (Ahora)
*Me alegro de que te **hayan llamado** para ese trabajo.* (En el pasado y ahora estés trabajando)

b) En las oraciones temporales, expresa una acción acabada en el futuro.

*Mándanos un SMS cuando **hayas llegado** a casa.*

D. EL PRETÉRITO PLUSCUAMPERFECTO

1. Forma del pretérito pluscuamperfecto de subjuntivo

	El verbo HABER en imperfecto de subjuntivo	+ participio
yo	hubiera o hubiese	
tú, vos	hubieras o hubieses	
usted, él, ella	hubiera o hubiese	+ ado
nosotros, nosotras	hubiéramos o hubiésemos	+ ido
vosotros, vosotras	hubierais o hubieseis	
ustedes, ellos, ellas	hubieran o hubiesen	

2. Usos del pretérito pluscuamperfecto de subjuntivo

a) Se usa después de **ojalá (que)** o **que** para expresar deseos imposibles en el pasado.

*¡Ojalá **hubiera aprobado** el examen!* (Imposible porque ya ha pasado)

b) En general, su uso es similar al pretérito imperfecto de subjuntivo, pero se refiere a una acción que se expresa como anterior a otra pasada.

Me gustaría que fueras a la fiesta. (Ahora o mañana)
*Me gustaría que **hubieras ido** a la fiesta.* (Ya ha pasado la fiesta y no has ido)

c) En contraste con el pretérito perfecto de subjuntivo, el pluscuamperfecto no tiene relación con el presente.

Me alegro de que te hayan llamado para ese trabajo. (Hoy, este mes, este año...)
*Me alegro de que te **hubieran llamado** para ese trabajo.* (Hace tiempo, el año pasado...)

d) Expresa una condición hipotética o de imposible cumplimiento en el pasado:
- Seguido de condicional simple, se utiliza para hacer reproches o para hablar de deseos imposibles en el presente o en el futuro.

  *Si **hubieras terminado** tu trabajo, ahora podrías descansar.*

- Seguido de condicional compuesto, presenta una realidad diferente o alternativa a lo que realmente pasó.

  *Si **hubiera terminado** mi trabajo, habría ido contigo al cine.*

g

Capítulo **18**
El imperativo

Para practicar:
- *Competencia gramatical en uso* A2, páginas 98
- *Competencia gramatical en uso* B1, páginas 11

---

1. Se usa para pedir acciones a otros: rogar, dar instrucciones, ordenar, sugerir, invitar, ofrecer...

   Venga *aquí un momento, por favor.*
   No hables *tan alto.*
   Pásame *la sal, por favor.*

2. Algunos imperativos fijos (*oye, perdona, mira, venga, anda, vaya, diga*...) se usan para llamar la atención, expresar ánimo o sorpresa.

   *¡**Anda**! Se ha llenado el teatro.*
   *¡No me **digas**!*

A. EL IMPERATIVO

Solo tiene tres formas propias, para las personas **tú**, **vos** y **vosotros** o **vosotras** en la expresión afirmativa. Para las demás personas (**nosotros** o **nosotras**, **usted** y **ustedes**) y para la forma negativa se utiliza el subjuntivo.

1. Forma del regular

Verbos terminados en -AR	Verbos terminados en -ER	Verbos terminados en -IR	
-a	-e	-e	tú
-á	-é	-í	vos
-ad	-ed	-id	vosotros, vosotras

2. Forma irregular
a) **Cambios vocálicos**

- Verbos que cambian **E por IE** en la forma *tú*.
    - *pensar: piensa, pensá, pensad.*   Tabla 5
    - *perder: pierde, perdé, perded.*   Tabla 6
    - *sentir: siente, sentí, sentid.*   Tabla 7

- Verbos que cambian **O por UE** en la forma *tú*.
    - *contar: cuenta, contá, contad.*   Tabla 8
    - *mover: mueve, mové, moved.*   Tabla 9
    - *dormir: duerme, dormí, dormid.*   Tabla 10

- El verbo *jugar* cambia **U por UE** en la forma *tú*.
    - *jugar: juega, jugá, jugad.*   Tabla 12

- Verbos que cambian **E por I** en la forma *tú*.
    - *pedir: pide, pedí, pedid.*   Tabla 11

b) **Cambios consonánticos**

- Los verbos terminados en **-UIR** cambian **I por Y** en la forma *tú*.
    - *concluir: concluye, concluí, concluid.* Tabla 15

- Un pequeño número de verbos, de uso frecuente, tienen las irregularidades siguientes en la forma *tú* y alguno en la forma *vos*.
    - **decir: di**, decí, decid.   Tabla 20
    - **ir: ve, andá**, id.   Tabla 23
    - **salir: sal**, salí, salid.   Tabla 29

g Capítulo 18 El imperativo

tener: ten, tené, tened.	Tabla 31
hacer: haz, hacé, haced.	Tabla 22
poner: pon, ponés, poned.	Tabla 26
ser: sé, sed.	Tabla 30
venir: ven, vení, venid.	Tabla 34

3. Usos del imperativo

a) Se usa para pedir acciones a otros:

- Rogar o pedir algo.
  *Por favor, **enséñeme** su pasaporte.*

- Dar instrucciones.
  *Dentro del avión **no usen** aparatos electrónicos.*

- Sugerir y aconsejar.
  ***Llévate** el paraguas porque hace mal tiempo.*

- Dar órdenes.
  ***Apaga** la televisión y **haz** los deberes ahora mismo.*

- Invitar o dar permiso.
  - *¿Puedo entrar?*
  - *Por supuesto, **pase, pase. Tómese** un café.*

- Expresar urgencia. Suele ir duplicado.
  ***Corre, corre**, que llegamos tarde.*

- Ofrecer.
  *Yo no necesito el ordenador, **úsalo** tú.*

- Expresar condiciones.
  ***Pídele** perdón y todo se arreglará.*

b) Existen algunas expresiones fijas en la lengua formadas con imperativos (*oye, perdona, mira, venga, anda, vaya...*) que se usan para:

- Llamar la atención de alguien (*perdona/perdone, oye/oiga*).
  ***Perdona**, ¿me dejas el bolígrafo, por favor?*
  ***Oiga**, ¿sabe cuál es la calle Aribau?*

- Empezar una explicación (*mira/mire*).
  ***Mira**, voy a contártelo todo.*

- Expresar ánimo o consuelo (*venga, anda*).
  ***Venga**, no te preocupes, seguro que no es importante.*

- Expresar sorpresa (*¡Vaya!, ¡Anda!, ¡No me digas!*).
  *¡**Vaya**! No esperaba ganar el premio.*

- En España, se utiliza **diga** o **dígame** para responder al teléfono.
  - *Dígame.*
  - *Hola, ¿está Marcos?*
  - *Sí, un momento, por favor.*

- Urgencia (*venga, venga; vamos*).
  - *Venga, venga, daos prisa, que se nos acaba el tiempo.*
  - *Vamos, más rápido, que vais muy lentos.*

- Destacar algo, normalmente negativo (*mira/anda que, vaya con*).
  - *Mira que eres testarudo. Si te digo que no puedes hacer eso, no lo hagas.*
  - *Vaya con la niña, ahora resulta que no quiere estudiar ni trabajar.*

c) Muchas veces, en el habla coloquial, es frecuente usar el infinitivo por el imperativo para la segunda persona del plural (*vosotros*), pero no es recomendable.

Entrar todos, por favor, hay sitio al fondo.
Levantaros cuando entre el director.

B. LOS PRONOMBRES CON EL IMPERATIVO

1. Con el imperativo afirmativo los pronombres van siempre detrás. Con el negativo, siempre delante.

   Cómpraselo.   *No se lo compres.*

2. El imperativo puede tener modificaciones cuando lleva los pronombres detrás.

   a) Si va seguido de **nos** o **se**, pierde la **-s** final de la forma *nosotros*.

Hagamos + nos	*Hagámonos unos bocadillos ahora.*
Digamos + se + lo	*Digámoselo a la profesora.*

   b) Cuando va seguido de **os**, desaparece la **-d** final de la forma *vosotros*.

   Duchad + os   *Niños, duchaos antes de desayunar.*
   Excepto **id** (verbo *ir*), que conserva la **-d**: *idos*.

3. Cuando el imperativo lleva pronombres detrás puede tener modificaciones del acento siguiendo las reglas generales de acentuación (ver capítulo 2, apartado G).

   di + se + lo = díselo   **dé** + les = deles

C. OTRAS FORMAS DE EXPRESAR ORDEN

1. El presente de indicativo también puede usarse para expresar una instrucción o una sugerencia.

   *Tú ahora te **callas** y **haces** lo que yo te **digo**.* (Instrucción)
   *¿Por qué no **cambias** de trabajo? Puedes encontrar uno mejor.* (Sugerencia)

2. El futuro puede tener valor de obligación orientada hacia el futuro.

Tú mañana **harás** *lo que yo te diga:* **te levantarás** *temprano y* **saldrás** *a buscar trabajo.*

3. El infinitivo también puede usarse para expresar orden en algunos casos:

a) En libros de instrucciones o recetas de cocina.

Conectar *el cable y* **encender** *el ordenador.*
Pelar *las patatas y* **freírlas** *con la cebolla.*

b) En letreros con instrucciones o prohibiciones.

Dejar *salir antes de entrar.*
No **aparcar.**
No **pisar** *el césped.*

c) En instrucciones escritas en los textos escolares.

Contestar *las siguientes preguntas.*
Escribir *un resumen.*

d) En órdenes afirmativas con **a** + *infinitivo* y negativas con **sin** + *infinitivo*.

*Niños, ¡***a comer***!*
Oye, **sin mirar.**

4. El gerundio también puede usarse para expresar orden en algunos casos:

a) Un gerundio solo.

*¡***Andando***!*

b) **Ya estás** + *gerundio* se usa en el habla coloquial para dar un mandato urgente o inmediato.

*¡***Ya estás abriendo*** el libro! Tienes que estudiar.*

5. **Que** + 2.ªs personas del presente de subjuntivo para dar más énfasis a la orden.

*¡***Que comas***!*
*¡***Que estudiéis***!*

6. Las órdenes también pueden expresarse con perífrasis de obligación: **hay que** (impersonal)/**deber/tener que** + *infinitivo* (ver capítulo 19, apartado C).

Apaga la tele, **tienes que irte a dormir** *ahora mismo.*

Para practicar:
- *Competencia gramatical en uso* A2, páginas 62-73.
- *Competencia gramatical en uso* B1, páginas 78-83.
- *Competencia gramatical en uso* B2, páginas 40-45.

USOS DEL INFINITIVO

- Puede usarse como un sustantivo.

  *(El) **saber** no ocupa lugar.*
  *(El) **beber** agua es muy sano.*

- Con algunas preposiciones tiene un significado particular.

  ***Al entrar** en casa, sonó el teléfono.* (Tiempo)
  ***De haber visto** la película, me acordaría.* (Condición)
  *Quedan algunos temas **por hablar**. (= Sin hablar)*
  *Salió a la calle **para respirar** un poco de aire.* (Finalidad)

- Se usa detrás de verbos y expresiones de deseo y preferencia (*querer, desear, preferir...*), de gustos y sentimientos (*me gusta, molesta, sorprende...*) y con expresiones para valorar hechos y situaciones con construcciones impersonales (*es/me parece... bueno, malo, lógico, importante, extraño, una pena, una vergüenza...*).

  *Quiero **volver** a casa.*
  *No me gusta **bailar**.*
  *Me parece importante **hacer** deporte.*

LAS PERÍFRASIS DE INFINITIVO

- **Ir a** (futuro inmediato): ***Voy** a encender la tele.*
- **Estar a punto de** (acción inmediata): ***Está a punto de** llorar.*
- **Empezar a** y **ponerse a** (inicio de la acción): ***Empezó a** nevar a las seis.*
- **Acabar de** (acción inmediatamente pasada): ***Acabo de** recibir una carta.*
- **Dejar de** (acción que se interrumpe): ***Dejé de** tomar azúcar.*
- **Volver a** (repetición de la acción): *Quiero **volver a** ver esa película.*
- **Soler** (acción habitual): ***Suelo ir** a la piscina cada día.*
- **Tener que**, **deber** y **hay que** (obligación): ***Tienes que** estudiar más.*
- **Poder** (posibilidad): *Aquí no se **puede** jugar.*
- **Deber de** (probabilidad): ***Deben de** ser las nueve.*

Capítulo 19 El infinitivo

A. LOS USOS DEL INFINITIVO SIMPLE

1. El infinitivo puede usarse como un sustantivo, llevar complementos y realizar las mismas funciones que cualquier otro sustantivo:

   a) Puede ser sujeto de una oración y puede también acompañar a los verbos **ser** y **estar**. En estos casos, puede llevar artículo.

   > *(El)* ***Leer*** *abre la mente.*
   > *(El)* ***Querer*** *es (el)* ***poder.***

   b) También puede ir detrás de preposiciones para acompañar a un sustantivo o a un adjetivo.

   > *Necesito una máquina de* ***afeitar*** *nueva.*
   > *Este trabajo es fácil de* ***hacer.***

   No puede ir precedido de las preposiciones **ante**, **bajo**, **contra**, **desde**, **durante**, **hacia** y **según**.

2. En algunos casos, puede usarse en lugar de formas personales de indicativo o imperativo.

   - *¿Qué haces?*
   - ***Descansar.*** (= Descanso)

   ¡A ***callar***, *niños!* (= Callad)

   Para el uso del infinitivo como imperativo ver capítulo 18, apartado C.

3. Con algunas preposiciones tiene un significado particular:

   a) Valor de tiempo: **al** + *infinitivo.*
   > ***Al entrar***, *me saludó.*

   b) Valor concesivo: **con** + *infinitivo.*
   > ***Con hablar*** *idiomas y no encuentra trabajo.*

   c) Valor de causa: **por** + *infinitivo.*
   > *No* ***por tener*** *mucho dinero eres más feliz.*

   d) Valor de acción sin terminar: **por** + *infinitivo.*
   > *Tenemos muchas cosas* ***por solucionar.*** (= sin solucionar)

   e) Valor de finalidad: **a** + *infinitivo* (con verbos de movimiento: *ir, venir, volver, salir, entrar...*).
   > *Ven* ***a hablar*** *con la directora.*

   f) Valor de condición: **de** + *infinitivo* (ver capítulo 31, apartado G).
   > ***De ser*** *verdad, habrían tenido mucha suerte.*

4. Se usa detrás de verbos y expresiones que indican deseo y preferencia (*querer, desear, necesitar, esperar, preferir, tener ganas de, apetecer*, etc.) cuando la persona que realiza la acción y la que expresa el sentimiento son la misma.

> *Espero **llegar** a la hora.*
> *Necesito **verte**.*

Cuando la persona que realiza la acción es diferente a la que expresa el sentimiento se usa el subjuntivo (ver capítulo 17, apartado A).

5. También se usa detrás de los verbos y las construcciones que indican gustos y sentimientos: *me gusta / encanta / interesa / molesta / sorprende / fastidia / llama la atención / preocupa / asombra / pone nervioso / da miedo…, sentir, lamentar, odiar, detestar* y *alegrarse de…* En estos casos se utiliza cuando la persona que realiza la acción y la que expresa el gusto o el sentimiento es la misma.

> *Me pone muy nervioso **esperar**.*
> *Siento no **poder** ayudarte.*

Cuando la persona que realiza la acción y la que expresa el gusto son distintas se usa el subjuntivo (ver capítulo 17, apartado A).

6. Se utiliza detrás de construcciones impersonales que se utilizan para valorar hechos y situaciones (*es / me parece… bueno, malo, lógico, importante, extraño, natural, mejor, peor, injusto, mentira, una pena, una vergüenza*, etc.).

> *Me parece importante **tener** un objetivo claro en la vida.*
> Es bueno **aprender** lenguas.

Se usa el infinitivo cuando uno habla en general y el subjuntivo, cuando se refiere a una persona en concreto (ver capítulo 17, apartado A).

> *Es bueno **estudiar** idiomas.*
> *Es bueno que tú estudies idiomas.*

B. LOS USOS DEL INFINITIVO COMPUESTO

1. El infinitivo compuesto se construye con el infinitivo del verbo **HABER** y el participio del verbo utilizado. Expresa anterioridad a un momento dado.

> *Por **haber comido** tanto, ahora me duele el estómago.*
> *Me he quedado más tranquila después de **haber hablado** con ella.*

2. También se usa con un valor de recriminación o reproche por parte del hablante al oyente por no haber hecho algo que debería.

> • *Yo quería ir al cine con Pedro y Lucía.*
> • *Pues **haber llegado** antes, ahora ya se han ido.*

3. Con la preposición **de**, puede tener valor condicional (ver capítulo 31, apartado G).

> ***De haber sabido** que era tu cumpleaños, te habría traído un regalo.*

C. LAS PERÍFRASIS DE INFINITIVO

1. **Ir a** + *infinitivo*
   - Expresa la idea de futuro inmediato.
     Voy a estudiar para el examen de mañana.

   - Se usa para informar de decisiones o planes futuros.
     - *¿Qué vas a hacer mañana?*
     - *Voy a ir de excursión.*

   - En *imperfecto de indicativo* se expresa la intención pasada de hacer algo que finalmente no se ha cumplido.
     Iba a comprarme un jersey, pero me dejé la tarjeta en casa.

   - Contraste **Ir a** + *infinitivo* y el futuro.

Ir a + infinitivo	*Futuro*
Expresa una acción futura que va a suceder seguro. *Mi hijo va a casarse.*	Expresa una acción futura que puede suceder o no, por eso sirve para hacer planes y proyectos. *Cuando termine la carrera, me casaré.*
Expresa la idea de futuro inmediato, como resultado lógico de lo que se sabe o se ve en el presente. *Tengo calor, voy a abrir la ventana.* *Se ven nubes negras, va a llover.*	Se usa para expresar algo probable, es decir, una suposición en el presente. • *¿Qué hora es?* • *No sé, serán las cinco.*
Expresa planes o intenciones en el futuro. • *¿Qué vas a hacer mañana?* • *Voy a ir de excursión.*	Se usa para hacer pronósticos o predicciones. *Según mi abuelo, mañana nevará.*

2. **Estar a punto de** + *infinitivo*
   Indica que la acción va a ocurrir inmediatamente.
   Estoy a punto de terminar el trabajo que empecé ayer.

3. **Empezar a** + *infinitivo*
   Se utiliza para expresar el inicio de una acción.
   El cielo se nubló y empezó a llover.

4. **Ponerse a** + *infinitivo*
   - Expresa el comienzo repentino de una acción.
     Estábamos comiendo en el jardín y se puso a llover. (De repente)

   - Si el sujeto es una persona, indica la voluntad de iniciar una acción.
     Ahora mismo me pongo a estudiar, de verdad, dame solo diez minutos.

5. **Acabar de** + *infinitivo*
   Expresa una acción inmediatamente pasada.
   *Mira este correo, lo **acabo de recibir**.*

   Se utiliza, en general, en presente o imperfecto de indicativo.

6. **Dejar de** + *infinitivo*
   Expresa la interrupción de una acción.
   ***He dejado de asistir** a clase de húngaro porque no tenía tiempo.*

7. **Volver a** + *infinitivo*
   Se utiliza para expresar la repetición de una acción.
   *Se quedó viudo, pero se **volvió a casar**.*

8. **Soler** + *infinitivo*
   Se usa para indicar el carácter habitual de la acción, en el presente o en el pasado
   (pretérito imperfecto de indicativo).
   *Durante la semana **suelo comer** fuera de casa.*
   *De pequeño **solía jugar** en la calle.*

9. **Tener que** + *infinitivo* y **deber** + *infinitivo*
   Expresan la obligación o la necesidad de hacer algo.
   ***Tienes que parar** cuando el semáforo está rojo.* (Es obligatorio)
   ***Debes hablar** más despacio porque no te entienden.* (Es necesario o aconsejable)
   *Hoy **no tenemos que ir** a clase de inglés.* (No es necesario)

10. **Hay que** + *infinitivo*
    Es una perífrasis invariable y expresa la obligación o la necesidad de hacer algo
    de forma general.
    ***Hay que comer** menos y practicar más deporte.* (Es necesario o aconsejable)
    *Cuando habla el profesor, **hay que escuchar** atentamente.* (Es obligatorio)

11. **Poder** + *infinitivo*
    • Expresa la posibilidad o el permiso de hacer algo.
      *¿**Puedo entrar**, por favor?* (Permiso)
      *Aquí no **podemos hablar**, hay personas durmiendo.* (Prohibición)

    • Para expresar un permiso o una prohibición de forma general se utiliza con **se**
      y el verbo *poder* en 3.ª persona del singular.
      *No **se puede comer** en el autobús.*

12. **Deber de** + *infinitivo*
    Indica probabilidad o suposición. Normalmente se usa en presente o en imperfec-
    to de indicativo.
    *No se oye nada de ruido, no **debe de haber** nadie en casa.*
    ***Debían de ser** las diez cuando oímos la explosión.*

El gerundio y el participio

Para practicar:
– *Competencia gramatical en uso A2, páginas 5*
  70-73.
– *Competencia gramatical en uso B1, páginas 7*

USOS DEL GERUNDIO
- El gerundio simple expresa una acción que ocurre al mismo tiempo que otra.
  *La vi **entrando** en el cine.*   (= La vi mientras entraba en el cine)

- El compuesto se refiere a una acción acabada, anterior a la del verbo principal.
  ***Habiendo analizado** los dos modelos, prefirió el primero.*

- Otros usos del gerundio:
  ***Habiéndolo dicho** ella, no puede ser falso.* (Condición)
  *Aun **sabiendo** la respuesta, no quiso contestar.* (Concesión)

LAS PERÍFRASIS DE GERUNDIO
- **Estar** (acción en proceso): ***Estoy** comiendo un helado.*
- **Seguir** (acción que continúa): ***Siguen** hablando por el móvil.*
- **Llevar** (acción que dura hasta el presente o hasta un momento del pasado):
  *Martín **lleva** durmiendo doce horas.*

USOS DEL PARTICIPIO
- Se usa como un adjetivo y concuerda con el sustantivo en género y número.
  *Deja la puerta **cerrada**, por favor.*

- Con *haber* forma los tiempos compuestos, en ese caso es invariable.
  *¿**Habéis cerrado** la puerta?*

- Otros usos del participio:
  ***Acabada** la cena, se pusieron a bailar.* (Tiempo)
  ***Tomados** de la mano, paseaban por el parque.* (Modo)
  *Aun **sentado** en el mejor sillón, no estaba cómodo.* (Concesión)

LAS PERÍFRASIS DE PARTICIPIO
- **Ser** (forma la voz pasiva): *La noticia **será** publicada mañana.*
- **Estar** (indica resultado de un proceso): *El ordenador **está** estropeado.*
- **Llevar** (situación que dura hasta el presente o hasta un momento del pasado): *Mi abuelo **lleva** sentado varias horas.*

g

A. EL GERUNDIO SIMPLE

1. Forma del gerundio regular

Verbos terminados en -AR	Verbos terminados en -ER o en -IR
-ando	-iendo

2. Forma del gerundio irregular
a) **Cambios vocálicos**

- Verbos que cambian **E por I** (son los verbos en -IR que en presente cambian **E por IE**).
  - *sentir: sintiendo.*   Tabla 7

- Los verbos **dormir** y **morir**.
  - *dormir: durmiendo.*   Tabla 10

- El verbo **jugar**.
  - *jugar: jugando.*   Tabla 12

- Verbos que cambian **E por I** (son los mismos verbos que en presente cambian **E por I**).
  - *pedir: pidiendo.*   Tabla 11

b) **Cambios consonánticos**

- Los verbos terminados en **-UIR** cambian **I por Y**.
  - *concluir: concluyendo.*   Tabla 15

- Algunos verbos, de uso frecuente, tienen especiales irregularidades.
  - caer   (Tabla 18)   ir   (Tabla 23)   venir   (Tabla 34)
  - decir   (Tabla 20)   oír   (Tabla 24)

3. Usos del gerundio simple
a) Suele expresar una acción que ocurre al mismo tiempo que otra.
   *Recibí su llamada **trabajando** en la oficina.* (= Recibí su llamada mientras trabajaba en la oficina)
   ***Caminando** se hace deporte.* (= Al mismo tiempo que se camina, se hace deporte)

b) A veces se usa como un adverbio de modo, para expresar cómo se hace algo.
   *Hablaba **gritando**.* (= A gritos)
   *Me miró **sonriendo**.* (= Con una sonrisa)

c) El gerundio puede usarse también como una oración adjetiva.

*Hay una chica **esperando** en la puerta.* (= Que espera)
*Vimos a Ricardo **hablando** con el director.* (= Que hablaba)
*Mi madre, **viendo** que tenía hambre, me hizo un bocadillo.* (= Que vio)

d) Otros usos del gerundio simple:

- De causa: ***Conociendo** a tu hermana, sé que no irá a la fiesta.* (= Como la co-nozco...)

- Condicional: ***Llevando** un paraguas, no nos mojaremos.* (= Si llevamos...)

- Concesivo: *Aun **trabajando** toda la tarde no terminaré el informe.* (= Aunque trabaje...)

- De tiempo: *Nos conocimos **trabajando** en la misma oficina.* (= Nos conocimos mientras trabajábamos...)

B. EL GERUNDIO COMPUESTO

1. Forma del gerundio compuesto

El verbo HABER en gerundio	+ participio
habiendo	+ ado
	+ ido

2. Uso del gerundio compuesto

a) Se construye con el gerundio del verbo **HABER** y el participio del verbo utilizado. Se refiere a una acción acabada, anterior a la del verbo principal.

***Habiendo escuchado** a las dos partes, tomó una decisión.*
(Primero escuchó a las dos partes y después tomó una decisión)

b) Otros usos del gerundio compuesto:
- De causa: ***Habiendo terminado** el trabajo, se fueron de la oficina.*
(= Como habían terminado el trabajo...)

- Condicional: ***Habiéndolo dicho** el profesor, no podemos dudarlo.*
(= Si lo ha dicho el profesor...)

g

C. LAS PERÍFRASIS DE GERUNDIO

1. **Estar** + *gerundio*

- Indica una acción que se realiza en el momento en que se habla.
  - *¿Qué estás haciendo?*
  - *Estoy escuchando un concierto de Falla.*

- También se refiere a la acción en su proceso con expresiones de tiempo como *hoy, esta mañana, este mes...*
  Este mes estoy yendo a clases de natación.

- No se usa con ciertos verbos, tales como: *comprender, conocer, entender, ir, llevar, preferir, querer, tener, venir,* etc.

- Contraste entre el *presente de indicativo* y **estar** + *gerundio*:

Presente de indicativo	Estar + *gerundio*
Expresa una acción habitual. *Salgo de clase a las seis.*	Expresa una acción que ocurre en este momento. *Estoy saliendo de clase ahora mismo.*
Expresa una información general. *En el colegio, los alumnos usan ordenadores portátiles.*	Expresa una acción en su proceso, es decir, una acción que ha empezado en el pasado y llega hasta el presente con expresiones de tiempo como *últimamente, hoy, esta mañana, este mes...).* *En el colegio, este curso, los alumnos están usando ordenadores portátiles.* (El curso continúa)

2. **Seguir** + *gerundio*

Se utiliza para expresar que una acción todavía continúa, que no se ha interrumpido ni terminado.
¿Seguimos esperando a Juan o nos vamos?

3. **Llevar** + *gerundio*

Se usa para expresar la duración de una acción presente o pasada.
- **Llevar** + *gerundio* + **desde** + *fecha/hora.*
  Julián lleva trabajando en el restaurante desde el martes. (Hasta el presente)
  Llevábamos viviendo en ese piso desde el verano, pero en otoño vimos otro mejor y nos mudamos. (Hasta ese momento del pasado)

Capítulo 20 El gerundio y el participio

- **Llevar** + *gerundio* + (**desde hace/hacía**) + *periodo de tiempo*
  El médico **lleva viendo** *enfermos (desde hace) tres horas.* (Hasta el presente)
  Luisa **llevaba estudiando** *piano (desde hacía) dos años cuando decidió dejarlo.*
  (Hasta ese momento del pasado)

D. EL PARTICIPIO

1. Forma del participio regular

Verbos terminados en -AR	Verbos terminados en -ER o en -IR
-ado	-ido

2. Forma del participio irregular

a) Formas irregulares

Abrir: *abierto* y los compuestos: *entreabrir* y *reabrir*.
Cubrir: *cubierto* y los compuestos: *encubrir, descubrir, recubrir* y *redescubrir*.
Escribir: *escrito* y los compuestos: *adscribir, circunscribir, describir, inscribir, manuscribir, prescribir, proscribir, reinscribir, rescribir* y *transcribir*.
Romper: *roto*.
Pudrir: *podrido*.

> *Observación:* El verbo **morir** se conjuga como **dormir** (tabla 10), pero además el participio es irregular: *muerto*.

b) Verbos con dos participios: uno regular y otro irregular

Algunos verbos tienen dos participios, uno regular, para formar los tiempos compuestos, y otro irregular usado a menudo como adjetivo, sustantivado o no, y como adverbio:

Absorber: absorbido, absorto.
Abstraer: abstraído, abstracto.
Atender: atendido, atento.
Bendecir: bendecido, bendito.
Concluir: concluido, concluso.
Confesar: confesado, confeso.
Confundir: confundido, confuso.
Convencer: convencido, convicto.
Convertir: convertido, converso.
Corregir: corregido, correcto.

Incluir: incluido, incluso.
Infundir: infundido, infuso.
Injertar: injertado, injerto.
Invertir: invertido, inverso.
Juntar: juntado, junto.
Maldecir: maldecido, maldito.
Manifestar: manifestado, manifiesto.
Nacer: nacido, nato.
Pasar: pasado, paso.
Poseer: poseído, poseso.

Corromper: corrompido, corrupto.
Despertar: despertado, despierto.
Elegir: elegido, electo.
Enjugar: enjugado, enjuto.
Eximir: eximido, exento.
Expresar: expresado, expreso.
Extender: extendido, extenso.
Extinguir: extinguido, extinto.
Fijar: fijado, fijo.
Hartar: hartado, harto.
Imprimir: imprimido, impreso.

Prender: prendido, preso.
Presumir: presumido, presunto.
Propender: propendido, propenso.
Proveer: proveído, provisto.
Recluir: recluido, recluso.
Salvar: salvado, salvo.
Sepultar: sepultado, sepulto.
Soltar: soltado, suelto.
Sustituir: sustituido, sustituto.
Sujetar: sujetado, sujeto.
Suspender: suspendido, suspenso.

3. Usos del participio

a) Puede usarse como un adjetivo. Por eso concuerda en género y número con el sustantivo al que se refiere.

*El bebé está **cansado**.*
*Las niñas se quedaron **dormidas**.*

b) Con **HABER** forma los tiempos compuestos, y en este caso el participio es invariable. No se puede introducir nada entre el auxiliar y el participio.

Hemos dormido en el avión.

c) Otros usos del participio:

- Temporal: *Terminada la obra, los actores salieron a saludar.*
  (= Cuando terminó la obra...)

- Modal: *Sentados en el sofá, veíamos una película.*

- Concesivo: *Aun cansado, este niño no se queda quieto.*
  (= Aunque está/esté cansado...)

E. LAS PERÍFRASIS DE PARTICIPIO

1. Ser + *participio*

- Se utiliza para formar los tiempos de la pasiva. El participio concuerda en género y número con el sujeto (ver capítulo 22, apartado D).
  *Los ladrones **han sido detenidos** por la Policía.*

- Se utiliza para expresar que el sujeto no realiza la acción, sino que la recibe. Y además es una acción terminada.

  *Los cristales **han sido limpiados** esta mañana.*

- No se utiliza con verbos de movimiento o estado.

  Rosana no **es ~~venida~~ a la reunión.*

- Cuando se expresa el agente de la acción, lleva la preposición **por**.

  *La noticia fue publicada **por** una revista semanal.*

  Esta forma verbal se llama «voz pasiva» y se usa poco en español; se prefieren las construcciones activas (ver capítulo 22, apartado E).

  Una revista semanal publicó la noticia.

  También se puede usar la llamada pasiva refleja (**se** + *verbo en voz activa en 3.ª persona del singular o del plural*), pero entonces no se expresa el agente de la acción.

  Se publicó la noticia.

2. Estar + *participio* .

Indica el resultado de una acción o un proceso (ver capítulo 23, apartado D).

*Las puertas **están abiertas** desde las 12 de la mañana.*

3. Llevar + *participio*

Indica la duración de una situación pasada.

- **Llevar** + *participio* + **desde** + *fecha/hora*.

  *Este restaurante **lleva cerrado** desde julio. (Hasta el presente)*

  *La mesa **llevaba rota** desde que yo era pequeño. Por eso decidí arreglarla.*

- **Llevar** + *participio* + (**desde hace/hacía**) + *periodo de tiempo*.

  *Luisa y su marido **llevan casados** (desde hace) un año. (Hasta el presente)*

  *El bebé **llevaba dormido** (desde hacía) seis horas cuando se despertó por el ruido de un perro.*

Capítulo 21
Tablas de verbos

Cuadro general de las terminaciones y formación de los tiempos simples.

Tablas de verbos regulares	Tabla 1:	Cantar
	Tabla 2:	Beber
	Tabla 3:	Vivir

Tabla 4: Haber

Tabla de verbos irregulares modelos

Tabla 5:	Pensar	Tabla 11:	Pedir
Tabla 6:	Perder	Tabla 12:	Jugar
Tabla 7:	Sentir	Tabla 13:	Obedecer
Tabla 8:	Contar	Tabla 14:	Traducir
Tabla 9:	Mover	Tabla 15:	Concluir
Tabla 10:	Dormir	Tabla 16:	Leer

Tabla de verbos especialmente irregulares

Tabla 17:	Andar	Tabla 27:	Querer
Tabla 18:	Caer	Tabla 28:	Saber
Tabla 19:	Dar	Tabla 29:	Salir
Tabla 20:	Decir	Tabla 30:	Ser
Tabla 21:	Estar	Tabla 31:	Tener
Tabla 22:	Hacer	Tabla 32:	Traer
Tabla 23:	Ir	Tabla 33:	Valer
Tabla 24:	Oír	Tabla 34:	Venir
Tabla 25:	Poder	Tabla 35:	Ver
Tabla 26:	Poner		

CUADRO GENERAL DE LAS TERMINACIONE

	Presente de indicativo	Imperativo	Presente de subjuntivo	Imperfecto de indicativo	Pretérito perfecto simple (indefinido)
	Radical +				
-AR	-o		-e	-aba	-é
	-as/-ás	-a/-á	-es/-és	-abas	-aste
	-a	-e	-e	-aba	-ó
	-amos	-emos	-emos	-ábamos	-amos
	-áis	-ad	-éis	-abais	-asteis
	-an	-en	-en	-aban	-a ron
-ER	-o		-a		
	-es/-és	-e/-é	-as/-ás		
	-e	-a	-a		
	-emos	-amos	-amos		
	-éis	-ed	-áis	-ía	-í
	-en	-an	-an	-ías	-iste
-IR	-o		-a	-ía	-ió
	-es/ís	-e/í	-as	-íamos	-imos
	-e	-a	-a	-íais	-isteis
	-imos	-amos	-amos	-ían	-ie ron
	-ís	-id	-áis		
	-en	-an	-an		

DE LOS TIEMPOS SIMPLES

Imperfecto de subjuntivo	Futuro de indicativo	Condicional	Gerundio	Participio
	Infinitivo +		Radical +	
			-ando	-ado
-ra o **-se**	-é	-ía		
-ras **-ses**	-ás	-ías		
-ra **-se**	-á	-ía		
-ramos **-semos**	-emos	-íamos	-iendo	-ido
-rais **-seis**	-éis	-íais		
-ran **-sen**	-án	-ían		

1. CANTAR

INDICATIVO

	Presente	Pretérito imperfecto	Pretérito perfecto simple (indefinido)
yo	canto	cantaba	canté
tú/vos	cantas/cantás	cantabas	cantaste
usted, él, ella	canta	cantaba	cantó
nosotros, nosotras	cantamos	cantábamos	cantamos
vosotros, vosotras	cantáis	cantabais	cantasteis
ustedes, ellos, ellas	cantan	cantaban	cantaron

	Pretérito perfecto compuesto	Pretérito pluscuamperfecto
yo	he cantado	había cantado
tú, vos	has cantado	habías cantado
usted, él, ella	ha cantado	había cantado
nosotros, nosotras	hemos cantado	habíamos cantado
vosotros, vosotras	habéis cantado	habíais cantado
ustedes, ellos, ellas	han cantado	habían cantado

	Futuro simple	Futuro compuesto
yo	cantaré	habré cantado
tú, vos	cantarás	habrás cantado
usted, él, ella	cantará	habrá cantado
nosotros, nosotras	cantaremos	habremos cantado
vosotros, vosotras	cantaréis	habréis cantado
ustedes, ellos, ellas	cantarán	habrán cantado

	Condicional simple	Condicional compuesto
yo	cantaría	habría cantado
tú, vos	cantarías	habrías cantado
usted, él, ella	cantaría	habría cantado
nosotros, nosotras	cantaríamos	habríamos cantado
vosotros, vosotras	cantaríais	habríais cantado
ustedes, ellos, ellas	cantarían	habrían cantado

SUBJUNTIVO

	Presente	Pretérito imperfecto		
yo	cante	cantara	o	cantase
tú/vos	cantes/cantés	cantaras	o	cantases
usted, él, ella	cante	cantara	o	cantase
nosotros, nosotras	cantemos	cantáramos	o	cantásemos
vosotros, vosotras	cantéis	cantarais	o	cantaseis
ustedes, ellos, ellas	canten	cantaran	o	cantasen

	Pretérito perfecto	Pretérito pluscuamperfecto		
yo	haya cantado	hubiera cantado	o	hubiese cantado
tú/vos	hayas cantado/hayás cantado	hubieras cantado	o	hubieses cantado
usted, él, ella	haya cantado	hubiera cantado	o	hubiese cantado
nosotros, nosotras	hayamos cantado	hubiéramos cantado	o	hubiésemos cantado
vosotros, vosotras	hayáis cantado	hubierais cantado	o	hubieseis cantado
ustedes, ellos, ellas	hayan cantado	hubieran cantado	o	hubiesen cantado

IMPERATIVO

canta/cantá	tú/vos
cante	usted
cantemos	nosotros, nosotras
cantad	vosotros, vosotras
canten	ustedes

FORMAS NO PERSONALES

Gerundio	Participio
cantando	cantado

Infinitivo compuesto	Gerundio compuesto
haber cantado	habiendo cantado

2. BEBER

INDICATIVO

	Presente	Pretérito imperfecto	Pretérito perfecto simple (indefinido)
yo	bebo	bebía	bebí
tú/vos	bebes/bebés	bebías	bebiste
usted, él, ella	bebe	bebía	bebió
nosotros, nosotras	bebemos	bebíamos	bebimos
vosotros, vosotras	bebéis	bebíais	bebisteis
ustedes, ellos, ellas	beben	bebían	bebieron

	Pretérito perfecto compuesto	Pretérito pluscuamperfecto
yo	he bebido	había bebido
tú, vos	has bebido	habías bebido
usted, él, ella	ha bebido	había bebido
nosotros, nosotras	hemos bebido	habíamos bebido
vosotros, vosotras	habéis bebido	habíais bebido
ustedes, ellos, ellas	han bebido	habían bebido

	Futuro simple	Futuro compuesto
yo	beberé	habré bebido
tú, vos	beberás	habrás bebido
usted, él, ella	beberá	habrá bebido
nosotros, nosotras	beberemos	habremos bebido
vosotros, vosotras	beberéis	habréis bebido
ustedes, ellos, ellas	beberán	habrán bebido

	Condicional simple	Condicional compuesto
yo	bebería	habría bebido
tú, vos	beberías	habrías bebido
usted, él, ella	bebería	habría bebido
nosotros, nosotras	beberíamos	habríamos bebido
vosotros, vosotras	beberíais	habríais bebido
ustedes, ellos, ellas	beberían	habrían bebido

g

SUBJUNTIVO

	Presente	Pretérito imperfecto		
yo	beba	bebiera	o	bebiese
tú/vos	bebas/bebás	bebieras	o	bebieses
usted, él, ella	beba	bebiera	o	bebiese
nosotros, nosotras	bebamos	bebiéramos	o	bebiésemos
vosotros, vosotras	bebáis	bebierais	o	bebieseis
ustedes, ellos, ellas	beban	bebieran	o	bebiesen

	Pretérito perfecto	Pretérito pluscuamperfecto		
yo	haya bebido	hubiera bebido	o	hubiese bebido
tú/vos	hayas bebido/hayás bebido	hubieras bebido	o	hubieses bebido
usted, él, ella	haya bebido	hubiera bebido	o	hubiese bebido
nosotros, nosotras	hayamos bebido	hubiéramos bebido	o	hubiésemos bebido
vosotros, vosotras	hayáis bebido	hubierais bebido	o	hubieseis bebido
ustedes, ellos, ellas	hayan bebido	hubieran bebido	o	hubiesen bebido

IMPERATIVO

bebe/bebé	tú/vos
beba	usted
bebamos	nosotros, nosotras
bebed	vosotros, vosotras
beban	ustedes

FORMAS NO PERSONALES

Gerundio	Participio
bebiendo	bebido

Infinitivo compuesto	Gerundio compuesto
haber bebido	habiendo bebido

g Capítulo 21 Tablas de verbos

3. VIVIR

INDICATIVO

	Presente	Pretérito imperfecto	Pretérito perfecto simple (indefinido)
yo	vivo	vivía	viví
tú/vos	vives/vivís	vivías	viviste
usted, él, ella	vive	vivía	vivió
nosotros, nosotras	vivimos	vivíamos	vivimos
vosotros, vosotras	vivís	vivíais	vivisteis
ustedes, ellos, ellas	viven	vivían	vivieron

	Pretérito perfecto compuesto	Pretérito pluscuamperfecto
yo	he vivido	había vivido
tú, vos	has vivido	habías vivido
usted, él, ella	ha vivido	había vivido
nosotros, nosotras	hemos vivido	habíamos vivido
vosotros, vosotras	habéis vivido	habíais vivido
ustedes, ellos, ellas	han vivido	habían vivido

	Futuro simple	Futuro compuesto
yo	viviré	habré vivido
tú, vos	vivirás	habrás vivido
usted, él, ella	vivirá	habrá vivido
nosotros, nosotras	viviremos	habremos vivido
vosotros, vosotras	viviréis	habréis vivido
ustedes, ellos, ellas	vivirán	habrán vivido

	Condicional simple	Condicional compuesto
yo	viviría	habría vivido
tú, vos	vivirías	habrías vivido
usted, él, ella	viviría	habría vivido
nosotros, nosotras	viviríamos	habríamos vivido
vosotros, vosotras	viviríais	habríais vivido
ustedes, ellos, ellas	vivirían	habrían vivido

SUBJUNTIVO

	Presente	Pretérito imperfecto		
yo	viva	viviera	o	viviese
tú/vos	vivas/vivás	vivieras	o	vivieses
usted, él, ella	viva	viviera	o	viviese
nosotros, nosotras	vivamos	viviéramos	o	viviésemos
vosotros, vosotras	viváis	vivierais	o	vivieseis
ustedes, ellos, ellas	vivan	vivieran	o	viviesen

	Pretérito perfecto	Pretérito pluscuamperfecto		
yo	haya vivido	hubiera vivido	o	hubiese vivido
tú/vos	hayas vivido/hayás vivido	hubieras vivido	o	hubieses vivido
usted, él, ella	haya vivido	hubiera vivido	o	hubiese vivido
nosotros, nosotras	hayamos vivido	hubiéramos vivido	o	hubiésemos vivido
vosotros, vosotras	hayáis vivido	hubierais vivido	o	hubieseis vivido
ustedes, ellos, ellas	hayan vivido	hubieran vivido	o	hubiesen vivido

IMPERATIVO

vive/viví	tú/vos
viva	usted
vivamos	nosotros, nosotras
vivid	vosotros, vosotras
vivan	ustedes

FORMAS NO PERSONALES

Gerundio	Participio
viviendo	vivido

Infinitivo compuesto	Gerundio compuesto
haber vivido	habiendo vivido

4. HABER

INDICATIVO

	Presente	Pretérito imperfecto	Pretérito perfecto simple (indefinido)
yo	**he**	había	**hube**
tú, vos	**has**	habías	**hubiste**
usted, él, ella	**ha/hay***	había	**hubo**
nosotros, nosotras	**hemos**	habíamos	**hubimos**
vosotros, vosotras	habéis	habíais	**hubisteis**
ustedes, ellos, ellas	**han**	habían	**hubieron**

	Pretérito perfecto compuesto	Pretérito pluscuamperfecto
yo	he habido	había habido
tú, vos	has habido	habías habido
usted, él, ella	ha habido	había habido
nosotros, nosotras	hemos habido	habíamos habido
vosotros, vosotras	habéis habido	habíais habido
ustedes, ellos, ellas	han habido	habían habido

	Futuro simple	Futuro compuesto
yo	**habré**	habré habido
tú, vos	**habrás**	habrás habido
usted, él, ella	**habrá**	habrá habido
nosotros, nosotras	**habremos**	habremos habido
vosotros, vosotras	**habréis**	habréis habido
ustedes, ellos, ellas	**habrán**	habrán habido

	Condicional simple	Condicional compuesto
yo	**habría**	habría habido
tú, vos	**habrías**	habrías habido
usted, él, ella	**habría**	habría habido
nosotros, nosotras	**habríamos**	habríamos habido
vosotros, vosotras	**habríais**	habríais habido
ustedes, ellos, ellas	**habrían**	habrían habido

* Forma impersonal

SUBJUNTIVO

	Presente	Pretérito imperfecto		
yo	**haya**	**hubiera**	o	**hubiese**
tú/vos	**hayas/hayás**	**hubieras**	o	**hubieses**
usted, él, ella	**haya**	**hubiera**	o	**hubiese**
nosotros, nosotras	**hayamos**	**hubiéramos**	o	**hubiésemos**
vosotros, vosotras	**hayáis**	**hubierais**	o	**hubieseis**
ustedes, ellos, ellas	**hayan**	**hubieran**	o	**hubiesen**

	Pretérito perfecto	Pretérito pluscuamperfecto		
yo	haya habido	hubiera habido	o	hubiese habido
tú/vos	hayas habido/hayás habido	hubieras habido	o	hubieses habido
usted, él, ella	haya habido	hubiera habido	o	hubiese habido
nosotros, nosotras	hayamos habido	hubiéramos habido	o	hubiésemos habido
vosotros, vosotras	hayáis habido	hubierais habido	o	hubieseis habido
ustedes, ellos, ellas	hayan habido	hubieran habido	o	hubiesen habido

IMPERATIVO

he	tú, vos
haya	usted
hayamos	nosotros, nosotras
-	vosotros, vosotras
hayan	ustedes

FORMAS NO PERSONALES

Gerundio	Participio
habiendo	habido

Infinitivo compuesto	Gerundio compuesto
haber habido	habiendo habido

5. PENSAR: E > IE

INDICATIVO

	Presente	Pretérito imperfecto	Pretérito perfecto simple (indefinido)
yo	pienso	pensaba	pensé
tú/vos	piensas/pensás	pensabas	pensaste
usted, él, ella	piensa	pensaba	pensó
nosotros, nosotras	pensamos	pensábamos	pensamos
vosotros, vosotras	pensáis	pensabais	pensasteis
ustedes, ellos, ellas	piensan	pensaban	pensaron

	Futuro simple	Condicional simple
yo	pensaré	pensaría
tú, vos	pensarás	pensarías
usted, él, ella	pensará	pensaría
nosotros, nosotras	pensaremos	pensaríamos
vosotros, vosotras	pensaréis	pensaríais
ustedes, ellos, ellas	pensarán	pensarían

SUBJUNTIVO

	Presente	Pretérito imperfecto		
yo	piense	pensara	o	pensase
tú/vos	pienses/pensés	pensaras	o	pensases
usted, él, ella	piense	pensara	o	pensase
nosotros, nosotras	pensemos	pensáramos	o	pensásemos
vosotros, vosotras	penséis	pensarais	o	pensaseis
ustedes, ellos, ellas	piensen	pensaran	o	pensasen

IMPERATIVO

piensa/pensá	tú/vos
piense	usted
pensemos	nosotros, nosotras
pensad	vosotros, vosotras
piensen	ustedes

FORMAS NO PERSONALES

Gerundio	Participio
pensando	pensado

Siguen esta irregularidad estos verbos y sus derivados: acertar, apretar, atravesar, calentar, cegar, cerrar, comenzar, concertar, confesar, despertar, empezar, encomendar, enterrar, fregar, gobernar, helar, manifestar, merendar, negar, nevar, recomendar, regar, sembrar, sentar, temblar, tropezar, etc.

6. PERDER: E > IE

INDICATIVO

	Presente	Pretérito imperfecto	Pretérito perfecto simple (indefinido)
yo	pierdo	perdía	perdí
tú/vos	pierdes/perdés	perdías	perdiste
usted, él, ella	pierde	perdía	perdió
nosotros, nosotras	perdemos	perdíamos	perdimos
vosotros, vosotras	perdéis	perdíais	perdisteis
ustedes, ellos, ellas	pierden	perdían	perdieron

	Futuro simple	Condicional simple
yo	perderé	perdería
tú, vos	perderás	perderías
usted, él, ella	perderá	perdería
nosotros, nosotras	perderemos	perderíamos
vosotros, vosotras	perderéis	perderíais
ustedes, ellos, ellas	perderán	perderían

SUBJUNTIVO

	Presente	Pretérito imperfecto		
yo	pierda	perdiera	o	perdiese
tú/vos	pierdas/perdás	perdieras	o	perdieses
usted, él, ella	pierda	perdiera	o	perdiese
nosotros, nosotras	perdamos	perdiéramos	o	perdiésemos
vosotros, vosotras	perdáis	perdierais	o	perdieseis
ustedes, ellos, ellas	pierdan	perdieran	o	perdiesen

IMPERATIVO

pierde/perdé	tú/vos
pierda	usted
perdamos	nosotros, nosotras
perded	vosotros, vosotras
pierdan	ustedes

FORMAS NO PERSONALES

Gerundio	Participio
perdiendo	perdido

Siguen esta irregularidad estos verbos y sus derivados: ascender, condescender, defender, descender, encender, entender, verter, etc.

7. SENTIR: E > IE y E > I

INDICATIVO

	Presente	Pretérito imperfecto	Pretérito perfecto simple (indefinido)
yo	siento	sentía	sentí
tú/vos	sientes/sentís	sentías	sentiste
usted, él, ella	siente	sentía	sintió
nosotros, nosotras	sentimos	sentíamos	sentimos
vosotros, vosotras	sentís	sentíais	sentisteis
ustedes, ellos, ellas	sienten	sentían	sintieron

	Futuro simple	Condicional simple
yo	sentiré	sentiría
tú, vos	sentirás	sentirías
usted, él, ella	sentirá	sentiría
nosotros, nosotras	sentiremos	sentiríamos
vosotros, vosotras	sentiréis	sentiríais
ustedes, ellos, ellas	sentirán	sentirían

SUBJUNTIVO

	Presente	Pretérito imperfecto		
yo	sienta	sintiera	o	sintiese
tú/vos	sientas/sintás	sintieras	o	sintieses
usted, él, ella	sienta	sintiera	o	sintiese
nosotros, nosotras	sintamos	sintiéramos	o	sintiésemos
vosotros, vosotras	sintáis	sintierais	o	sintieseis
ustedes, ellos, ellas	sientan	sintieran	o	sintiesen

IMPERATIVO

siente/sentí	tú/vos
sienta	usted
sintamos	nosotros, nosotras
sentid	vosotros, vosotras
sientan	ustedes

FORMAS NO PERSONALES

Gerundio	Participio
sintiendo	sentido

Siguen esta irregularidad estos verbos y sus derivados: advertir, arrepentirse, convertir, diferir, digerir, divertir, herir, hervir, ingerir, invertir, mentir, preferir, sugerir, etc.

8. CONTAR: O > UE

INDICATIVO

	Presente	Pretérito imperfecto	Pretérito perfecto simple (indefinido)
yo	cuento	contaba	conté
tú/vos	cuentas/contás	contabas	contaste
usted, él, ella	cuenta	contaba	contó
nosotros, nosotras	contamos	contábamos	contamos
vosotros, vosotras	contáis	contabais	contasteis
ustedes, ellos, ellas	cuentan	contaban	contaron

	Futuro simple	Condicional simple
yo	contaré	contaría
tú, vos	contarás	contarías
usted, él, ella	contará	contaría
nosotros, nosotras	contaremos	contaríamos
vosotros, vosotras	contaréis	contaríais
ustedes, ellos, ellas	contarán	contarían

SUBJUNTIVO

	Presente	Pretérito imperfecto		
yo	cuente	contara	o	contase
tú/vos	cuentes/contés	contaras	o	contases
usted, él, ella	cuente	contara	o	contase
nosotros, nosotras	contemos	contáramos	o	contásemos
vosotros, vosotras	contéis	contarais	o	contaseis
ustedes, ellos, ellas	cuenten	contaran	o	contasen

IMPERATIVO

cuenta/contá	tú/vos
cuente	usted
contemos	nosotros, nosotras
contad	vosotros, vosotras
cuenten	ustedes

FORMAS NO PERSONALES

Gerundio	Participio
contando	contado

Siguen esta irregularidad estos verbos y sus derivados: acordar, encontrar, mostrar, probar, recordar, renovar, soltar, sonar, soñar, tostar, volar, etc.

9. MOVER: O > UE

INDICATIVO

	Presente	Pretérito imperfecto	Pretérito perfecto simple (indefinido)
yo	muevo	movía	moví
tú/vos	mueves/movés	movías	moviste
usted, él, ella	mueve	movía	movió
nosotros, nosotras	movemos	movíamos	movimos
vosotros, vosotras	movéis	movíais	movisteis
ustedes, ellos, ellas	mueven	movían	movieron

	Futuro simple	Condicional simple
yo	moveré	movería
tú, vos	moverás	moverías
usted, él, ella	moverá	movería
nosotros, nosotras	moveremos	moveríamos
vosotros, vosotras	moveréis	moveríais
ustedes, ellos, ellas	moverán	moverían

SUBJUNTIVO

	Presente	Pretérito imperfecto		
yo	mueva	moviera	o	moviese
tú/vos	muevas/movás	movieras	o	movieses
usted, él, ella	mueva	moviera	o	moviese
nosotros, nosotras	movamos	moviéramos	o	moviésemos
vosotros, vosotras	mováis	movierais	o	movieseis
ustedes, ellos, ellas	muevan	movieran	o	moviesen

IMPERATIVO

mueve/mové	tú/vos
mueva	usted
movamos	nosotros, nosotras
moved	vosotros, vosotras
muevan	ustedes

FORMAS NO PERSONALES

Gerundio	Participio
moviendo	movido

Siguen esta irregularidad estos verbos y sus derivados: cocer, disolver, doler, llover, morder, oler*, poder, resolver, soler, torcer, volver, etc.

*El verbo *oler* tiene una conjugación particular: *huelo, hueles, huele, olemos, oléis, huelen.*

g

10. DORMIR: O > UE y O > U

INDICATIVO

	Presente	Pretérito imperfecto	Pretérito perfecto simple (indefinido)
yo	**due**rmo	dormía	dormí
tú/vos	**due**rmes/dormís	dormías	dormiste
usted, él, ella	**due**rme	dormía	d**u**rmió
nosotros, nosotras	dormimos	dormíamos	dormimos
vosotros, vosotras	dormís	dormíais	dormisteis
ustedes, ellos, ellas	**due**rmen	dormían	d**u**rmieron

	Futuro simple	Condicional simple
yo	dormiré	dormiría
tú, vos	dormirás	dormirías
usted, él, ella	dormirá	dormiría
nosotros, nosotras	dormiremos	dormiríamos
vosotros, vosotras	dormiréis	dormiríais
ustedes, ellos, ellas	dormirán	dormirían

SUBJUNTIVO

	Presente	Pretérito imperfecto		
yo	**due**rma	d**u**rmiera	o	d**u**rmiese
tú/vos	**due**rmas/d**u**rmás	d**u**rmieras	o	d**u**rmieses
usted, él, ella	**due**rma	d**u**rmiera	o	d**u**rmiese
nosotros, nosotras	d**u**rmamos	d**u**rmiéramos	o	d**u**rmiésemos
vosotros, vosotras	d**u**rmáis	d**u**rmierais	o	d**u**rmieseis
ustedes, ellos, ellas	**due**rman	d**u**rmieran	o	d**u**rmiesen

IMPERATIVO

duerme/dormí	tú/vos
duerma	usted
d**u**rmamos	nosotros, nosotras
dormid	vosotros, vosotras
duerman	ustedes

FORMAS NO PERSONALES

Gerundio	Participio
d**u**rmiendo	dormido

Sigue esta irregularidad: m**o**rir (el participio es *muerto*).

11. PEDIR: E > I

INDICATIVO

	Presente	Pretérito imperfecto	Pretérito perfecto simple (indefinido)
yo	pido	pedía	pedí
tú/vos	pides/pedís	pedías	pediste
usted, él, ella	pide	pedía	pidió
nosotros, nosotras	pedimos	pedíamos	pedimos
vosotros, vosotras	pedís	pedíais	pedisteis
ustedes, ellos, ellas	piden	pedían	pidieron

	Futuro simple	Condicional simple
yo	pediré	pediría
tú, vos	pedirás	pedirías
usted, él, ella	pedirá	pediría
nosotros, nosotras	pediremos	pediríamos
vosotros, vosotras	pediréis	pediríais
ustedes, ellos, ellas	pedirán	pedirían

SUBJUNTIVO

	Presente	Pretérito imperfecto		
yo	pida	pidiera	o	pidiese
tú/vos	pidas/pidás	pidieras	o	pidieses
usted, él, ella	pida	pidiera	o	pidiese
nosotros, nosotras	pidamos	pidiéramos	o	pidiésemos
vosotros, vosotras	pidáis	pidierais	o	pidieseis
ustedes, ellos, ellas	pidan	pidieran	o	pidiesen

IMPERATIVO

pide/pedí	tú/vos
pida	usted
pidamos	nosotros, nosotras
pedid	vosotros, vosotras
pidan	ustedes

FORMAS NO PERSONALES

Gerundio	Participio
pidiendo	pedido

Siguen esta irregularidad estos verbos y sus derivados: competir, concebir, corregir, derretir, elegir, freír (participios: *freído*, *frito*), medir, reír, reñir, repetir, seguir, servir, vestir, etc.

12. JUGAR: U > UE

INDICATIVO

	Presente	Pretérito imperfecto	Pretérito perfecto simple (indefinido)
yo	juego	jugaba	jugué
tú/vos	juegas/jugás	jugabas	jugaste
usted, él, ella	juega	jugaba	jugó
nosotros, nosotras	jugamos	jugábamos	jugamos
vosotros, vosotras	jugáis	jugabais	jugasteis
ustedes, ellos, ellas	juegan	jugaban	jugaron

	Futuro simple	Condicional simple
yo	jugaré	jugaría
tú, vos	jugarás	jugarías
usted, él, ella	jugará	jugaría
nosotros, nosotras	jugaremos	jugaríamos
vosotros, vosotras	jugaréis	jugaríais
ustedes, ellos, ellas	jugarán	jugarían

SUBJUNTIVO

	Presente	Pretérito imperfecto		
yo	juegue	jugara	o	jugase
tú/vos	juegues/jugués	jugaras	o	jugases
usted, él, ella	juegue	jugara	o	jugase
nosotros, nosotras	juguemos	jugáramos	o	jugásemos
vosotros, vosotras	juguéis	jugarais	o	jugaseis
ustedes, ellos, ellas	jueguen	jugaran	o	jugasen

IMPERATIVO

juega/jugá	tú/vos
juegue	usted
juguemos	nosotros, nosotras
jugad	vosotros, vosotras
jueguen	ustedes

FORMAS NO PERSONALES

Gerundio	Participio
jugando	jugado

13. OBEDECER: C > ZC delante de O y A

INDICATIVO

	Presente	Pretérito imperfecto	Pretérito perfecto simple (indefinido)
yo	obedezco	obedecía	obedecí
tú/vos	obedeces/obedecés	obedecías	obedeciste
usted, él, ella	obedece	obedecía	obedeció
nosotros, nosotras	obedecemos	obedecíamos	obedecimos
vosotros, vosotras	obedecéis	obedecíais	obedecisteis
ustedes, ellos, ellas	obedecen	obedecían	obedecieron

	Futuro simple	Condicional simple
yo	obedeceré	obedecería
tú, vos	obedecerás	obedecerías
usted, él, ella	obedecerá	obedecería
nosotros, nosotras	obedeceremos	obedeceríamos
vosotros, vosotras	obedeceréis	obedeceríais
ustedes, ellos, ellas	obedecerán	obedecerían

SUBJUNTIVO

	Presente	Pretérito imperfecto		
yo	obedezca	obedeciera	u	obedeciese
tú/vos	obedezcas/obedezcás	obedecieras	u	obedecieses
usted, él, ella	obedezca	obedeciera	u	obedeciese
nosotros, nosotras	obedezcamos	obedeciéramos	u	obedeciésemos
vosotros, vosotras	obedezcáis	obedecierais	u	obedecieseis
ustedes, ellos, ellas	obedezcan	obedecieran	u	obedeciesen

IMPERATIVO

obedece/obedecé	tú/vos
obedezca	usted
obedezcamos	nosotros, nosotras
obedeced	vosotros, vosotras
obedezcan	ustedes

FORMAS NO PERSONALES

Gerundio	Participio
obedeciendo	obedecido

Siguen esta irregularidad estos verbos y sus derivados: agradecer, amanecer, anochecer, apetecer, atardecer, carecer, crecer, enriquecer, entristecer, envejecer, establecer, favorecer, merecer, ofrecer, oscurecer, padecer, parecer, permanecer, pertenecer, rejuvenecer, etc.

14. TRADUCIR: C > ZC delante de O y A. Pretérito perfecto simple en –DUJE

INDICATIVO

	Presente	Pretérito imperfecto	Pretérito perfecto simple (indefinido)
yo	traduzco	traducía	traduje
tú/vos	traduces/traducís	traducías	tradujiste
usted, él, ella	traduce	traducía	tradujo
nosotros, nosotras	traducimos	traducíamos	tradujimos
vosotros, vosotras	traducís	traducíais	tradujisteis
ustedes, ellos, ellas	traducen	traducían	tradujeron

	Futuro simple	Condicional simple
yo	traduciré	traduciría
tú, vos	traducirás	traducirías
usted, él, ella	traducirá	traduciría
nosotros, nosotras	traduciremos	traduciríamos
vosotros, vosotras	traduciréis	traduciríais
ustedes, ellos, ellas	traducirán	traducirían

SUBJUNTIVO

	Presente	Pretérito imperfecto		
yo	traduzca	tradujera	o	tradujese
tú/vos	traduzcas/traduzcás	tradujeras	o	tradujeses
usted, él, ella	traduzca	tradujera	o	tradujese
nosotros, nosotras	traduzcamos	tradujéramos	o	tradujésemos
vosotros, vosotras	traduzcáis	tradujerais	o	tradujeseis
ustedes, ellos, ellas	traduzcan	tradujeran	o	tradujesen

IMPERATIVO

traduce/traducí	tú/vos
traduzca	usted
traduzcamos	nosotros, nosotras
traducid	vosotros, vosotras
traduzcan	ustedes

FORMAS NO PERSONALES

Gerundio	Participio
traduciendo	traducido

Siguen esta irregularidad estos verbos y sus derivados: conducir, deducir, inducir, introducir, producir, reducir, reproducir, etc.

15. CONCLUIR: I > Y delante A, E, O

INDICATIVO

	Presente	Pretérito imperfecto	Pretérito perfecto simple (indefinido)
yo	concluyo	concluía	concluí
tú/vos	concluyes/concluís	concluías	concluiste
usted, él, ella	concluye	concluía	concluyó
nosotros, nosotras	concluimos	concluíamos	concluimos
vosotros, vosotras	concluís	concluíais	concluisteis
ustedes, ellos, ellas	concluyen	concluían	concluyeron

	Futuro simple	Condicional simple
yo	concluiré	concluiría
tú, vos	concluirás	concluirías
usted, él, ella	concluirá	concluiría
nosotros, nosotras	concluiremos	concluiríamos
vosotros, vosotras	concluiréis	concluiríais
ustedes, ellos, ellas	concluirán	concluirían

SUBJUNTIVO

	Presente	Pretérito imperfecto		
yo	concluya	concluyera	o	concluyese
tú/vos	concluyas/concluyás	concluyeras	o	concluyeses
usted, él, ella	concluya	concluyera	o	concluyese
nosotros, nosotras	concluyamos	concluyéramos	o	concluyésemos
vosotros, vosotras	concluyáis	concluyerais	o	concluyeseis
ustedes, ellos, ellas	concluyan	concluyeran	o	concluyesen

IMPERATIVO

concluye/concluí	tú/vos
concluya	usted
concluyamos	nosotros, nosotras
concluid	vosotros, vosotras
concluyan	ustedes

FORMAS NO PERSONALES

Gerundio	Participio
concluyendo	concluido

Siguen esta irregularidad estos verbos y sus derivados: atribuir, constituir, construir, contribuir, destituir, destruir, disminuir, distribuir, excluir, huir, incluir, influir, instituir, instruir, intuir, sustituir, etc.

16. LEER: I > Y

INDICATIVO

	Presente	Pretérito imperfecto	Pretérito perfecto simple (indefinido)
yo	leo	leía	leí
tú/vos	lees/leés	leías	leíste
usted, él, ella	lee	leía	leyó
nosotros, nosotras	leemos	leíamos	leímos
vosotros, vosotras	leéis	leíais	leísteis
ustedes, ellos, ellas	leen	leían	leyeron

	Futuro simple	Condicional simple
yo	leeré	leería
tú, vos	leerás	leerías
usted, él, ella	leerá	leería
nosotros, nosotras	leeremos	leeríamos
vosotros, vosotras	leeréis	leeríais
ustedes, ellos, ellas	leerán	leerían

SUBJUNTIVO

	Presente	Pretérito imperfecto		
yo	lea	leyera	o	leyese
tú/vos	leas/leás	leyeras	o	leyeses
usted, él, ella	lea	leyera	o	leyese
nosotros, nosotras	leamos	leyéramos	o	leyésemos
vosotros, vosotras	leáis	leyerais	o	leyeseis
ustedes, ellos, ellas	lean	leyeran	o	leyesen

IMPERATIVO

lee/leé	tú/vos
lea	usted
leamos	nosotros, nosotras
leed	vosotros, vosotras
lean	ustedes

FORMAS NO PERSONALES

Gerundio	Participio
leyendo	leído

Siguen esta irregularidad estos verbos y sus derivados: creer, poseer, proveer, etc.

17. ANDAR

INDICATIVO

	Presente	Pretérito imperfecto	Pretérito perfecto simple (indefinido)
yo	ando	andaba	anduve
tú/vos	andas/andás	andabas	anduviste
usted, él, ella	anda	andaba	anduvo
nosotros, nosotras	andamos	andábamos	anduvimos
vosotros, vosotras	andáis	andabais	anduvisteis
ustedes, ellos, ellas	andan	andaban	anduvieron

	Futuro simple	Condicional simple
yo	andaré	andaría
tú, vos	andarás	andarías
usted, él, ella	andará	andaría
nosotros, nosotras	andaremos	andaríamos
vosotros, vosotras	andaréis	andaríais
ustedes, ellos, ellas	andarán	andarían

SUBJUNTIVO

	Presente	Pretérito imperfecto		
yo	ande	anduviera	o	anduviese
tú/vos	andes/andés	anduvieras	o	anduvieses
usted, él, ella	ande	anduviera	o	anduviese
nosotros, nosotras	andemos	anduviéramos	o	anduviésemos
vosotros, vosotras	andéis	anduvierais	o	anduvieseis
ustedes, ellos, ellas	anden	anduvieran	o	anduviesen

IMPERATIVO

anda/andá	tú/vos
ande	usted
andemos	nosotros, nosotras
andad	vosotros, vosotras
anden	ustedes

FORMAS NO PERSONALES

Gerundio	Participio
andando	andado

g

18. CAER

INDICATIVO

	Presente	Pretérito imperfecto	Pretérito perfecto simple (indefinido)
yo	caigo	caía	caí
tú/vos	caes/caés	caías	caíste
usted, él, ella	cae	caía	cayó
nosotros, nosotras	caemos	caíamos	caímos
vosotros, vosotras	caéis	caíais	caísteis
ustedes, ellos, ellas	caen	caían	cayeron

	Futuro simple	Condicional simple
yo	caeré	caería
tú, vos	caerás	caerías
usted, él, ella	caerá	caería
nosotros, nosotras	caeremos	caeríamos
vosotros, vosotras	caeréis	caeríais
ustedes, ellos, ellas	caerán	caerían

SUBJUNTIVO

	Presente	Pretérito imperfecto		
yo	caiga	cayera	o	cayese
tú/vos	caigas/caigás	cayeras	o	cayeses
usted, él, ella	caiga	cayera	o	cayese
nosotros, nosotras	caigamos	cayéramos	o	cayésemos
vosotros, vosotras	caigáis	cayerais	o	cayeseis
ustedes, ellos, ellas	caigan	cayeran	o	cayesen

IMPERATIVO

cae/caé	tú/vos
caiga	usted
caigamos	nosotros, nosotras
caed	vosotros, vosotras
caigan	ustedes

FORMAS NO PERSONALES

Gerundio	Participio
cayendo	caído

Siguen este modelo los verbos derivados de *caer*: decaer, recaer.

19. DAR

INDICATIVO

	Presente	Pretérito imperfecto	Pretérito perfecto simple (indefinido)
yo	doy	daba	di
tú, vos	das	dabas	diste
usted, él, ella	da	daba	dio
nosotros, nosotras	damos	dábamos	dimos
vosotros, vosotras	dais	dabais	disteis
ustedes, ellos, ellas	dan	daban	dieron

	Futuro simple	Condicional simple
yo	daré	daría
tú, vos	darás	darías
usted, él, ella	dará	daría
nosotros, nosotras	daremos	daríamos
vosotros, vosotras	daréis	daríais
ustedes, ellos, ellas	darán	darían

SUBJUNTIVO

	Presente	Pretérito imperfecto		
yo	dé	diera	o	diese
tú, vos	des	dieras	o	dieses
usted, él, ella	dé	diera	o	diese
nosotros, nosotras	demos	diéramos	o	diésemos
vosotros, vosotras	deis	dierais	o	dieseis
ustedes, ellos, ellas	den	dieran	o	diesen

IMPERATIVO

da	tú, vos
dé	usted
demos	nosotros, nosotras
dad	vosotros, vosotras
den	ustedes

FORMAS NO PERSONALES

Gerundio	Participio
dando	dado

20. DECIR

INDICATIVO

	Presente	Pretérito imperfecto	Pretérito perfecto simple (indefinido)
yo	digo	decía	dije
tú/vos	dices/decís	decías	dijiste
usted, él, ella	dice	decía	dijo
nosotros, nosotras	decimos	decíamos	dijimos
vosotros, vosotras	decís	decíais	dijisteis
ustedes, ellos, ellas	dicen	decían	dijeron

	Futuro simple	Condicional simple
yo	diré	diría
tú, vos	dirás	dirías
usted, él, ella	dirá	diría
nosotros, nosotras	diremos	diríamos
vosotros, vosotras	diréis	diríais
ustedes, ellos, ellas	dirán	dirían

SUBJUNTIVO

	Presente	Pretérito imperfecto		
yo	diga	dijera	o	dijese
tú/vos	digas/digás	dijeras	o	dijeses
usted, él, ella	diga	dijera	o	dijese
nosotros, nosotras	digamos	dijéramos	o	dijésemos
vosotros, vosotras	digáis	dijerais	o	dijeseis
ustedes, ellos, ellas	digan	dijeran	o	dijesen

IMPERATIVO

di/decí	tú/vos
diga	usted
digamos	nosotros, nosotras
decid	vosotros, vosotras
digan	ustedes

FORMAS NO PERSONALES

Gerundio	Participio
diciendo	dicho

Siguen este modelo los verbos derivados de *decir* (contradecir, desdecir, predecir) excepto los verbos bendecir, maldecir en las formas del futuro, condicional y participio.

21. ESTAR

INDICATIVO

	Presente	Pretérito imperfecto	Pretérito perfecto simple (indefinido)
yo	estoy	estaba	estuve
tú, vos	estás	estabas	estuviste
usted, él, ella	está	estaba	estuvo
nosotros, nosotras	estamos	estábamos	estuvimos
vosotros, vosotras	estáis	estabais	estuvisteis
ustedes, ellos, ellas	están	estaban	estuvieron

	Futuro simple	Condicional simple
yo	estaré	estaría
tú, vos	estarás	estarías
usted, él, ella	estará	estaría
nosotros, nosotras	estaremos	estaríamos
vosotros, vosotras	estaréis	estaríais
ustedes, ellos, ellas	estarán	estarían

SUBJUNTIVO

	Presente	Pretérito imperfecto		
yo	esté	estuviera	o	estuviese
tú, vos	estés	estuvieras	o	estuvieses
usted, él, ella	esté	estuviera	o	estuviese
nosotros, nosotras	estemos	estuviéramos	o	estuviésemos
vosotros, vosotras	estéis	estuvierais	o	estuvieseis
ustedes, ellos, ellas	estén	estuvieran	o	estuviesen

IMPERATIVO

está	tú, vos
esté	usted
estemos	nosotros, nosotras
estad	vosotros, vosotras
estén	ustedes

FÓRMAS NO PERSONALES

Gerundio	Participio
estando	estado

22. HACER

INDICATIVO

	Presente	Pretérito imperfecto	Pretérito perfecto simple (indefinido)
yo	hago	hacía	hice
tú/vos	haces/hacés	hacías	hiciste
usted, él, ella	hace	hacía	hizo
nosotros, nosotras	hacemos	hacíamos	hicimos
vosotros, vosotras	hacéis	hacíais	hicisteis
ustedes, ellos, ellas	hacen	hacían	hicieron

	Futuro simple	Condicional simple
yo	haré	haría
tú, vos	harás	harías
usted, él, ella	hará	haría
nosotros, nosotras	haremos	haríamos
vosotros, vosotras	haréis	haríais
ustedes, ellos, ellas	harán	harían

SUBJUNTIVO

	Presente	Pretérito imperfecto		
yo	haga	hiciera	o	hiciese
tú/vos	hagas/hagás	hicieras	o	hicieses
usted, él, ella	haga	hiciera	o	hiciese
nosotros, nosotras	hagamos	hiciéramos	o	hiciésemos
vosotros, vosotras	hagáis	hicierais	o	hicieseis
ustedes, ellos, ellas	hagan	hicieran	o	hiciesen

IMPERATIVO

haz/hacé	tú/vos
haga	usted
hagamos	nosotros, nosotras
haced	vosotros, vosotras
hagan	ustedes

FORMAS NO PERSONALES

Gerundio	Participio
haciendo	**hecho**

Siguen este modelo los verbos derivados de *hacer* y el verbo *satisfacer*.

23. IR

INDICATIVO

	Presente	Pretérito imperfecto	Pretérito perfecto simple (indefinido)
yo	voy	iba	fui
tú, vos	vas	ibas	fuiste
usted, él, ella	va	iba	fue
nosotros, nosotras	vamos	íbamos	fuimos
vosotros, vosotras	vais	ibais	fuisteis
ustedes, ellos, ellas	van	iban	fueron

	Futuro simple	Condicional simple
yo	iré	iría
tú, vos	irás	irías
usted, él, ella	irá	iría
nosotros, nosotras	iremos	iríamos
vosotros, vosotras	iréis	iríais
ustedes, ellos, ellas	irán	irían

SUBJUNTIVO

	Presente	Pretérito imperfecto		
yo	vaya	fuera	o	fuese
tú/vos	vayas/vayás	fueras	o	fueses
usted, él, ella	vaya	fuera	o	fuese
nosotros, nosotras	vayamos	fuéramos	o	fuésemos
vosotros, vosotras	vayáis	fuerais	o	fueseis
ustedes, ellos, ellas	vayan	fueran	o	fuesen

IMPERATIVO

ve/andá	tú/vos
vaya	usted
vayamos	nosotros, nosotras
id	vosotros, vosotras
vayan	ustedes

FORMAS NO PERSONALES

Gerundio	Participio
yendo	ido

24. OÍR

INDICATIVO

	Presente	Pretérito imperfecto	Pretérito perfecto simple (indefinido)
yo	oigo	oía	oí
tú/vos	oyes/oís	oías	oíste
usted, él, ella	oye	oía	oyó
nosotros, nosotras	oímos	oíamos	oímos
vosotros, vosotras	oís	oíais	oísteis
ustedes, ellos, ellas	oyen	oían	oyeron

	Futuro simple	Condicional simple
yo	oiré	oiría
tú, vos	oirás	oirías
usted, él, ella	oirá	oiría
nosotros, nosotras	oiremos	oiríamos
vosotros, vosotras	oiréis	oiríais
ustedes, ellos, ellas	oirán	oirían

SUBJUNTIVO

	Presente	Pretérito imperfecto		
yo	oiga	oyera	o	oyese
tú/vos	oigas/oigás	oyeras	o	oyeses
usted, él, ella	oiga	oyera	o	oyese
nosotros, nosotras	oigamos	oyéramos	o	oyésemos
vosotros, vosotras	oigáis	oyerais	o	oyeseis
ustedes, ellos, ellas	oigan	oyeran	o	oyesen

IMPERATIVO

oye/oí	tú/vos
oiga	usted
oigamos	nosotros, nosotras
oíd	vosotros, vosotras
oigan	ustedes

FORMAS NO PERSONALES

Gerundio	Participio
oyendo	oído

25. PODER

INDICATIVO

	Presente	Pretérito imperfecto	Pretérito perfecto simple (indefinido)
yo	puedo	podía	pude
tú/vos	puedes/podés	podías	pudiste
usted, él, ella	puede	podía	pudo
nosotros, nosotras	podemos	podíamos	pudimos
vosotros, vosotras	podéis	podíais	pudisteis
ustedes, ellos, ellas	pueden	podían	pudieron

	Futuro simple	Condicional simple
yo	podré	podría
tú, vos	podrás	podrías
usted, él, ella	podrá	podría
nosotros, nosotras	podremos	podríamos
vosotros, vosotras	podréis	podríais
ustedes, ellos, ellas	podrán	podrían

SUBJUNTIVO

	Presente	Pretérito imperfecto		
yo	pueda	pudiera	o	pudiese
tú/vos	puedas/podás	pudieras	o	pudieses
usted, él, ella	pueda	pudiera	o	pudiese
nosotros, nosotras	podamos	pudiéramos	o	pudiésemos
vosotros, vosotras	podáis	pudierais	o	pudieseis
ustedes, ellos, ellas	puedan	pudieran	o	pudiesen

IMPERATIVO

puede/podé	tú/vos
pueda	usted
podamos	nosotros, nosotras
poded	vosotros, vosotras
puedan	ustedes

FORMAS NO PERSONALES

Gerundio	Participio
pudiendo	podido

26. PONER

INDICATIVO

	Presente	Pretérito imperfecto	Pretérito perfecto simple (indefinido)
yo	pongo	ponía	puse
tú/vos	pones/ponés	ponías	pusiste
usted, él, ella	pone	ponía	puso
nosotros, nosotras	ponemos	poníamos	pusimos
vosotros, vosotras	ponéis	poníais	pusisteis
ustedes, ellos, ellas	ponen	ponían	pusieron

	Futuro simple	Condicional simple
yo	pondré	pondría
tú, vos	pondrás	pondrías
usted, él, ella	pondrá	pondría
nosotros, nosotras	pondremos	pondríamos
vosotros, vosotras	pondréis	pondríais
ustedes, ellos, ellas	pondrán	pondrían

SUBJUNTIVO

	Presente	Pretérito imperfecto		
yo	ponga	pusiera	o	pusiese
tú/vos	pongas/pongás	pusieras	o	pusieses
usted, él, ella	ponga	pusiera	o	pusiese
nosotros, nosotras	pongamos	pusiéramos	o	pusiésemos
vosotros, vosotras	pongáis	pusierais	o	pusieseis
ustedes, ellos, ellas	pongan	pusieran	o	pusiesen

IMPERATIVO

pon/poné	tú/vos
ponga	usted
pongamos	nosotros, nosotras
poned	vosotros, vosotras
pongan	ustedes

FORMAS NO PERSONALES

Gerundio	Participio
poniendo	puesto

Siguen este modelo todos los verbos derivados de *poner*: anteponer, componer, disponer, exponer, imponer, oponer, posponer, presuponer, proponer, etc.

27. QUERER

INDICATIVO

	Presente	Pretérito imperfecto	Pretérito perfecto simple (indefinido)
yo	quiero	quería	quise
tú/vos	quieres/querés	querías	quisiste
usted, él, ella	quiere	quería	quiso
nosotros, nosotras	queremos	queríamos	quisimos
vosotros, vosotras	queréis	queríais	quisisteis
ustedes, ellos, ellas	quieren	querían	quisieron

	Futuro simple	Condicional simple
yo	querré	querría
tú, vos	querrás	querrías
usted, él, ella	querrá	querría
nosotros, nosotras	querremos	querríamos
vosotros, vosotras	querréis	querríais
ustedes, ellos, ellas	querrán	querrían

SUBJUNTIVO

	Presente	Pretérito imperfecto		
yo	quiera	quisiera	o	quisiese
tú/vos	quieras/querás	quisieras	o	quisieses
usted, él, ella	quiera	quisiera	o	quisiese
nosotros, nosotras	queramos	quisiéramos	o	quisiésemos
vosotros, vosotras	queráis	quisierais	o	quisieseis
ustedes, ellos, ellas	quieran	quisieran	o	quisiesen

IMPERATIVO

quiere/queré	tú/vos
quiera	usted
queramos	nosotros, nosotras
quered	vosotros, vosotras
quieran	ustedes

FORMAS NO PERSONALES

Gerundio	Participio
queriendo	querido

28. SABER

INDICATIVO

	Presente	Pretérito imperfecto	Pretérito perfecto simple (indefinido)
yo	sé	sabía	supe
tú/vos	sabes/sabés	sabías	supiste
usted, él, ella	sabe	sabía	supo
nosotros, nosotras	sabemos	sabíamos	supimos
vosotros, vosotras	sabéis	sabíais	supisteis
ustedes, ellos, ellas	saben	sabían	supieron

	Futuro simple	Condicional simple
yo	sabré	sabría
tú, vos	sabrás	sabrías
usted, él, ella	sabrá	sabría
nosotros, nosotras	sabremos	sabríamos
vosotros, vosotras	sabréis	sabríais
ustedes, ellos, ellas	sabrán	sabrían

SUBJUNTIVO

	Presente	Pretérito imperfecto		
yo	sepa	supiera	o	supiese
tú/vos	sepas/sepás	supieras	o	supieses
usted, él, ella	sepa	supiera	o	supiese
nosotros, nosotras	sepamos	supiéramos	o	supiésemos
vosotros, vosotras	sepáis	supierais	o	supieseis
ustedes, ellos, ellas	sepan	supieran	o	supiesen

IMPERATIVO

sabe/sabé	tú/vos
sepa	usted
sepamos	nosotros, nosotras
sabed	vosotros, vosotras
sepan	ustedes

FORMAS NO PERSONALES

Gerundio	Participio
sabiendo	sabido

29. SALIR

INDICATIVO

	Presente	Pretérito imperfecto	Pretérito perfecto simple (indefinido)
yo	salgo	salía	salí
tú/vos	sales/salís	salías	saliste
usted, él, ella	sale	salía	salió
nosotros, nosotras	salimos	salíamos	salimos
vosotros, vosotras	salís	salíais	salisteis
ustedes, ellos, ellas	salen	salían	salieron

	Futuro simple	Condicional simple
yo	saldré	saldría
tú, vos	saldrás	saldrías
usted, él, ella	saldrá	saldría
nosotros, nosotras	saldremos	saldríamos
vosotros, vosotras	saldréis	saldríais
ustedes, ellos, ellas	saldrán	saldrían

SUBJUNTIVO

	Presente	Pretérito imperfecto		
yo	salga	saliera	o	saliese
tú/vos	salgas/salgás	salieras	o	salieses
usted, él, ella	salga	saliera	o	saliese
nosotros, nosotras	salgamos	saliéramos	o	saliésemos
vosotros, vosotras	salgáis	salierais	o	salieseis
ustedes, ellos, ellas	salgan	salieran	o	saliesen

IMPERATIVO

sal/salí	tú/vos
salga	usted
salgamos	nosotros, nosotras
salid	vosotros, vosotras
salgan	ustedes

FORMAS NO PERSONALES

Gerundio	Participio
saliendo	salido

Siguen esta irregularidad los verbos derivados de *salir*.

g

30. SER

INDICATIVO

	Presente	Pretérito imperfecto	Pretérito perfecto simple (indefinido)
yo	soy	era	fui
tú/vos	eres/sos	eras	fuiste
usted, él, ella	es	era	fue
nosotros, nosotras	somos	éramos	fuimos
vosotros, vosotras	sois	erais	fuisteis
ustedes, ellos, ellas	son	eran	fueron

	Futuro simple	Condicional simple
yo	seré	sería
tú, vos	serás	serías
usted, él, ella	será	sería
nosotros, nosotras	seremos	seríamos
vosotros, vosotras	seréis	seríais
ustedes, ellos, ellas	serán	serían

SUBJUNTIVO

	Presente	Pretérito imperfecto		
yo	sea	fuera	o	fuese
tú/vos	seas/seás	fueras	o	fueses
usted, él, ella	sea	fuera	o	fuese
nosotros, nosotras	seamos	fuéramos	o	fuésemos
vosotros, vosotras	seáis	fuerais	o	fueseis
ustedes, ellos, ellas	sean	fueran	o	fuesen

IMPERATIVO

sé	tú, vos
sea	usted
seamos	nosotros, nosotras
sed	vosotros, vosotras
sean	ustedes

FORMAS NO PERSONALES

Gerundio	Participio
siendo	sido

31. TENER

INDICATIVO

	Presente	Pretérito imperfecto	Pretérito perfecto simple (indefinido)
yo	tengo	tenía	tuve
tú/vos	tienes/tenés	tenías	tuviste
usted, él, ella	tiene	tenía	tuvo
nosotros, nosotras	tenemos	teníamos	tuvimos
vosotros, vosotras	tenéis	teníais	tuvisteis
ustedes, ellos, ellas	tienen	tenían	tuvieron

	Futuro simple	Condicional simple
yo	tendré	tendría
tú, vos	tendrás	tendrías
usted, él, ella	tendrá	tendría
nosotros, nosotras	tendremos	tendríamos
vosotros, vosotras	tendréis	tendríais
ustedes, ellos, ellas	tendrán	tendrían

SUBJUNTIVO

	Presente	Pretérito imperfecto		
yo	tenga	tuviera	o	tuviese
tú/vos	tengas/tengás	tuvieras	o	tuvieses
usted, él, ella	tenga	tuviera	o	tuviese
nosotros, nosotras	tengamos	tuviéramos	o	tuviésemos
vosotros, vosotras	tengáis	tuvierais	o	tuvieseis
ustedes, ellos, ellas	tengan	tuvieran	o	tuviesen

IMPERATIVO

ten/tené	tú/vos
tenga	usted
tengamos	nosotros, nosotras
tened	vosotros, vosotras
tengan	ustedes

FORMAS NO PERSONALES

Gerundio	Participio
teniendo	tenido

g

32. TRAER

INDICATIVO

	Presente	Pretérito imperfecto	Pretérito perfecto simple (indefinido)
yo	traigo	traía	traje
tú/vos	traes/traés	traías	trajiste
usted, él, ella	trae	traía	trajo
nosotros, nosotras	traemos	traíamos	trajimos
vosotros, vosotras	traéis	traíais	trajisteis
ustedes, ellos, ellas	traen	traían	trajeron

	Futuro simple	Condicional simple
yo	traeré	traería
tú, vos	traerás	traerías
usted, él, ella	traerá	traería
nosotros, nosotras	traeremos	traeríamos
vosotros, vosotras	traeréis	traeríais
ustedes, ellos, ellas	traerán	traerían

SUBJUNTIVO

	Presente	Pretérito imperfecto		
yo	traiga	trajera	o	trajese
tú/vos	traigas/traigás	trajeras	o	trajeses
usted, él, ella	traiga	trajera	o	trajese
nosotros, nosotras	traigamos	trajéramos	o	trajésemos
vosotros, vosotras	traigáis	trajerais	o	trajeseis
ustedes, ellos, ellas	traigan	trajeran	o	trajesen

IMPERATIVO

trae/traé	tú/vos
traiga	usted
traigamos	nosotros, nosotras
traed	vosotros, vosotras
traigan	ustedes

FORMAS NO PERSONALES

Gerundio	Participio
trayendo	traído

Siguen este modelo los verbos derivados de *traer* como distraer.

33. VALER

INDICATIVO

	Presente	Pretérito imperfecto	Pretérito perfecto simple (indefinido)
yo	valgo	valía	valí
tú/vos	vales/valés	valías	valiste
usted, él, ella	vale	valía	valió
nosotros, nosotras	valemos	valíamos	valimos
vosotros, vosotras	valéis	valíais	valisteis
ustedes, ellos, ellas	valen	valían	valieron

	Futuro simple	Condicional simple
yo	valdré	valdría
tú, vos	valdrás	valdrías
usted, él, ella	valdrá	valdría
nosotros, nosotras	valdremos	valdríamos
vosotros, vosotras	valdréis	valdríais
ustedes, ellos, ellas	valdrán	valdrían

SUBJUNTIVO

	Presente	Pretérito imperfecto		
yo	valga	valiera	o	valiese
tú/vos	valgas/valgás	valieras	o	valieses
usted, él, ella	valga	valiera	o	valiese
nosotros, nosotras	valgamos	valiéramos	o	valiésemos
vosotros, vosotras	valgáis	valierais	o	valieseis
ustedes, ellos, ellas	valgan	valieran	o	valiesen

IMPERATIVO

vale/valé	tú/vos
valga	usted
valgamos	nosotros, nosotras
valed	vosotros, vosotras
valgan	ustedes

FORMAS NO PERSONALES

Gerundio	Participio
valiendo	valido

34. VENIR

INDICATIVO

	Presente	Pretérito imperfecto	Pretérito perfecto simple (indefinido)
yo	vengo	venía	vine
tú/vos	vienes/venís	venías	viniste
usted, él, ella	viene	venía	vino
nosotros, nosotras	venimos	veníamos	vinimos
vosotros, vosotras	venís	veníais	vinisteis
ustedes, ellos, ellas	vienen	venían	vinieron

	Futuro simple	Condicional simple
yo	vendré	vendría
tú, vos	vendrás	vendrías
usted, él, ella	vendrá	vendría
nosotros, nosotras	vendremos	vendríamos
vosotros, vosotras	vendréis	vendríais
ustedes, ellos, ellas	vendrán	vendrían

SUBJUNTIVO

	Presente	Pretérito imperfecto		
yo	venga	viniera	o	viniese
tú/vos	vengas/vengás	vinieras	o	vinieses
usted, él, ella	venga	viniera	o	viniese
nosotros, nosotras	vengamos	viniéramos	o	viniésemos
vosotros, vosotras	vengáis	vinierais	o	vinieseis
ustedes, ellos, ellas	vengan	vinieran	o	viniesen

IMPERATIVO

ven/vení	tú/vos
venga	usted
vengamos	nosotros, nosotras
venid	vosotros, vosotras
vengan	ustedes

FORMAS NO PERSONALES

Gerundio	Participio
viniendo	venido

Siguen este modelo todos los verbos derivados de *venir*.

35. VER

INDICATIVO

	Presente	Pretérito imperfecto	Pretérito perfecto simple (indefinido)
yo	veo	veía	vi
tú, vos	ves	veías	viste
usted, él, ella	ve	veía	vio
nosotros, nosotras	vemos	veíamos	vimos
vosotros, vosotras	veis	veíais	visteis
ustedes, ellos, ellas	ven	veían	vieron

	Futuro simple	Condicional simple
yo	veré	vería
tú, vos	verás	verías
usted, él, ella	verá	vería
nosotros, nosotras	veremos	veríamos
vosotros, vosotras	veréis	veríais
ustedes, ellos, ellas	verán	verían

SUBJUNTIVO

	Presente	Pretérito imperfecto		
yo	vea	viera	o	viese
tú, vos	veas, veás	vieras	o	vieses
usted, él, ella	vea	viera	o	viese
nosotros, nosotras	veamos	viéramos	o	viésemos
vosotros, vosotras	veáis	vierais	o	vieseis
ustedes, ellos, ellas	vean	vieran	o	viesen

IMPERATIVO

ve/**mirá**	tú/vos
vea	usted
veamos	nosotros, nosotras
ved	vosotros, vosotras
vean	ustedes

FORMAS NO PERSONALES

Gerundio	Participio
viendo	**visto**

Siguen este modelo los verbos derivados de *ver*.

Construcciones verbales especiales

Para practicar:
- *Competencia gramatical en uso* A1, páginas 36-39, 64-67.
- *Competencia gramatical en uso* A2, páginas 78-81.
- *Competencia gramatical en uso* B2, páginas 52-57.

LOS VERBOS PRONOMINALES

Se forman con el *pronombre reflexivo* + verbo conjugado en voz activa.

> *(yo)* **me** *quejo, (tú)* **te** *quejas, (él)* **se** *queja...*

LOS VERBOS DOBLEMENTE PRONOMINALES

Se construyen con dos pronombres: el primero siempre es **se** y el segundo concuerda con la persona que expresa la acción.

> *(A nosotros)* **se nos ha ocurrido** *una idea muy buena.*

LAS CONSTRUCCIONES IMPERSONALES

Los verbos impersonales no pueden tener sujeto porque su propio significado lo impide. Estos verbos siempre se conjugan en 3.ª persona del singular. Las construcciones que forman estos verbos se llaman construcciones impersonales.

> *Mañana lloverá solo en esta zona.*   *Es tarde.*
> *Anoche hizo mucho calor.*   *¿Hay revistas de moda?*

LA CONSTRUCCIÓN PASIVA

- La voz pasiva: **ser** + *el participio* del verbo que se conjuga.

> *Los dos apartamentos* **han sido vendidos** *esta mañana.*

- La pasiva refleja: **se** + *verbo* en voz activa en 3.ª persona del singular o del plural.

> **Se han vendido** *los dos apartamentos esta mañana.*

EL VERBO *GUSTAR*

Se utiliza en las terceras personas y con los pronombres de complemento indirecto.

> **Me gusta** *el chocolate.*   **Me gustan** *las manzanas.*

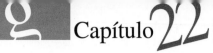

Capítulo 22 Construcciones verbales especiale

A. LOS VERBOS PRONOMINALES

1. Se forman con el *pronombre reflexivo* + verbo conjugado en voz activa. Los pronombres y la terminación de los verbos concuerdan con el sujeto.

   (yo) **me** *arrepiento, (tú)* **te** *arrepientes, (él)* **se** *arrepiente...*

   Otros verbos pronominales: *quejarse, atreverse, suicidarse...*

2. Algunos verbos pueden funcionar como pronominales y no pronominales, pero el significado no es el mismo, por lo que se consideran dos verbos diferentes (ver capítulo 9, apartado I).

   quedar/quedarse: *¿**Quedamos** a las diez?*
                             *¿**Se quedaron** en casa?*

   volver/volverse: ***Volveremos** pronto.*
                             *Se **volvieron** muy antipáticos.*

3. En varios países americanos, aunque no en todos, hay un abundante uso pronominal de los verbos: *demorarse, enfermarse, regresarse* a un lugar, *soñarse* con algo o con alguien, etc. Aunque a menudo alternan con usos no pronominales.

   *El avión **se demoró** dos horas. / El avión **demoró** dos horas.*
   *El pobre **se enfermó** y está en cama. / El pobre **enfermó** y está en cama.*

B. LOS VERBOS DOBLEMENTE PRONOMINALES

1. Se construyen con dos pronombres. El primero siempre es **se** y el segundo concuerda en persona y número con la persona que expresa la acción. Son verbos como: *se me ocurre, se me antoja, se me da (bien/mal), se me hace,* etc.

Pronombres personales			Verbo *ocurrir*	
A mí A ti/vos A él/ella/usted	Se	me te le	ocurr**e**	*sustantivo singular o infinitivo*
A nosotros/nosotras A vosotros/vosotras A ellos/ellas/ustedes		nos os les	ocurr**en**	*sustantivo plural*

(A mí) **se me ha ocurrido** *un plan.*
*A Luis **se le da bien** cocinar.*
*(A nosotras) **se nos hacen** las clases un poco pesadas.*

Gramática del español lengua extranjera

2. Otros verbos que también se construyen con dos pronombres son *arreglárselas, apañárselas, componérselas, dárselas de, ingeniárselas, echárselas de, vérselas con,* etc. En estos casos, el primer pronombre es el que concuerda en persona y número con el sujeto y el segundo siempre es **las.** Este pronombre femenino hace referencia a algo indeterminado y con matiz negativo.

Pronombres personales			Verbo *arreglar*
yo	Me		arreglo
tú/vos	Te		arreglas/arreglás
él, ella, usted	Le	las	arregla
nosotros, nosotras	Nos		arreglamos
vosotros, vosotras	Os		arregláis
ellos, ellas, ustedes	Les		arreglan

- *¿Tienes suficientes ingredientes para hacer el pastel?*
- *No, pero ya* **me las arreglo** *con huevos, harina y aceite.*

Se las da *de listo, pero no sabe nada.*

C. LAS CONSTRUCCIONES IMPERSONALES

1. Son verbos impersonales los que no pueden tener sujeto porque su propio significado lo impide. Estos verbos siempre se conjugan en 3.ª persona del singular.
Ayer **nevó** *en el norte.*
Hace *mucho frío.*
Ya **es** *de noche.*
No **hay** *pan.*

2. Hay varios tipos de verbos impersonales:
a) Verbos de fenómenos atmosféricos o climáticos. Se conjugan en la 3.ª persona del singular. Ejemplos: *amanecer, anochecer, atardecer, diluviar, granizar, helar, lloviznar, granizar, llover, nevar, oscurecer, relampaguear, tronar, ventar,* etc.
En esta región **llueve** *mucho.*

b) El verbo **haber** se usa como impersonal en español. Se construye con la 3.ª persona del singular. En presente de indicativo tiene una forma fija: *hay.*
*¿**Hay** una boca de metro cerca?*

c) Los verbos **hacer, ser** y **estar** se usan como impersonales cuando informan de tiempo atmosférico o cronológico.
Hace *frío/calor/viento/sol...*
Hace *bueno/malo...*
Hace *un minuto/días/un año/mucho tiempo...*
Es *de día/tarde/pronto...*
Está *nublado/oscuro...*

Con las horas el verbo **ser** sí se puede poner en plural.
Es la una de la tarde.
Son las siete.

Por eso, se consideran correctas las dos maneras de preguntar la hora:
¿Qué hora es? / ¿Qué horas son?

La segunda opción es más frecuente en el lenguaje coloquial de algunas áreas de España, México, Argentina y Uruguay.

En el lenguaje coloquial se usa **estar** en la forma *nosotros* y con la preposición **a** para hablar del tiempo y de la temperatura.
Hoy estamos a 3 de marzo.

d) Verbos que a veces forman construcciones impersonales y se conjugan en las terceras personas del singular o del plural.
*Aquí **huele** mal.*
*En ese letrero **dice** que no se puede hablar.*
*¡**Basta** ya de tonterías!*
***Llaman** a la puerta.*
***Dicen** en el pueblo que no es verdad.*

e) Verbos que se construyen con **se** para expresar que no se sabe quién realiza la acción o no es importante. Tienen una estructura fija: **se** + *verbo en 3.ª persona del singular.*
*Se **come** muy bien en este restaurante.*
*Se **duerme** mal cuando hace calor.*
*Se **recibió** a la presidenta con aplausos.*

Las construcciones impersonales con **se** y la pasiva refleja se parecen porque en ninguna de las dos se expresa quién realiza la acción. Pero en la pasiva refleja el verbo puede ir en plural (ver apartado E de este capítulo, la pasiva refleja o pasiva con *se*).

D. LA PASIVA

1. Se habla de **voz activa** y **voz pasiva** según si el sujeto del verbo es agente o paciente.
Voz activa: *El periodista **publicó** la noticia.*
Voz pasiva: *La noticia **fue publicada** por el periodista.*

2. La **voz pasiva** se forma en todos los tiempos con el auxiliar **SER** + *el participio* del verbo que se conjuga. Este participio cambia de género y número según el sujeto.

Ejemplo de tiempo simple: presente de indicativo del verbo *amar*.

Voz activa	Voz pasiva
amo	*soy amado/a*
amas/amás	*eres amado/a / sos amado/a*
ama	*es amado/a*
amamos	*somos amados/as*
amáis	*sois amados/as*
aman	*son amados/as*

Ejemplo de tiempo compuesto: pretérito perfecto compuesto de indicativo del verbo *amar*.

Voz activa	Voz pasiva
he amado	*he sido amado/a*
has amado	*has sido amado/a*
ha amado	*ha sido amado/a*
hemos amado	*hemos sido amados/as*
habéis amado	*habéis sido amados/as*
han amado	*han sido amados/as*

3. La pasiva indica una acción verbal en la que el sujeto recibe dicha acción (sujeto paciente). Se usa solo con verbos con complemento directo.

Voz activa	Voz pasiva
La policía <u>detuvo</u> <u>al ladrón</u>. CD	*<u>El ladrón</u> fue detenido por la policía.* sujeto pasivo

4. Si en la oración se especifica el agente, se introduce con la preposición **por**.
   El Quijote *fue escrito **por** Cervantes en 1605.*

E. LA PASIVA REFLEJA O PASIVA CON *SE*

1. La voz pasiva se usa poco en español y se prefieren construcciones activas o la llamada **pasiva refleja**. Su estructura es **se** + *verbo en voz activa en 3.ª persona del singular o del plural.*
   *Ayer no **se publicó** la noticia.*
   *En España **se han fabricado** algunos coches eléctricos.*

2. La pasiva refleja sustituye muchas veces a la pasiva con **SER** + *participio*.

Capítulo  Construcciones verbales especiale

Pasiva refleja	Se + verbo en 3.ª pers. sing. + sujeto singular	Construcción activa con CD sin preposición: *La policía encontró un coche robado.* Construcción pasiva refleja: *Se encontró un coche robado.*
	Se + verbo en 3.ª pers. plur. + sujeto plural	Construcción activa con CD sin preposición: *El periódico publicó las noticias.* Construcción pasiva refleja: *Se publicaron las noticias.*

F. EL VERBO *GUSTAR*

Pronombres personales		Verbo *gustar*	
A mí	Me	gusta +	*sustantivo singular o infinitivo*
A ti/vos	Te		
A él/ella/usted	Le		
A nosotros/nosotras	Nos	gustan +	*sustantivo plural*
A vosotros/vosotras	Os		
A ellos/ellas/ustedes	Les		

1. Con el verbo **gustar** siempre va un pronombre de complemento indirecto que indica la persona que expresa el gusto.
   - *¿**Os** gusta la ensalada?*
   - *Sí, **nos** gusta mucho, pero **a mi padre** no **le** gusta nada.*

2. Se utilizan *a mí, a ti*, etc. solo para:
   a) Dar énfasis.
   > ***A mí** me gustan las películas de terror.*

   b) Marcar un contraste.
   - *Me gusta lo comida mexicana.*
   - *Pues **a mí** no me gusta nada, es muy picante.*

   c) Aclarar de quién hablamos.
   > *¿**Le** gusta el fútbol?*   Puede equivaler a:
   >> *¿**A él** le gusta el fútbol?*
   >> *¿**A ella** le gusta el fútbol?*
   >> *¿**A usted** le gusta el fútbol?*

3. Se construyen así numerosos verbos: *me afecta, me alegra, me apetece, me cae bien/mal, me conviene, me corresponde, me da igual, me duele, me encanta, me es igual, me extraña, me hace falta, me ilusiona, me importa, me parece, me queda bien/mal, me suena, me satisface, me sorprende, me toca, me vuelve loco/a,* etc.

Gramática del español lengua extranjera

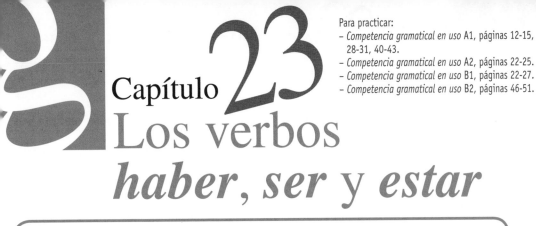

Capítulo **23**

Los verbos
haber, *ser* y *estar*

Para practicar:
– *Competencia gramatical en uso* A1, páginas 12-15, 28-31, 40-43.
– *Competencia gramatical en uso* A2, páginas 22-25.
– *Competencia gramatical en uso* B1, páginas 22-27.
– *Competencia gramatical en uso* B2, páginas 46-51.

EL VERBO *HABER*

Se utiliza en los tiempos compuestos de todos los verbos.

> *Las chicas **han ido** de paseo.*

Es también un verbo impersonal, que tiene el sentido de «existir».

> ***Hay** gente.*

CONTRASTE *HAY* Y *ESTÁ(N)*

HAY	ESTÁ(N)
Pregunta o informa de la existencia de algo o alguien no conocido. Aquí **hay** un museo.	Localiza algo o a alguien conocido o pregunta por su localización. ¿Dónde **está** el Museo del Prado?

EL VERBO *SER*

• Forma los tiempos compuestos de la voz pasiva.

> *Ese medicamento **fue retirado** del mercado.*

• Expresa la identidad, la profesión, el origen o la nacionalidad.

> ***Soy** Rosana, **soy** canaria, de Tenerife, y **soy** ingeniera.*
> *Hoy **es** viernes.*

EL VERBO *ESTAR*

• Con el gerundio expresa acciones en progreso.

> *Jorge **está haciendo** la maleta.*

• Sitúa en el espacio.

> *El lavabo **está** al final del pasillo.*

CONTRASTE DE *SER* Y *ESTAR* + ADJETIVOS

• **Ser** expresa cualidades físicas o el carácter de personas y objetos.

> *Antonia **es** guapa e inteligente.*   *Su casa **es** moderna.*

• **Estar** expresa estados físicos transitorios de personas y objetos.

> *Lucio **está** enfermo.*   *El coche **está** averiado.*

Capítulo 23 — Los verbos *haber*, *ser* y *estar*

A. EL VERBO *HABER*

El verbo **haber** es irregular en muchas de sus formas (Tabla 4) y puede realizar tres funciones:

a) Forma con el participio los tiempos compuestos de todos los verbos. Este participio es invariable y, además, normalmente no puede ir separado de **haber**.

*Las chicas **han ido** de paseo.*

b) Es también un verbo impersonal, que tiene el sentido de «existir», y se emplea en cualquier tiempo verbal, pero siempre en 3.ª persona del singular.

*Mañana **habrá** una conferencia a las diez.*
*Ha **habido** un robo.*

En estos casos, también puede aparecer seguido de pronombres relativos.

***Hay quienes** hacen todo el trabajo.*

c) La construcción **haber que** expresa la obligación impersonal en tercera persona del singular (ver capítulo 19, apartado C).

***Hay que** trabajar para vivir.*

B. EL CONTRASTE *HAY* Y *ESTÁ(N)*

HAY	ESTÁ(N)
1. Sirve para preguntar o informar de la existencia de algo o alguien no conocido. ***Hay** un paraguas en el armario.* *¿Dónde **hay** una farmacia, por favor?*	1. Sirve para localizar algo o a alguien conocido o preguntar por su localización. *El hotel **está** al final de la calle.* *¿Dónde **están** los chicos?*
2. Se usa con el artículo indeterminado (*un, una, unos, unas*). *¿Dónde **hay una** impresora?* ***Hay una** impresora en esa oficina.*	2. Se usa con el artículo determinado (*el, la, los, las*). ***Los** chicos **están** en el cine.* ***El** hotel **está** al final de esta calle.*
3. O con un sustantivo plural. *Aquí **hay** médicos especialistas.* *¿**Hay** libros de magia en la biblioteca?*	3. O con nombres propios. *¿**Está** Sonia en su despacho?*
4. O con números (*uno, dos, tres...*) ***Hay dos** camas en cada habitación.* ***Hay tres** camareros en el restaurante.*	4. O con posesivos (*mi, tu, nuestro...*) *Nos **están mis** padres en casa.* *¿Dónde **está tu** abrigo?*

184 Gramática del español lengua extranjera

g

C. EL VERBO *SER*

1. Forma los tiempos compuestos de la voz pasiva (ver capítulo 22, apartado D).
   *Marta **ha sido invitada** por el presidente.*

2. Se utiliza para:
   - Identificar.
     - *¿Quién **eres**?*
     - *__Soy__ Elena. __Soy__ la hermana de Pedro.*
     - *¿Qué **es** eso?*
     - *__Es__ una máquina de coser.*

   - Expresar la materia de un objeto.
     *Este anillo **es** de plata.*

   - Indicar el origen o la nacionalidad.
     - *¿De dónde **es** usted?*
     - *__Soy__ peruano, de Lima.*

   - Expresar la profesión, la religión, la clase social o la ideología política.
     - *¿**Eres** profesora?*
     - *Sí, __soy__ profesora de música.*
     - *__Son__ católicos.*
     - *__Es__ de clase media.*

   - Situar en el tiempo: el día y la hora.
     *Hoy **es** domingo y **son** las tres de la tarde.*

   - En condicional, expresar un tiempo impreciso.
     __Serían__ las dos cuando llegó a casa.

   - Localizar espacial y temporalmente eventos y acontecimientos.
     *La reunión **será** mañana.*   *La conferencia **fue** en la Embajada de Chile.*

   - Expresar tiempo en construcciones impersonales.
     *__Es__ muy tarde, ya **es** de noche.*

   - Expresar posesión.
     - *¿De quién **es** este coche?*
     - *__Es__ de mi padre.*

   - Indicar cantidades y precios.
     - *¿Cuántos **seremos** mañana?*
     - *__Seremos__ diez, cinco chicos y cinco chicas.*
     - *¿Cuánto **es**?*
     - *__Son__ veinte euros.*

   - En el habla coloquial, justificarse por algo con la expresión **es que**.
     - *Hoy has llegado tarde.*
     - *__Es que__ me he dormido.*

   - Con la expresión **ser de** + *infinitivo*, significa «debe ser».
     __Son de__ agradecer estos gestos de cariño.

D. EL VERBO *ESTAR*

1. Seguido del gerundio, expresa acciones en progreso (ver capítulo 20, apartado C).
   Lucía está estudiando en la biblioteca.

2. También forma la voz pasiva, poniendo de relieve el resultado de una acción o de un proceso. Se llama **pasiva de estado** (ver capítulo 20, apartado E).

Construcción activa	Los españoles construyeron la catedral en el siglo XIV.	
Construcción pasiva	**Con SER** (Se pone de relieve la acción misma, su proceso)	**Con ESTAR** (Se pone de relieve el resultado de una acción anterior)
	La catedral fue construida en el siglo XIV (por los españoles).	*La catedral está construida desde el siglo XIV.*

3. Se usa para:
   - Situar en el espacio.
     - *¿Dónde están mis libros?*
     - *Están encima del sofá.*

   - En la forma *nosotros* y con las preposiciones **a** o **en**, situar en el tiempo (días, meses y estaciones).
     Estamos a 16 de abril. Estamos a viernes.
     Estamos en mayo. Estamos en primavera.

   - En la forma *nosotros* y con la preposición **a**, expresar la temperatura.
     Estamos a dos grados bajo cero. ¡Qué frío!

   - Con la preposición **a**, indicar cantidades y precios que pueden variar.
     El jamón ibérico está a 9 euros los 100 gramos.
     Los préstamos están a un 4% de interés.

   - Con **bien** o **mal**, expresar estados.
     - *¿Qué tal está la sopa? ¿Le falta sal?*
     - *No, está bien, gracias.*

   - Con **estar de** o **estar como**, indicar una actividad laboral eventual de una persona.
     Estoy de cajera en un supermercado durante el verano.
     Está como camarero en el restaurante Andorra.

- Con **estar por** + *infinitivo* y un sujeto de persona, expresar intención y, con sujeto inanimado, significa «sin».

  Estamos por irnos unos días de vacaciones.
  La cama está por hacer.

- Con **estar para** + *infinitivo*, expresar que se está a punto o en disposición de realizar una acción.

  Está para llover, hay unas nubes muy oscuras.

- Con **no estar para** + *infinitivo*, expresar la inconveniencia o inoportunidad de algo.

  Ahora no estoy para salir a cenar fuera. Me encuentro mal.

- Con **estar al** + *infinitivo*, expresar que está a punto de realizarse la acción. En España solo es normal con los verbos *caer* y *llegar*, pero en América su uso es más general.

  El director está al llegar y no hemos terminado el trabajo.

E. EL CONTRASTE DE *SER* Y *ESTAR* + ADJETIVOS

1. En general, se usa el verbo **ser** para referirse a cualidades que se consideran permanentes o estables en el sujeto. En cambio se usa el verbo **estar** cuando la característica que se atribuye al sujeto se considera transitoria o como resultado de una acción o transformación.

   El profesor es simpático. (La simpatía es una característica de su carácter)
   El profesor está simpático. (No lo es normalmente)

SER + *adjetivo*	ESTAR + *adjetivo*
1. Expresa cualidades físicas de personas y objetos. *Jordi es alto y delgado.* *Las habitaciones son grandes.*	1. Expresa estados físicos susceptibles de cambio de personas y objetos. Solo se puede emplear con adjetivos que admitan cambio de estado. • *¿Qué tal está tu mujer?* • *Todavía está enferma.* *Las taquillas están abiertas los domingos.*
2. Expresa el carácter de una persona o un animal. *Antonia es trabajadora.* *Los delfines son divertidos.*	2. Expresa sentimientos y estados de ánimo que pueden variar. Solo se puede emplear con adjetivos que admitan cambio de estado. *Está muy simpático hoy.* *Estoy cansado, me voy a la cama.*

2. Hay adjetivos que solo pueden combinarse con el verbo **ser**, porque siempre designan características permanentes, y otros solo pueden combinarse con el verbo **estar**, porque se refieren a estados que son siempre el resultado de una acción o proceso.

   Soy argentina. (Los adjetivos de procedencia son inherentes a la persona)
   Estoy satisfecho con el trabajo. (Es el resultado de un proceso)

Algunos adjetivos que solo van con SER	Algunos adjetivos que solo van con ESTAR
• **Indican nacionalidad o procedencia (gentilicios):** *argentino, español, inglés, brasileño, barcelonés, madrileño...* • **Señalan relación:** *digital, económico, geográfico, literario, musical, político...* • **Constatan hechos:** *evidente, seguro, cierto, indudable, obvio...* • **Expresan posibilidad o conveniencia:** *posible, probable, imprescindible, conveniente, preciso, importante...* • **Expresan propiedades cuantitativas:** *abundante, considerable...* • **Expresan propiedades temporales:** *eterno, duradero, fugaz, pasajero, repentino...*	• **Indican el resultado de una acción o un proceso:** *vestido, desnudo, lleno, vacío, maduro, marchito, quieto, roto, averiado, satisfecho...* • **Constatan hechos como resultado de un proceso:** *claro, visto, demostrado, comprobado...*

3. Hay adjetivos que cambian de significado según vayan con **ser** o con **estar**. Estos son algunos ejemplos.

Adjetivos	SER	ESTAR
Abierto	= no ser tímido *Es un chico **abierto**, se relaciona con todo el mundo.*	= no estar cerrado *Ese restaurante **está abierto** por las noches.*
Atento	= educado, amable *Siempre **es atento** con sus invitados.*	= que presta atención ***Están atentos** a la explicación del profesor.*
Discreto	= prudente *Es muy **discreta**, nunca hace preguntas personales.*	= poco brillante *Su conferencia **ha estado discreta**, no la llevaba bien preparada.*
Fresco	= desvergonzado *Ha llegado tarde y se ha encontrado el trabajo hecho. ¡Qué **fresco es**!*	= recién hecho *¿Este pescado **está fresco**?*

Interesado	= que actúa en su propio beneficio *Es muy **interesado**, no te ayudará si no gana algo a cambio.*	= que tiene interés por algo ***Estamos interesados** en comprar un apartamento por esta zona.*
Listo	= inteligente *Marta **es lista** pero estudia poco.*	= preparado *Cuando **estés listo**, nos vamos.*
Maduro	= que tiene buen juicio *Actúa con mucha sensatez, esta chica **es madura** para su edad.*	= que ha madurado *Esta fruta no se puede comer todavía, no **está madura**.*
Malo	= malvado, de poca calidad (cosas) ***Es** una película **mala**.*	= desagradable (alimentos), enfermo *Este yogur **está malo**, creo que está caducado.*
Orgulloso	= arrogante, que se cree superior ***Es** muy **orgullosa** y no te pedirá perdón nunca.*	= satisfecho por algo o alguien ***Estoy orgulloso** de las notas de mi hijo.*
Rico	= que tiene dinero ***Es rico**, tiene dos yates.*	= sabroso (alimentos) *Esta paella **está** muy **rica**.*
Sano	= saludable ***Es sano** comer frutas y verduras.*	= que tiene buena salud *Estuvo enferma la semana pasada, pero ahora ya **está sana**.*
Seguro	= cierto, sin riesgo *Este banco **es** totalmente **seguro**.*	= convencido ***Estoy seguro** de que acertaré la quiniela.*
Vivo	= ingenioso, rápido *Este niño **es** muy **vivo**, se entera de todo.*	= no estar muerto *Sufrió un grave accidente, pero **está viva**.*

Las partículas

Para practicar:
- *Competencia gramatical en uso* A1, páginas 72-75.
- *Competencia gramatical en uso* A2, páginas 50-57 y 90-93.

Capítulo 24
El adverbio

Adverbios de lugar	Adverbios de modo
Aquí, acá, ahí, allí, allá	Así
Encima/Debajo	Bien/Mal
Arriba/Abajo	Despacio/Deprisa
Delante/Detrás	
Adelante/Atrás	Muchos adverbios acabados en
Dentro/Fuera, afuera	*-mente*: *alegremente, rápidamente*
Cerca/Lejos	
Alrededor	
Aparte	
Enfrente	

Adverbios de tiempo	Adverbios de afirmación
Ahora	Sí
Antes, primero/Después, luego	Claro
Siempre/Nunca, jamás	Bueno
Pronto, temprano/Tarde	También
Hoy	Exacto, justo
Mañana	Evidentemente, efectivamente
Ayer	
Anteayer	
Anoche	**Adverbios de negación**
Aún, todavía, ya	No
Entonces	Tampoco
Enseguida	
Algunos acabados en *-mente*:	
últimamente, finalmente, recientemente	

Adverbios de cantidad	Adverbios de duda
Demasiado	Quizá(s)
Suficiente	Acaso
Mucho	Igual
Muy	
Bastante	Algunos acabados en *-mente*:
Poco	*probablemente, posiblemente,*
Casi	*seguramente*
Más/Menos	
Medio	
Tan, tanto	
Solo, solamente	

Capítulo 24 El adverbio

A. LAS CARACTERÍSTICAS DEL ADVERBIO

1. El adverbio es una palabra invariable que acompaña al adjetivo, al verbo o a otro adverbio.

   *Este dibujo está **mal** <u>pintado</u>.*
   adjetivo

   *Marta **tampoco** <u>vendrá</u> **hoy**.*
   verbo

   *Ramón vive **bastante** <u>lejos</u>.*
   adverbio

2. Nunca se intercala entre el verbo y el participio en los tiempos compuestos.

   *Hemos llegado **tarde**.*   Y no **Hemos ~~tarde~~ llegado*.

3. Algunos adverbios pueden combinarse entre sí:
   - Cantidad + modo/tiempo/lugar.
     *Lo has hecho **bastante bien**.*
     *Esta mañana has llegado **demasiado pronto**.*
     *La farmacia está **muy cerca**.*

   - Negación/afirmación + modo/tiempo/lugar.
     *Yo **también** conduzco **despacio**.*
     ***Nunca** llego **tarde** a la oficina.*
     *El gato **no** está **aquí**.*

   - Lugar + lugar.
     *Busca la moneda por **allí debajo**.*

   - Tiempo + tiempo.
     ***Hoy todavía** puedes presentar el informe.*

4. En general, los adverbios pueden ir en cualquier lugar de la frase.

   ***Allí** encontré a mi hermano.*
   *Encontré a mi hermano **allí**.*
   *Encontré **allí** a mi hermano.*

5. Algunos adverbios admiten sufijos con carácter afectivo. Este tipo de adverbios es más frecuente en el español hispanoamericano.

ahora: ahorita	*lejos: lejitos*
deprisa: deprisita	*luego: lueguito*
cerca: cerquita	*temprano: tempranito*
despacio: despacito	

6. Muchos adverbios se forman con el sufijo **-mente**. Casi todos los adjetivos pueden transformarse en adverbios añadiendo la terminación **-mente** a la forma femenina singular.

- Adverbios de modo:
  lenta + mente = lentamente
  suave + mente = suavemente
  fácil + mente = fácilmente

- Adverbios de tiempo:
  última + mente = últimamente
  antigua + mente = antiguamente
  reciente + mente = recientemente

- Adverbios de afirmación:
  efectiva + mente = efectivamente
  verdadera + mente = verdaderamente
  cierta + mente = ciertamente

7. Cuando varios adverbios en -**mente** van seguidos, solo se pone esta terminación en el último adverbio.
  *Te lo diré **clara** y **correctamente**.*

8. Algunos adjetivos pueden usarse como adverbios: *alto, bajo, lento, rápido, claro, fuerte, flojo...* En estos casos, no tienen variación de género ni de número (ver capítulo 6, apartado G).
  *El profesor habla **alto** y **claro**.*
  *Me gusta que conduzcas **lento**, porque me mareo.*

B. LOS ADVERBIOS DE LUGAR

▉ AQUÍ, ACÁ, AHÍ, ALLÍ, ALLÁ

1. Estos adverbios expresan la idea de cercanía o de lejanía en relación con la persona que habla, por eso tienen una relación directa con los demostrativos (ver capítulo 7, apartado B).
Aquí, acá = en este lugar
Ahí = en ese lugar
Allí, allá = en aquel lugar.
  *Me gusta mucho **ese** coche de **ahí**.*

2. Localizan no solo en el espacio sino también en el tiempo.
  *Conocí a Laura **allá** por el año 1990.*
  *De **aquí** en adelante, trabajaremos juntos.*

3. En el español americano el uso de **acá** y **allá** predomina sobre **aquí** y **allí**.
  *Vivo **acá**, en la ciudad.*

Capítulo 24 El adverbio

■ **ENCIMA, ARRIBA**

1. **Encima** significa «en un lugar superior respecto a otro».
   *Trae aquella mesa, vamos a dejar las cajas **encima**.*

2. También puede significar «además» en sentido negativo.
   *He trabajado más de diez horas y **encima** no me lo agradecen.*

3. Con la preposición **por**, puede tener un sentido figurado que significa «de modo superficial».
   *No he leído el informe completo, solo lo he mirado **por encima**.*

4. En la lengua coloquial, **estar encima** significa vigilar con mucha atención a una persona.
   *Mi jefe **está** siempre **encima**, no puedo ir ni a desayunar.*

5. Tiene también el sentido de llevar sobre sí, consigo.
   *No puedo conducir, no llevo **encima** el permiso.*

6. **Arriba** significa «en la parte alta». Es parecido a **encima**, pero con **arriba** las cosas no se tocan y con **encima** sí se tocan.
   *Yo vivo en el primer piso y mis padres viven **arriba**.* (Puede ser en el segundo, en el tercero...)
   *Yo vivo en el primer piso y mis padres viven **encima**.* (En el segundo piso)

7. También significa «a lo alto» o «hacia lo alto» cuando va con verbos de movimiento.
   *Voy **arriba**, al segundo piso.*

8. Como interjección, incita a la exaltación.
   *¡**Arriba** esos ánimos!*

■ **DEBAJO, ABAJO**

1. **Debajo** significa «en un lugar inferior respecto a otro». Es lo contrario de **encima**.
   *Levanta el sofá, creo que hay monedas **debajo**.*

2. **Abajo** significa «en la parte baja». Es lo contrario de **arriba**.
   *Nosotros vivimos en el cuarto piso y mis padres **abajo**, en el primero.*

3. También significa «hacia la parte baja» cuando va con verbos de movimiento.
   *Voy **abajo**, a la calle.*

4. En un documento escrito, tiene el significado de «después».
   *Tiene usted que firmar **abajo**, al final del informe.*

5. Como interjección, significa que no se acepta una autoridad, una institución, etc.

    *¡**Abajo** el presidente!*

DELANTE, ADELANTE

1. **Delante** indica en la parte anterior de algo con respecto a otro elemento.

    *En esta silla, no veo bien al profesor, voy a sentarme **delante**.*

2. **Adelante** significa «más allá». Se usa con verbos de movimiento (*seguir, andar, caminar...*).

    *Sigue **adelante**, no esperes a los demás porque van muy despacio.*

3. Puede expresar el tiempo futuro.

    *Este tema lo dejaremos para más **adelante**.*

4. En la lengua coloquial, se utiliza para dar permiso.

    * *¿Puedo decir algo?*
    * *Sí, **adelante**.*

DETRÁS, ATRÁS

1. **Detrás** indica la parte posterior de algo con respecto a otro elemento. Es lo contrario de **delante**.

    *Ahí hay una cortina, ponte **detrás** para que no te vean.*

2. **Atrás** significa «a espaldas» y es lo contrario de **adelante**.

    *Caminan muy despacio y se han quedado **atrás**. Tenemos que esperarlos.*

3. También puede expresar tiempo pasado.

    *Algunos meses **atrás** estuvimos en Rusia.*

DENTRO, ADENTRO

1. Significa «en la parte interior de un espacio».

    *Está lloviendo, llevad todas las cosas **dentro**.*

2. **Adentro** solo se utiliza con verbos de movimiento.

    *Está lloviendo, llevad todas las cosas **adentro** (o dentro).*

FUERA, AFUERA

1. **Fuera** y **afuera** significan «en la parte exterior de un espacio» y son lo contrario de **dentro**.

    *Dentro hace mucho calor, ¿por qué no comemos **fuera/afuera**, en la terraza?*

2. Fuera también se usa para echar a alguien de un sitio.

¡Fuera! No te quiero ver aquí.

■ CERCA

1. Significa «en un lugar próximo».

*Podemos ir al restaurante a pie, está **cerca**.*

2. Puede usarse con el significado de «poco menos de».

*Llegaron sobre las diez de la noche o **cerca**.*

3. Con la preposición **de** significa «a corta distancia».

*No veo bien **de cerca**, necesito gafas.*

■ LEJOS

1. Significa «a gran distancia en el espacio o en el tiempo». Es lo contrario de **cerca**.

*La universidad está **lejos**, tengo que tomar el autobús.*

2. A lo lejos significa «a larga distancia» o «desde gran distancia».

A lo lejos se veían las montañas nevadas.

■ ALREDEDOR

Significa «lo que rodea alguna cosa».

*El entrenador llamó a los jugadores y todos se reunieron **alrededor**.*

■ APARTE

1. Significa «en otro lugar».

*Tú tienes que hacer el ejercicio solo, así que siéntate **aparte**.*

2. Puede significar «de manera diferente».

*Lorca es un poeta **aparte** en la poesía del siglo xx.*

3. A veces puede tener el significado de «salvo, excepto».

*Pequeños enfados **aparte**, todo va bien entre nosotros.*

■ ENFRENTE

Significa «a/en la parte opuesta a algo o alguien» o también «delante de otro».

*Voy a comprarlo en la farmacia que hay **enfrente**.*

C. LOS ADVERBIOS DE TIEMPO

■ AHORA

1. Significa «en este momento».
   Ahora no puede salir, está hablando por teléfono.

2. Puede significar también «hace un momento».
   He llegado ahora y he encendido el ordenador.

3. También puede indicar un futuro próximo.
   Ahora vendrá el jefe y revisará el trabajo.

4. **Hasta ahora** se usa como despedida y significa «hasta dentro de un momento».
   Voy a comprar el pan y vuelvo. Hasta ahora.

5. **Por ahora** equivale a la expresión «por el momento».
   Está con el médico y por ahora no sabemos qué pasa.

■ ANTES

1. Significa anterioridad en el espacio y en el tiempo.
   Escribe una carta para el director, pero antes pon la dirección.
   Antes ganaba más dinero.

2. También puede tener el significado de preferencia.
   Antes prefiero levantarme temprano que llegar tarde al trabajo.

■ PRIMERO

1. Significa «ante todo, en primer lugar».
   Primero busca un papel y un bolígrafo y, después, escribe el mensaje.

2. También puede tener el significado de «antes, más bien».
   Primero pediría dinero que robar.

■ DESPUÉS

1. Significa posterioridad en el espacio y en el tiempo. Es lo contrario de **antes**.
   Escribe la carta y después firma.
   Terminaron el examen y después fueron a comer.

2. Puede indicar segunda preferencia.
   Yo prefiero la montaña, después la playa.

g Capítulo 24 El adverbio

■ LUEGO

1. Tienen el mismo significado que **después**.
   Normalmente primero desayuno y luego me ducho.

2. **Desde luego** equivale a «sin duda».
   - *¿Tú crees que vendrá Sandra?*
   - *Desde luego, a ella le encantan estas fiestas.*

3. Como conjunción, significa «en consecuencia» (ver capítulo 26, apartado B).
   No has estudiado nada, luego no aprobarás.

■ SIEMPRE

1. Significa «en todo tiempo».
   En verano siempre comemos en la terraza.

2. Puede tener el sentido de «en todo caso».
   Si no tienes su teléfono, siempre puedes escribirle un correo electrónico.

3. **Para siempre** significa «por tiempo indefinido».
   Me gustaría vivir aquí para siempre.

■ NUNCA, JAMÁS

1. Significan «en ningún tiempo». Son lo contrario de **siempre**.
   Nunca/Jamás salgo por la noche.

2. Cuando están colocados después del verbo, necesitan una palabra negativa delante de estas. Es lo que se llama la doble negación.
   No hablaré nunca/jamás de mi vida privada.

3. En frases interrogativas, tienen un valor positivo y equivalen a «alguna vez».
   ¿Has visto nunca un paisaje tan bonito?

4. **Nunca jamás** pueden ir seguidos (y en este orden) para dar más énfasis a la frase.
   Nunca jamás volveré a llamarte.

■ PRONTO, TEMPRANO

1. Significan «rápidamente, de inmediato».
   Salió de la oficina hace media hora, así que llegará pronto/temprano a casa.

2. También tienen el significado de «a primeras horas del día o de la noche».
   Normalmente me levanto pronto/temprano y hago un poco de gimnasia.

3. **De pronto** equivale a **de repente**, es decir, «repentinamente».
   *Estábamos comiendo en el jardín y **de pronto** se puso a llover.*

▪ TARDE

1. Significa «después de lo necesario o normal». Es lo contrario de **pronto** o **temprano**.
   *Llegué **tarde** a clase y no me dejaron entrar.*

2. También significa «a últimas horas de la mañana, de la tarde o de la noche».
   *Ayer me levanté muy **tarde**, a las diez de la mañana.*

▪ HOY, MAÑANA, AYER, ANTEAYER, ANOCHE

1. **Hoy** significa «en el día actual».
   Hoy es domingo, no voy a trabajar.

2. **Mañana** significa «en el día posterior a hoy».
   *Hoy me encuentro mal, **mañana** iré al médico.*

3. **Ayer** significa «en el día anterior a hoy».
   ***Ayer** compré un regalo para mi padre, porque hoy es su cumpleaños.*

4. **Anteayer** significa «en el día anterior a ayer». Es equivalente a **antes de ayer**.
   ***Anteayer** tuvo un accidente. Lleva dos días en el hospital.*

5. **Anoche** significa «en la noche de ayer a hoy».
   ***Anoche** dormí mal y hoy estoy cansada.*

▪ AÚN, TODAVÍA, YA

1. **Aún** y **todavía** expresan la duración de una acción hasta un momento determinado. Son intercambiables.
   *Llegué a las 8 de la mañana y **aún/todavía** estoy aquí.*

2. **Todavía no/Aún no** se utilizan para indicar que una acción esperada no se ha realizado, pero la intención es realizarla.
   ***Todavía no/Aún no** he visto la película, iré el sábado.*

3. **Aun** (sin acento escrito) es una conjunción y equivale a «incluso, hasta, también».
   ***Aun** explicado por el profesor, no lo entendí.*

4. **Ya** señala que lo expresado por el verbo está realizado.
   ***Ya** he hablado con ella.*

Gramática del español lengua extranjera   199

5. También significa «inmediatamente, ahora mismo».
   - *El director acaba de llegar, **ya** puedes ir a su despacho.*
   - *Sí, **ya** voy.*

6. Seguido de futuro, señala un momento del futuro sin especificar.
   *Llámame luego y **ya** quedaremos.*

7. **Ya no** indica la interrupción de una acción o situación.
   *Ya **no** estudio en la universidad. Ahora trabajo.*

8. Puede expresar una afirmación o un asentimiento.
   - *No olvides comprar el pan.*
   - ***Ya**, no te preocupes.*

9. **Ya está(n)** indica que algo está terminado.
   - *¿Has terminado el ejercicio?*
   - *Sí, **ya está**.*

ENTONCES

1. Se refiere a un momento pasado del que se está hablando. Equivale a «en ese/aquel momento».
   *Estaba hablando por teléfono y **entonces** llamaron a la puerta.*

2. También puede ser una conjunción y expresar la consecuencia de algo.
   *No está el profesor. **Entonces**, hoy no hay clase.*

ENSEGUIDA

1. Significa inmediatamente después en el tiempo o en el espacio.
   *Comió y **enseguida** se tumbó en el sofá a descansar.*

2. También significa «en muy poco tiempo».
   *Los niños aprenden a hablar **enseguida**.*

EXPRESIONES DE FRECUENCIA

+
   siempre
   casi siempre
   generalmente/normalmente
   a menudo
   a veces/de vez en cuando/de tarde en tarde
   casi nunca
–
   nunca

---

1. Indican con qué frecuencia sucede un acontecimiento.

   *Vamos **a menudo** a comer a ese restaurante.*

2. Un número o un indefinido seguido de la palabra **vez/veces** también se usan para expresar frecuencia.

Una, dos, tres...	veces	
Algunas	veces	
Varias	veces	+ al día, a la semana, al mes, al año...
Muchas	veces	
Pocas	veces	

   - *¿Has estado **alguna vez** en Cuba?*
   - *Sí, he ido **muchas veces**.*

D. LOS ADVERBIOS DE CANTIDAD

■ DEMASIADO, SUFICIENTE, MUCHO, MUY, BASTANTE, POCO

1. Se utilizan para expresar la intensidad. Normalmente van detrás del verbo.

   *Llevas 10 horas en la oficina. Trabajas **demasiado**.*
   *Duerme 10 horas todos los días. Duerme **mucho**.*
   *No quiero más, gracias. Ya tengo **bastante**.*
   *Estudia **poco** y saca malas notas.*

2. Excepto **mucho**, los demás pueden ir también delante de adjetivos y adverbios.

   *Es **demasiado** tímido.*   *Conduce **demasiado** deprisa.*
   *Es un paisaje **muy** bonito.*   *Escribe **muy** mal.*
   *Son **bastante** viejos.*   *El ejercicio está **bastante** bien.*
   *Es **poco** inteligente.*   *Vive un **poco** lejos.*

3. Excepto **muy**, pueden ir delante de sustantivos para expresar una cantidad. En estos casos concuerdan en género (masculino o femenino) y número (singular o plural) con el sustantivo al que acompañan (ver capítulo 11, apartado C).

   *Haces **demasiadas** llamadas.*   *Hace **demasiado** calor.*
   *Tengo **muchas** fotos*   *Necesito **mucho** dinero.*
   *¿Hay **suficientes** sillas para todos?* *¿Tomas **bastante** leche?*
   *Quiero **poca** sopa.*   *Quedan **pocas** horas.*

4. Para los contrastes **muy/mucho** y **poco/un poco** ver capítulo 11, apartados C y D.

■ CASI

1. Significa que un acontecimiento está a punto de suceder pero finalmente no ocurre.

   *Esta mañana **casi** me caigo por las escaleras. ¡Qué susto!*

2. Seguido de una cantidad, significa «no totalmente, pero faltando poco para ello».

    *Entre todos, hemos reunido **casi** dos mil euros.*

3. También se usa para disminuir una afirmación o una petición, por cortesía o inseguridad.

    ***Casi** vámonos porque parece que va a llover.*

4. En el habla coloquial, se suele usar seguido de **que** enfático.

    *Estás muy cambiada, **casi (que)** no te reconozco.*

■ MÁS/MENOS

1. **Más** se usa para indicar una cantidad mayor de algo. Y **menos** indica una cantidad menor de algo.

    *No quiero **más** paella, gracias.*
    *No he visto mujer **más** guapa.*
    *Tienes que estudiar **más** para aprobar el examen.*
    *Me canso mucho porque últimamente hago **menos** deporte.*
    *Tienes que salir **menos** por las noches.*

2. Cuando **más** acompaña a **nada**, **nadie**, **ninguno** y **nunca**, se pone detrás.

    *No ha venido **nadie más**.*

    Pero en el habla coloquial de Canarias y de Hispanoamérica, especialmente en el Caribe, es frecuente su uso delante.

    *Nadie me preguntó **más nada**.*

3. **Más... que** y **menos... que** se usan para comparar (ver capítulo 6, apartado H, y capítulo 31, apartado H).

    *Aquí la crisis es **más** grave **que** en otros países.*
    *Una bufanda es **menos** elegante **que** una corbata.*

4. **De más** significa «de sobra».

    *Has hablado **de más**. Hay cosas que no se deben contar.*

5. **De lo más** equivale a «muy».

    *Has estado **de lo más** divertido.*

6. **Por lo menos** significa «como mínimo».

    *Para las vacaciones quedan **por lo menos** dos meses.*

7. **Al menos** se usa para referirse a algo como lo mínimo que se puede hacer en una situación.

    *Si quieres que ella te llame, **al menos,** dale tu número de teléfono.*

8. **Más o menos** significa «de manera aproximada».

    *El jugador mide un metro ochenta **más o menos**.*

9. **Cuanto más/menos..., más/menos...** se usan para comparar dos cosas que aumentan o disminuyen al mismo tiempo:

cuanto más/menos + *verbo*	
cuanto/a/os/as más/menos + *sustantivo*	*+ indicativo/subjuntivo*
cuanto más/menos + *adjetivo* o *adverbio*	

- Con indicativo, para hablar de hechos pasados o presentes.
  __Cuanto más__ comes, más engordas.
  __Cuanto más__ deporte haces, más joven te sientes.
  __Cuanto más__ pequeño es el piso, menos muebles caben.

- Con subjuntivo, para hablar de hechos futuros.
  *Cuanto más **comas**, más engordarás.*
  *Cuanto más deporte **hagas**, más joven te sentirás.*
  *Cuanto más lejos **vivas**, menos nos veremos.*

■ MEDIO

Significa «no del todo».
*Se levantó de la cama **medio** dormida.*

■ TAN, TANTO

1. **Tan** se utiliza delante de los adjetivos, participios o adverbios.
   *¡Es **tan** elegante!*
   *Estoy **tan** cansada como tú.*
   *No te pongas **tan** lejos porque no sales en la foto.*

2. **Tanto** se utiliza detrás de los verbos.
   *¡Me gusta **tanto**!*

■ SOLO/SOLAMENTE

1. Significa «una cantidad pequeña, inferior a lo previsto».
   - *¿Han venido todos?*
   - *No, **solo/solamente** han venido tres personas.*

2. Equivale a las expresiones «no... más que, no... sino».
   __Solo__ han venido tres personas. (= No han venido más que tres personas)
   *Voy a la piscina **solo** un día a la semana.* (= No voy a la piscina sino un día a la semana)

3. **Solo** puede tener el significado de «sin otra cosa» o «sin compañía». En este caso, no se puede sustituir por **solamente** y tiene cambio de género y número.
   Mi hijo se ha quedado solo en casa.
   Por las tardes viene a la oficina ella sola.

E. LOS ADVERBIOS DE MODO

■ ASÍ

1. Significa «de esta manera».
   Haz el ejercicio así, es más fácil.

2. Seguido de subjuntivo, puede expresar deseo, con sentido negativo.
   ¡Así tengas mala suerte!

3. **Y así** se usa para introducir una consecuencia.
   Son unos desordenados, y así lo hacen todo mal.

4. **Así (es) que** se usa como conjunción para expresar consecuencia.
   Tenía mucho frío, así (es) que encendí la calefacción.

■ BIEN

1. Valora positivamente una acción.
   Has hecho muy bien el examen. Tienes muy buena nota.

2. También expresa el estado de salud de una persona.
   He estado enferma, pero ya estoy bien.

■ MAL

1. Valora negativamente una acción. Es lo contrario de **bien**.
   Mi hijo escribe mal y no entiendo su letra.

2. También expresa el estado de salud negativo de una persona.
   Estoy mal, me duele la cabeza.

3. **Mal** es un adverbio que modifica a un verbo o a un participio u otro adverbio. No se debe confundir con la forma apocopada de **malo (mal)** que es un adjetivo y que se coloca delante del sustantivo (ver capítulo 6, apartado E).
   Es un mal libro o un libro malo. (Malo, mal = adjetivos)
   Lo has hecho mal, repítelo. (Mal = adverbio)

■ DESPACIO

1. Significa «lentamente, poco a poco».
   *Me gusta conducir **despacio**, aunque llegue tarde.*

2. También se usa como exclamación, para pedirle a alguien que modere su manera de hablar o su manera de actuar.
   ***Despacio**, por favor, que no entiendo lo que dices.*

■ DEPRISA

Significa «con rapidez». Es lo contrario de **despacio**.
*Camina muy **deprisa** y yo no puedo seguirla.*

LOCUCIONES ADVERBIALES DE MODO

- **A** + *adjetivo:* *a escondidas, a ciegas, a medias, a oscuras, a salvo, a tontas y a locas...*
- **A** + *sustantivo:* *a caballo, a pie, a patadas, a carcajadas, a tiros, a palos, a pies juntillas...*
- **De** + *sustantivo:* *de este modo, de hecho, de memoria, de paso, de rodillas, de verdad...*
- **Con** + *sustantivo:* *con gusto, con razón...*
- **En** + *sustantivo:* *en un santiamén, en cuclillas...*
- **A** + **la** + *adjetivo:* *a la española, a la italiana, a la francesa...*
- **A** + **lo** + *adjetivo:* *a lo loco, a lo grande...*

F. LOS ADVERBIOS DE AFIRMACIÓN

■ SÍ

1. Se utiliza para responder afirmativamente a una pregunta.
   - *¿Quieres un poco de café?*
   - ***Sí**, gracias.*

2. **Claro** equivale a **sí**. Normalmente se utiliza para responder cuando nos piden un favor.
   - *¿Me acompañas al cine?*
   - ***Claro**.*

3. **¿Sí?** puede usarse para responder a alguien que llama tu atención o para expresar sorpresa.
   - *Oiga, por favor.*
   - *¿Sí? Dígame.*
   - *Carmen se ha casado.*
   - *¿Sí? No lo sabía. ¡Qué sorpresa!*

4. **Sí que** da fuerza a la afirmación expresada. Suele usarse cuando alguien ha negado algo.
   - *A Juan no le gustan las películas de miedo.*
   - *Sí que le gustan.*

■ BUENO

Se usa para responder afirmativamente a una pregunta, pero sin mucho énfasis.
   - *¿Puedo quedarme aquí contigo?*
   - *Bueno, pero no hagas ruido.*

■ TAMBIÉN

Se usa para expresar coincidencia con la situación o la opinión de otros en contextos afirmativos.
   - *Tengo un coche rojo.*
   - *Yo también.*
   - *Me gusta mucho la fruta.*
   - *A mí también.*

■ EXACTO, JUSTO, EVIDENTEMENTE, EFECTIVAMENTE

Se usan para responder afirmativamente a una pregunta, mostrando que es la única respuesta posible.
   - *A ti no te gusta el fútbol, ¿no?*
   - *Exacto/Justo/Evidentemente/Efectivamente.*

> **LOCUCIONES ADVERBIALES DE AFIRMACIÓN**
>
> *Claro que sí, ¡cómo no!, desde luego, en efecto, por supuesto, sin duda, etc.*

G. LOS ADVERBIOS DE NEGACIÓN

■ NO

Se utiliza para responder negativamente a una pregunta.
   - *¿Tienes hambre?*
   - *No.*

TAMPOCO

Se usa para expresar coincidencia con la situación o la opinión de otros en contextos negativos.

- *No tengo bicicleta.*
- *Yo **tampoco**.*
- *No me gusta nada el fútbol.*
- *A mí **tampoco**.*

LOCUCIONES ADVERBIALES DE NEGACIÓN

Al contrario, claro que no, de eso ni hablar, de ninguna manera, de ningún modo, en absoluto, ni mucho menos, ni siquiera, ¡qué va!, etc.

H. LOS ADVERBIOS DE DUDA

QUIZÁ(S), ACASO, IGUAL, POSIBLEMENTE, PROBABLEMENTE, SEGURAMENTE

1. Se usan para expresar la posibilidad de una acción.
   __Probablemente__ vendrán luego, pero no es seguro.

2. Van con indicativo cuando expresan lo que se considera posible y con subjuntivo cuando se refieren a una posibilidad difícil de realizarse.
   He hablado con ella y me ha dicho que __quizá vendrá__ más tarde.
   (Es bastante probable)
   Todavía no ha venido, __posiblemente venga__ más tarde.
   (Poco probable)

3. **Igual** se usa sobre todo en el habla coloquial.
   Luis está reparando el coche, __igual__ necesita ayuda.

LOCUCIONES ADVERBIALES DE DUDA

Tal vez, **a lo mejor**: son equivalentes a «quizá», pero **a lo mejor** va seguido siempre por indicativo.
__A lo mejor__ viene con su novia.

---

g
Capítulo 25
La preposición

Para practicar:
- *Competencia gramatical en uso A1, páginas 4⬛*
- *Competencia gramatical en uso A2, páginas 4⬛*
- *Competencia gramatical en uso B1, páginas 7⬛*

LAS PREPOSICIONES SIMPLES

A	Destino de un movimiento.	*Voy **a** la oficina.*
ANTE	Situación delantera.	*Me presenté **ante** el director.*
BAJO	Situación inferior.	*Me puse **bajo** el paraguas.*
CON	Compañía de personas y acompañamiento de cosas.	*Fui al médico **con** mi madre.*
CONTRA	Oposición a una opinión o a una persona.	*Jugué una partida de ajedrez **contra** Javier.*
DE	Origen y procedencia.	*Irene es **de** Grecia.*
DESDE	Punto de partida en el espacio y en el tiempo.	*Iremos a pie **desde** mi casa.*
DURANTE	Equivale a «a lo largo de».	*Nos veremos todos los días **durante** la semana.*
EN	Localización en el interior de un lugar.	*Sonia no está **en** casa.*
ENTRE	Situación dentro de unos límites de tiempo o de lugar.	*Te llamaré **entre** las 4 y las 5.*
EXCEPTO/ SALVO	Exclusión de un elemento de una lista conocida.	*He aprobado todas las asignaturas **salvo** Historia.*
HACIA	Dirección aproximada.	*Este tren va **hacia** Madrid.*
HASTA	Límite de un movimiento.	*Fue corriendo **hasta** la farmacia.*
MEDIANTE	Equivale a «por medio de».	*Se lo dije **mediante** una carta.*
POR	Causa.	*Estudio Derecho **por** mi padre.*
PARA	Finalidad.	*He venido aquí **para** ayudarte.*
SEGÚN	Modo.	*Hazlo **según** te enseñó el profesor.*
SIN	Falta de algo.	*Estoy **sin** dinero.*
SOBRE	Situación superior.	*Deja el plato **sobre** la mesa.*
TRAS	Posterioridad en el espacio y en el tiempo.	*Me recibió **tras** dos horas de espera.*

Gramática del español lengua extranjera

g

LAS PREPOSICIONES COMPUESTAS

Indican lugar	Delante de	*Delante de mi casa hay un banco.*
	Detrás de	*Pedro está detrás de mí.*
	Debajo de	*Ha caído una moneda debajo de la mesa.*
	Encima de	*Deja los platos encima de la mesa.*
	Dentro de	*Mete la botella de agua dentro de la nevera.*
	Fuera de	*Algunos alumnos esperaron fuera de la clase.*
	Al lado de/Junto a	*Hay un jardín junto a/al lado de mi casa.*
	Enfrente de/Frente a	*Deja el coche enfrente de/frente a mi casa.*
	Alrededor de	*Nos sentamos todos alrededor de la mesa.*
Indican distancia	Cerca de	*Mi casa está cerca del parque.*
	Lejos de	*Mi casa está lejos del parque.*
Indican tiempo	Antes de	*Te llamaré mañana antes de las 10.*
	Después de	*Te leeré un cuento después de cenar.*

A. LAS CARACTERÍSTICAS DE LA PREPOSICIÓN

1. La preposición es una palabra invariable que relaciona elementos de la oración y que van delante de un pronombre, de un sustantivo o de un verbo en infinitivo.
   Nos vimos en el parque.   *Me fui con ella.*   *Salimos a comer.*

2. Las preposiciones **a** y **de** cambian a **al** y **del** delante del artículo determinado **el**.
   Nos fuimos al (a + el) cine.
   Este es el despacho del (de + el) director.

3. Hay verbos que van siempre con una preposición:

   A: *acompañar, ayudar, esperar, invitar...*
   - *¿A quién esperas?*
   - *Estoy esperando a mi hermano. Me va a ayudar a subir estas cajas.*

   DE: *acordarse, alegrarse, arrepentirse, estar harto, preocuparse, tener ganas...*
   - *¿Te acuerdas de mí, soy Silvia?*
   - *Claro que sí, me alegro de verte.*

   EN: *confiar, fijarse, pensar, quedar (en un sitio), etc.*
   - *¿Te has fijado en otra chica?*
   - *No, cariño, ya sabes que yo solo pienso en ti.*

Capítulo 25 La preposición

B. LAS PREPOSICIONES SIMPLES

■ A

1. Se usa con verbos de movimiento para indicar el destino.
   *Vamos **a** una fiesta de disfraces.*

2. Con verbos de estado, para indicar un lugar con referencia a otro lugar.
   *Está **al** lado del restaurante. **A** la derecha.*

3. Con el artículo determinado, para indicar la hora en la que se realiza una actividad.
   *Entro **a las** ocho y salgo **a las** 5.*

4. Se usa para mostrar la persona sobre quien recae una acción (complemento directo).
   *Visité **a** Federica y conocí **a** su nuevo amigo.*

   - No se usa en los siguientes casos:
     - Cuando hablamos de forma general de las personas, que no interesan tanto como personas, sino como número, profesión, etc.
       Necesitamos camareros para la fiesta del sábado.
     - Cuando nos referimos a nombres propios usados como comunes.
       He comprado el Miró en una feria de arte.
     - Con el verbo **haber**.
       Había una mujer esperando en la puerta.
     - Con el verbo **tener** cuando no va seguido de artículo determinado.
       Tiene una profesora muy buena.
   - Si el complemento directo no es persona, a veces también se usa la preposición **a**:
     - Cuando queremos personalizar.
       *Voy a llevar **a** mi perro al veterinario.*
     - Con verbos que significan orden (como **preceder** o **seguir**) o con el verbo **sustituir**.
       *El verano sigue **a** la primavera.*
       *En muchos platos españoles, el aceite sustituye **a** la mantequilla.*
     - Cuando el hablante quiere marcar la función gramatical de dos sustantivos.
       *La ventana golpeó a Rosa, no Rosa **a** la ventana.*

5. También para indicar el destinatario de una acción (complemento indirecto).
   *Le he escrito una carta de despido **a** mi jefe.*

6. Para señalar la velocidad.
   *Me multaron por correr **a** 150 km/h.*

7. Expresa la distancia entre dos puntos (en el espacio o en el tiempo).
   *Córdoba está **a** 1.000 km de aquí, es decir, **a** unas 10 horas.*

8. Con el verbo **estar** indica un precio cambiante.
   *El litro de leche está **a** más de un euro ya.*

9. Con **estamos** indica tiempo (número de día o día de la semana) y temperatura.
   *Estamos **a** martes. Estamos **a** 3 de mayo. Estamos **a** 23 °C.*

10. En la estructura **a** + *infinitivo* tiene sentido imperativo.
    *¡**A** dormir!*

11. Para expresar periodicidad. También se puede utilizar la preposición **por**, pero entonces no va seguida de artículo.
    *Voy a la piscina dos veces **a** la semana.*
    *Voy a la piscina dos veces **por** semana.*

12. Para indicar la manera y el medio.
    *Lo hizo **a** su aire.*

13. Con verbos de movimiento (*ir, venir, salir*...) puede ir seguida de la preposición **por** con el sentido de «en busca de».
    *Voy **a por** leche y pan, y vuelvo enseguida.*

    En estos casos, en el español de América, se usa solo la preposición **por**.
    *Voy **por** leche y pan.*

ANTE

1. Equivale a «en presencia de».
   *Dio una conferencia **ante** más de cien personas.*

2. Puede tener el sentido de «respecto a».
   *No supo reaccionar **ante** ese problema.*

3. **Ante todo** expresa preferencia.
   ***Ante todo**, vamos a pagar lo que debemos.*

BAJO

1. Significa «debajo de».
   *Estaba lloviendo y esperamos **bajo** un gran paraguas.*

2. Puede significar «sometiéndose a».
   *Lo contó todo **bajo** la presión de la Policía.*

CON

1. Se usa para expresar compañía de personas y acompañamiento de cosas.
   *Hemos quedado **con** el profesor.*
   *Voy a comer pollo **con** patatas fritas.*

2. También para describir algo o a alguien.

   *Es un señor **con** gafas/**con** bigote/**con** el pelo largo...*
   *Es un vestido **con** la falda larga/**con** rayas/**con** mangas...*

   En estos casos, es más frecuente el uso de la preposición **de**. Tienen el mismo valor.

   *Es un señor **de** gafas/**de** bigote/**de** pelo largo...*

3. Expresa el contenido de algo. En contraste con **de**, el uso de **con** sirve para poner énfasis en el contenedor.

   *Ahí hay una caja **con** vestidos viejos. Tírala a la basura, por favor.*
   *Ahí tengo una caja **de** vestidos antiguos. Busca el que quieras para disfrazarte.*

4. Expresa el instrumento con el que se hace algo.

   *Escribió una carta **con** una pluma antigua.*

5. También expresa la composición de algo.

   *Busco un apartamento **con** terraza.*
   *Me gusta la ensalada **con** poca sal y **con** mucho aceite.*

6. **Con** + *infinitivo* se usa para decir que no se va a producir un acontecimiento futuro por hacer algo.

   ***Con gritar** no vas a conseguir que te oiga.*

CONTRA

1. Se usa para expresar la oposición a una opinión o a una persona.

   *Hemos jugado un partido de fútbol de alumnos **contra** profesores.*

2. También el choque de una cosa o persona contra otra.

   *El autobús chocó **contra** una farola.*

DE

1. Con verbos de movimiento, se utiliza para expresar el origen.

   *Salieron todos **de** la sala.*

2. Con verbos de estado, sirve para expresar el origen, la nacionalidad, la materia o la propiedad.

*Sofía es **de** Chile.*	(Origen)
*Iremos en el coche **de** Susana.*	(Propiedad)
*Te he comprado una caja **de** cristal.*	(Materia)

3. Con **la mañana**, **la tarde** o **la noche**, expresa la parte del día en relación a una hora.

   *Tengo una entrevista a las cuatro **de la tarde**.*

4. Indica el contenido de algo. En contraste con la preposición **con**, el uso de **de** sirve para poner énfasis en el contenido.

*He comprado una botella **de** agua y dos bolsas **de** patatas.*
*Traigo una botella **con** agua.*

5. Indica el tipo de objeto.

*Busco un piso **de** dos cuartos de baño.*

6. Puede expresar el uso o la utilidad de un objeto.

*Es una bolsa **de** viaje.* (Bolsa que se utiliza para viajar)
*Ya no necesito esta máquina **de** escribir.* (Máquina que sirve para escribir)

7. También se usa para expresar la causa.

*Se murió **de** cáncer.*
*Se quedó blanco **de** miedo.*

8. **De** + *momento de la vida* sirve para situar un acontecimiento con relación a un periodo de la vida.

***De** niño me gustaba mucho nadar. Ahora **de** mayor me da miedo el agua.*

■ DESDE

1. Se usa para expresar el inicio temporal de una acción.

*Estoy estudiando **desde** las 8.*
*Vivo en este piso **desde** 2002.*

2. También el lugar de origen de un movimiento o una acción.

*Podemos quedar en la plaza y **desde** allí vamos juntos a la fiesta.*

■ DURANTE

Sitúa temporalmente un hecho en un espacio de tiempo largo. Equivale a «a lo largo de».

*He estado en el hospital **durante** todo el mes de enero.*

■ EN

1. Con verbos de movimiento, sirve para expresar el medio de transporte.

*He venido **en** tren.*   *Es más cómodo que viajar **en** avión o **en** coche.*

Excepciones*: a pie* y *a caballo.*

2. Con otros verbos, también se usa para expresar lugar.

*Me gusta cenar **en** el sofá, delante de la tele.*

3. Con algunos verbos de movimiento (*entrar, caer, meter*...), sirve para expresar el lugar interior hacia donde se dirige el movimiento.

*Se puso el traje de baño y se metió **en** la piscina.*
*Entró **en** la tienda y preguntó el precio.*

4. Con nombres de meses, estaciones del año o con años, expresa la fecha en la que se realiza una acción. Puede ser una fecha pasada o futura.

*Nos conocimos **en** verano.*
*Empezaré a trabajar **en** julio.*

5. Expresa el modo figurado de hacer algo.

*Me gusta trabajar **en** silencio.*

6. También puede expresar el precio aproximado de algo haciendo una estimación.

*Me han valorado el coche **en** 3.000 euros, más o menos.*

ENTRE

1. Sitúa algo dentro de unos límites de tiempo o de lugar.

*Te llamaré mañana **entre** las 10 y las 11.*
*Vamos a poner la mesa **entre** el sofá y la pared.*

2. También indica una idea de asociación o cooperación.

*Limpiaron el apartamento **entre** todos.*

3. Acompaña a verbos que expresan elección: *escoger, elegir, decidir*...

*Debo elegir **entre** ir al cine o quedarme en casa.*

EXCEPTO

Rechaza un elemento de una lista conocida o previamente dada. Equivalente a «a excepción de».

*Ceno todos los días en casa **excepto** los viernes.*

HACIA

1. Con verbos de movimiento, se usa para señalar la dirección de un movimiento.

*Voy a tomar el tren que va **hacia** Barcelona y me bajo en Lérida.*

2. Expresa una hora o un día aproximados.

*En invierno anochece **hacia** las 6 de la tarde.*

3. Puede indicar el destinatario de un sentimiento.

*Siento un gran cariño **hacia** mis profesores.*

HASTA

1. Expresa el punto límite de un movimiento.

*Este tren va **hasta** La Coruña.*

2. También expresa el punto límite del tiempo.

*Estuvo durmiendo **hasta** las 10 de la mañana.*

3. Puede expresar también algo que se puede medir o contar hasta el final.

*Le devolveré lo que me prestó **hasta** el último euro.*

MEDIANTE

Presenta el modo o el medio de conseguir algo. Equivale a «por medio de».

*Hemos pagado el coche **mediante** un talón bancario.*

POR/PARA

POR	PARA
• Finalidad (indica el motivo que provoca una acción). *Tenemos que luchar **por** la seguridad en el trabajo.* • Causa (expresa la causa o el motivo de algo). *Se canceló el partido **por** la lluvia.* *Muchas gracias **por** venir.*	• Finalidad (objetivo que se quiere conseguir con algo). *Me compré la bicicleta **para** ir a la universidad.*
• Lugar (indica el tránsito, el camino por el cual se realiza un movimiento). *La luz entra **por** la ventana del salón.* • Lugar aproximado (recorrido de un movimiento y lugar aproximado). *Están paseando **por** el jardín* *¿Hay una farmacia **por** tu barrio?*	• Lugar (señala la dirección de un movimiento). *Este tren no va **para** Málaga.* *Voy ahora mismo **para** tu casa.*

• Persona (sustitución de una persona por otra). *Puedo ir yo **por** ti a la reunión.* • Persona (expresa el agente de la acción en una oración pasiva). *América fue descubierta **por** Colón.*	• Persona (señala el destinatario de una acción). *Tengo una carta **para** mi padre.*
• Fecha (tiempo aproximado en que ocurre algo). *El campo está muy verde **por** mayo.* • Tiempo (parte aproximada del día). *Solo trabajo **por** las mañanas.* *¿Cenamos juntos mañana **por** la noche?*	• Fecha (plazo en el que se tiene que realizar una acción futura). *Terminarán las obras de construcción **para** junio del año que viene.*
• Implicación personal. ***Por** mí, podemos vernos ahora mismo.*	• Opinión (expresa la opinión de alguien). ***Para** mí, esto es muy importante.*

OTROS USOS DE *POR*

1. Indica el canal por el que se hace algo.
   *Me enteré de la noticia **por** la radio.*
   *Habla mucho **por** el móvil.*

2. Se refiere al precio que se ha pagado después de una negociación. En casos generales, no se utiliza ninguna preposición para hablar del precio.
   *He comprado un coche de segunda mano **por** 1.000 euros.*
   El coche me ha costado 1.000 euros.

3. Se usa para expresar el tiempo que ha transcurrido de algo y que no deseábamos.
   *Acaban de cerrar la tienda. No hemos llegado a tiempo **por** cinco minutos.*

4. También puede expresar la periodicidad o la frecuencia con que se hace algo. En estos casos, se puede utilizar la preposición **a**, pero entonces va seguida de un artículo.
   *Viajo a Argentina dos veces **por** año.*
   *Viajo a Argentina dos veces **al** año.*

5. Expresa reparto o distribución.
   *Hay dos bocadillos **por** niño.*

⬛ SALVO

Es equivalente a **excepto**.

*Tengo lápices de todos los colores **salvo** el violeta.*

⬛ SEGÚN

1. Sirve para expresar el modo de realizarse un acontecimiento.

   *Haré la paella **según** me enseñó mi abuela.*

2. También indica una fuente de información.

   ***Según** un informe del colegio, hay más alumnas que alumnos.*

3. Expresa una opinión de alguien.

   ***Según** mi profesor, yo soy bueno en matemáticas.*

4. También puede expresar las variaciones o condiciones de algo.

   *El precio de la fruta cambia **según** la estación del año.*

⬛ SIN

1. Se usa para expresar la falta de algo.

   *Estaba lloviendo, pero yo salí **sin** paraguas.*

2. Seguido de infinitivo, indica el modo de hacer algo por la ausencia de una actividad.

   *Entré en la clase **sin** hacer ruido.*

⬛ SOBRE

1. Indica que una cosa está en una posición superior a otra.

   *He dejado el informe **sobre** la mesa de tu despacho.*

2. Señala una hora o una fecha aproximada.

   *Mi madre siempre me llama por teléfono **sobre** las 7 de la tarde.*

3. También puede indicar el tema del que se habla o se discute.

   *Hoy vamos a hablar **sobre** la economía mundial.*

⬛ TRAS

Se usa para expresar posterioridad en el espacio o en el tiempo.

*Mi hijo se escondió **tras** la cortina.*
*Hablaremos de negocios **tras** el café.*

C. LAS PREPOSICIONES COMPUESTAS O LOCUCIONES PREPOSICIONALES

1. La mayoría de estas preposiciones compuestas son adverbios de lugar a los que se les añade una preposición.

2. Se utilizan con la preposición **de** + *sustantivo* cuando señalamos el lugar de referencia.

*El libro está **encima de** la mesa.*

■ AL LADO DE

1. Expresa la proximidad o la continuidad de algo o alguien con otro.

*Pedro es el chico que está **al lado del** director.*

2. También puede usarse con el significado de «en comparación con».

***Al lado de** tu informe, el mío es muy malo.*

■ ALREDEDOR DE

1. Significa «en torno a algo», «en círculo».

*Se sentaron **alrededor de** la mesa.*

2. Expresa una cantidad aproximada. Equivale a «más o menos».

*Tengo **alrededor de** 2.000 libros.*

3. También puede situar un acontecimiento en una hora o fecha aproximada.

*El accidente ocurrió **alrededor de** las tres de la tarde.*

■ ANTES DE

1. Expresa anterioridad de un acontecimiento con respecto a otro.

***Antes de** cenar me gustaría decir unas palabras.*

2. Indica también una fecha pasada como referencia de algo.

*Empecé a trabajar **antes de** los 18 años.*

3. Puede marcar el plazo para que se produzca un acontecimiento.

*Iré a París **antes de** final de año.*

■ CERCA DE

1. Indica proximidad.

*Mi apartamento está **cerca del** centro.*

2. También puede indicar una cantidad como superior a la realidad.
   *Ha ganado **cerca de** dos millones en la lotería.*

■ DEBAJO DE

Indica la posición inferior de algo con respecto a otro elemento.
   *Guardé las maletas **debajo de** la cama.*

■ DELANTE DE

1. Indica la posición anterior de algo con relación a otro elemento.
   *Puedes dejar el coche **delante del** restaurante.*

2. También puede utilizarse con el significado de «a la vista de, en presencia de».
   ***Delante del** director debes estar en silencio.*

■ DENTRO DE

1. Localiza en el interior de un lugar (real o imaginario).
   *La maleta está **dentro del** armario.*
   *Te llevo **dentro de** mi corazón.*

2. También marca un tiempo futuro aproximado. Indica la cantidad de tiempo que debe transcurrir para que ocurra algo.
   ***Dentro de** dos días empezaré las vacaciones.*

■ DESPUÉS DE

1. Expresa posterioridad de un acontecimiento con respecto a otro o a un momento determinado.
   ***Después de** comer, se echó una siesta.*

2. Indica también una fecha como referencia de algo.
   *Me compré la casa **después de** enero de 2004.*

3. Puede indicar un orden especial o jerárquico.
   *Por favor, pase, ya voy yo **después de** usted.*

■ DETRÁS DE

Indica la posición posterior de algo con respecto a otro elemento.
   *La escoba está **detrás de** la puerta.*

ENCIMA DE

1. Indica que una cosa está en una posición superior a otra. Es equivalente a la preposición **sobre**, pero con **encima de** se entiende que hay contacto físico.
   *He dejado tu ropa limpia **encima de** la cama.* (En la cama)
   *Quiero colgar esta lámpara **sobre** la cama.* (En la pared o en el techo)

2. **Por encima de** indica una cantidad superior a otra.
   *Este cuadro se ha vendido **por encima del** millón de euros.*

3. **Por encima de** + alguien o algo indica un obstáculo que no impide realizar algo.
   *Esto lo harás **por encima de** mi cadáver.*

ENFRENTE DE

Indica la parte opuesta.
   ***Enfrente de** mi casa hay un aparcamiento público.*

FRENTE A

1. Es equivalente a **enfrente de**.
   *Hay un parque **frente al** ayuntamiento.*

2. También puede usarse en contextos abstractos.
   *Hay que ser constante **frente a** los problemas.*

FUERA DE

1. Indica la parte exterior de un espacio.
   *Le echó **fuera de** la clase.*

2. Se usa con los pronombres con el significado de «estar muy enfadado».
   *Estas cosas que me dice me ponen **fuera de mí**.*

3. Puede tener también el sentido de «excepto, salvo».
   ***Fuera de** nosotros, no había nadie más.*

JUNTO A

Sitúa algo o a alguien con relación a otro próximo. Expresa mayor proximidad que **cerca de**.
   *Trae la silla que está **junto a** la mesa.*

LEJOS DE

1. Indica lejanía.

   *¿La estación de tren está **lejos del** centro?*

2. También puede señalar oposición respecto a algo que se ha dicho.

   ***Lejos de** tu opinión, creo que deberías trabajar menos.*

D. EL RÉGIMEN PREPOSICIONAL DE ALGUNOS VERBOS

Muchos verbos exigen determinadas preposiciones, ya sea de manera fija, ya sea en función del contexto en el que se utilizan. He aquí algunos ejemplos:

Abrigarse **contra** algo.
Abstenerse **de** hacer algo.
Aburrirse **de** hacer algo **con** alguien.
Acercarse **a** un lugar.
Acertar **en**/**a** algo.
Acoger **en** un lugar **a** alguien.
Acordarse **de** algo.
Adherirse **a** las ideas **de** alguien.
Admitir **en** un lugar **a** alguien.
Advertir **de** algo **a** alguien.
Aficionarse **a** algo.
Aislarse **de** un grupo de personas.
Alegrarse **de**/**por** algo.
Alejarse **de** un lugar.
Alimentarse **con**/**de** algo.
Amenazar **con** algo o **con** un castigo.
Anunciar **por** la radio/**en** la prensa.
Apartar **de** un sitio.
Apasionarse **por** algo.
Apearse **de** un medio de transporte.
Apostar **por**/**a** algo, una idea o una
    persona.
Aprovecharse **de** algo o alguien.
Aproximarse **a** un lugar.
Arrepentirse **de** algo o **de** hacer algo.
Arrimarse **a** un lugar o **a** un grupo de
    personas.
Asegurarse **contra** un delito o un
    problema.
Asegurarse **de** algo.
Asistir **a** un lugar o un evento.
Asociarse **con** alguien.
Asomarse **por**/**a** un lugar.

Asombrarse **de** algo.
Aspirar **a** ser o hacer algo.
Asustarse **por**/**de** algo o alguien.
Atentar **contra** algo.
Atraer **a** alguien.
Atreverse **a** hacer algo **con** alguien.
Ausentarse **de** un lugar.
Avergonzarse **de** algo o alguien.
Avisar **de** algo **a** alguien.
Ayudar **en** algo **a** alguien.

Bastar **con** algo o **con** hacer algo.
Beber **por** un motivo.
Besar **en** un lugar **a** alguien.
Burlarse **de** algo o alguien.

Cambiar(se) **de** grupo, ropa o idea.
Cansarse **de** algo o **de** hacer algo.
Carecer **de** algo.
Casarse **con** alguien.
Chocar **contra** algo o alguien.
Coincidir **en** las ideas **con** alguien.
Colocarse **de** puesto de trabajo.
Comparar **con** algo o alguien.
Competir **con** alguien.
Comprometerse **con** alguien **en** algo.
Comunicarse **con** alguien.
Condenar **a** alguien **a** algo o **a** hacer
    algo.
Confiar **en** alguien.
Confiarse **a** alguien.
Conocer **a** alguien **por** motivo.
Consentir **en** hacer algo.

Consistir **en** algo.
Constar **de** partes.
Consultar **a/con** alguien.
Contar **con** alguien o **con** un recurso.
Contentarse **con** algo.
Convencerse **de** una idea.
Convenir **a** alguien algo.
Convenir **con** alguien **en** algo.
Convidar **a** algo **a** alguien.
Creer **en** algo.
Cuidar **de** alguien o algo.
Cumplir **con** algo.
Curarse **de** una enfermedad.

Decidirse **a** hacer algo.
Dedicarse **a** hacer algo profesional o voluntario.
Defender(se) **contra** alguien.
Depender **de** alguien o algo.
Desaparecer **de** un lugar.
Descansar **de** algo.
Desconfiar **de** alguien.
Deshacerse **de** algo o **de** una obligación.
Despedir **de** una empresa o puesto de trabajo.
Despedirse **de** alguien.
Despertar **de** una pesadilla.
Destacar **por/en** algo.
Desviarse **de** un lugar.
Devolver **a** alguien algo.
Dimitir **de** un cargo.
Dirigirse **a** alguien o **a** un lugar.
Discutir **sobre/de** algo/**con** alguien.
Disfrazarse **de** algo.
Disfrutar **de** algo.
Disponerse **a** hacer algo.
Distinguirse **de** los demás **por** un talento.
Distraerse **con** algo.
Divertirse **con** algo o alguien.
Dividir **en** partes.
Dudar **de** alguien o **de** algo.

Echar **de** un lugar **a** alguien.
Ejercer **de** una profesión.
Elegir **entre** opciones.
Embarcarse **en** un medio de transporte o un asunto.

Empeñarse **en** hacer algo.
Enamorarse **de** alguien.
Encargarse **de** hacer algo.
Encerrarse **en** un lugar.
Encontrarse **en** un lugar **con** alguien.
Enfadarse **con** alguien **por** algo o **por** hacer algo.
Enfrentarse **con** alguien.
Enseñar **a** alguien **a** hacer algo.
Ensuciarse **con/de** algo.
Entender **de** algo.
Entenderse **con** alguien.
Enterarse **de** una noticia o **de** algo.
Entrar **en** un lugar.
Entusiasmarse **por** algo.
Equivocarse **de** lugar o persona/**en** algo.
Escoger **entre** opciones.
Esforzarse **por** hacer algo.
Especializarse **en** ciencia o conocimiento.
Esperar algo **de** alguien.
Examinarse **de** asignatura o materia.
Excluir **del** grupo.
Exigir algo **de** alguien.
Exponerse **a** un peligro.
Extrañarse **de** algo.

Familiarizarse **con** algo.
Fatigarse **de** hacer algo.
Felicitar **por** un éxito.
Fiarse **de** alguien.
Fijarse **en** alguien o **en** algo.

Ganar **a** un juego.
Girar **a/hacia** una dirección.
Guardar **en** un lugar.

Habituarse **a** algo.
Hablar **con** alguien **de** algo.
Heredar **de** alguien.
Huir **de** un lugar.

Identificarse **con** alguien.
Impacientarse **por** algo.
Incitar **a** algo o **a** hacer algo.
Inclinarse **a/hacia** un lado.
Influir **en** alguien o algo.

Informar **a** alguien **de/sobre** un tema.
Inquietarse **por** algo.
Insistir **en** algo.
Instalarse **en** un lugar.
Interesarse **por** algo o **por** alguien.
Intervenir **en** un asunto.
Introducirse **en** un lugar.
Invertir **en** un negocio.
Invitar **a** alguien **a** algo.
Irse **de** un lugar.

Jugar **a** un juego o un deporte **con** alguien.
Juntarse **con** alguien.

Lamentarse **de** algo.
Levantar(se) **de** un lugar.
Ligar **con** alguien **en** un lugar.
Llegar **a** algún lugar.
Llevar **a** un lugar **a** alguien.
Luchar **contra** algo.

Mandar hacer algo **a** alguien.
Mantener **a** alguien.
Meter **en** un lugar.
Motivar **a** alguien.
Moverse **de** un lugar.
Mudarse **de** casa **a** otro lugar.

Nacer **en** un lugar.
Negarse **a** hacer algo.
Nombrar **a** alguien **para** un cargo.

Obedecer **a** alguien.
Obligar **a** alguien **a** hacer algo.
Obstinarse **en** algo.
Ocuparse **de** hacer algo.
Olvidarse **de** algo.
Opinar **de/sobre** un tema.

Pararse **en** algún lugar.
Parecerse **a** alguien.
Participar **en** algo.
Pasar **de** un lugar **a** otro.
Pasear **por** un lugar.
Pelearse **con** alguien **por** algo.
Pensar **en** algo.
Perderse **en** un lugar.

Permanecer **en** un lugar.
Persuadir **de** algo **a** alguien **con** razones.
Pertenecer algo **a** alguien.
Preguntar **por** alguien o algo.
Preocuparse **por** algo.
Presumir **de** algo.
Proteger **a** alguien **de** algo.
Protestar **contra** algo.

Quedar **en** algún lugar **con** alguien.
Quedar **en** hacer algo.
Quejarse **de** algo.
Quitar(se) **de** un lugar.

Razonar **con** alguien **sobre** un tema.
Recomendar **a** alguien.
Reconciliarse **con** alguien.
Reemplazar una cosa **por** otra.
Reflexionar **en/sobre** algo.
Reírse **de** alguien o algo.
Residir **en** un lugar.
Responder **a** una pregunta **de** alguien.
Rodearse **de** un grupo de personas o **de** cosas.
Romper **con** alguien.

Saber **a** algo.
Sacar **de** un lugar.
Salir **de** un lugar **a** otro lugar.
Saltar **de** un lugar **a** otro.
Satisfacer **a** alguien.
Simpatizar **con** alguien.
Situarse **en** un lugar.
Soñar **con** algo o alguien.
Sospechar **de** algo o **de** alguien.
Subir **a** un lugar.
Suspender **a** alguien.

Torcer **a/hacia** dirección.
Traducir **de** un idioma **a** otro idioma.
Tropezar **con/contra** algo.

Vengarse **de** alguien o algo.
Volver **a** hacer algo.
Volver **de** un lugar **a** otro.
Votar **con/por** algo.
Votar **contra** una idea o alguien.

Para practicar:
– *Competencia gramatical en uso* A1, páginas 7
– *Competencia gramatical en uso* A2, páginas 7
– *Competencia gramatical en uso* B1, páginas 1

Capítulo 26
La conjunción

LAS CONJUNCIONES DE LA COORDINACIÓN

y, e, ni	Unen elementos.	*Estamos en Málaga **y** vamos a la playa.*
o, u, (ya) sea... (ya) sea, bien... bien	Indican opciones.	*¿Vamos a la playa **o** a la montaña?*
pero, sino, sin embargo	Oponen una cosa a otra.	*Le gusta jugar al fútbol, **pero** le duele la pierna.*
es decir, o sea, esto es, es más, mejor dicho	Indican aclaración.	*El señor Sánchez y la señora Ruiz, **es decir**, los profesores de español, también vendrán de excursión.*

LAS CONJUNCIONES DE LA SUBORDINACIÓN

que, si	Introducen oraciones.	*He pedido **que** me suban el desayuno.*
cuando, antes (de) que, después (de) que	Indican tiempo.	*Leía una revista **mientras** esperaba en la consulta del médico.*
como, según	Indican modo.	*Hice la tarta **según** ponía la receta.*
porque, puesto que	Indican causa.	*Aprobé el examen **porque** había estudiado mucho.*
para que, a fin de que	Indican finalidad.	*Te lo regalo **para que** te acuerdes de mí.*
así que, por (lo) tanto	Indican consecuencia.	*Estaré en casa todo el día, **así que** llámame a cualquier hora.*
si, a condición de que, a menos que	Indican una condición.	***Si** tienes más de 18 años, puedes entrar.*
más... que, menos... que, tan(to)... como	Indican una comparación entre dos elementos.	*Está **más** seco **que** el mismo desierto.*
aunque	Indican una dificultad.	***Aunque** tengo poco tiempo, haré el trabajo.*

A. LAS CONJUNCIONES DE LA COORDINACIÓN

Son una palabra o un grupo de palabras invariables que sirven para unir elementos (palabras o frases).

Y, E

1. Se utilizan para unir palabras u oraciones.
   Hoy es mi cumpleaños y quiero invitar a mis amigos.

2. Se utiliza **e** en lugar de **y** cuando la palabra siguiente empieza por **i-** o **hi-**.
   Voy a coser un botón: necesito agua e hilo.

3. Cuando hay más de dos elementos, se pone **y** o **e** solo antes del último.
   Hay cuatro estaciones: primavera, verano, otoño e invierno.

NI

1. Se usa **ni** para añadir un elemento negativo a otro elemento también negativo.
   No tengo coche ni moto.

2. Si hay varias oraciones, **ni** puede colocarse delante de cada oración.
   Ni tengo coche, ni moto.　　　　　*Ni lee, ni juega, ni ve la tele, ni nada.*

3. También puede colocarse únicamente delante de la última oración, siempre y cuando la primera comience por una palabra negativa.
   Nunca va al cine ni al teatro.

O, U

1. Se utilizan para indicar una alternativa.
   ¿Prefieres leer un libro o ver una película?

2. Se utiliza **u** en lugar de **o** cuando la palabra siguiente empieza por **o-** u **ho-**.
   ¿Quieres siete u ocho?

3. La **o** puede colocarse delante de cada opción: **o... o**.
   O te callas o te vas.

(YA) SEA... (YA) SEA, BIEN... BIEN

1. Se usan para indicar una alternativa entre dos o más cosas.
   Sea protestando, sea llorando, vendrás con nosotros de vacaciones.

2. Pueden usarse para presentar una alternativa futura en la que hay duda.

> *Tienes que elegir una carrera: **ya sea** de Ciencias **ya sea** de Letras.*

▓ PERO

Contrasta dos ideas. Puede llevar delante una afirmación o una negación. Normalmente lleva una coma delante.

> *En ese restaurante se come muy bien, **pero** es un poco caro.*
> *No habla bien español, **pero** entiende casi todo.*

▓ SINO

1. Indica una oposición. Siempre lleva una negación en la primera oración.

> *Mi coche <u>no</u> es azul, **sino** blanco.*

2. Si la oposición se efectúa entre dos oraciones con un verbo distinto, se añade **que**.

> *No he vendido el coche, **sino que** se lo he prestado a mi hermano.*

3. No... sino (que) corrige una información, es decir, niega una y la sustituye por otra.

> *Mi mujer **no** es enfermera **sino** doctora.*
> ***No** me llamó al día siguiente, **sino que** esperó una semana.*

▓ AUNQUE y SIN EMBARGO

Se usan para expresar una oposición a una información dicha anteriormente. Significan lo mismo que **pero**, pero se utilizan en un contexto más formal. **Aunque** va en medio de la frase y **sin embargo**, después de un punto.

> *Trabaja aquí desde hace poco, **aunque** ya ha tenido problemas con el director.*
> *Has hecho un excelente examen. **Sin embargo**, tienes muchas faltas de ortografía.*

▓ ES DECIR, O SEA, ESTO ES, ES MÁS, MEJOR DICHO

1. Es decir y **o sea** se usan para aclarar algo que se acaba de decir.

> *El día de la fiesta, María se puso enferma, **es decir**, no pudo ir.*

2. Es más confirma lo que se ha dicho y añade más información.

> *Ha encontrado un buen trabajo. **Es más**, ahora gana el doble.*

3. Mejor dicho se usa para corregir una información anterior o la forma de decirla.

> *Tiene clase todos los días. **Mejor dicho**, todas las tardes.*

4. Normalmente llevan una coma (o un punto) delante y otra detrás.

B. LAS CONJUNCIONES DE LA SUBORDINACIÓN

1. Las conjunciones de subordinación son palabras invariables que unen oraciones dependientes una de la otra.

2. Las conjunciones de subordinación son pocas, pero la combinación de **que** con algunas preposiciones u otras partículas aumenta el número: *para que, ya que, puesto que, porque, aunque, dado que, así que, de modo que, a fin de que, a pesar de que*, etc.

3. Las principales conjunciones y locuciones de subordinación son las siguientes:
   a) **Sustantivas**, introducen oraciones sustantivas. Son: **que** y **si**.
   > *Me dijo **que** tenía hambre.*   *Me preguntó **si** iría a la fiesta.*

   b) **Adverbiales de tiempo**: *antes (de) que, hasta que, así que, desde que, después (de) que, en cuanto, tan pronto como, una vez que, al tiempo que, a medida que, cuando, mientras (que), cada vez que, siempre que, todas las veces que*, etc.
   > ***En cuanto** llegue a casa te llamaré.*

   c) **Adverbiales de modo**: *como, según, así como, conforme*, etc.
   > *Voy a instalar la nevera **como** indican las instrucciones.*

   d) **Adverbiales de causa**: *porque, como, a fuerza de, dado que, debido a que, en vista de que, pues, puesto que, que, ya que*, etc.
   > *No te llamé **porque** no tenía tu número de teléfono.*

   e) **Adverbiales de finalidad**: *para que, a fin de que, a que, con objeto de que, por miedo a que*, etc.
   > *Te daré mi correo electrónico **para que** estemos en contacto.*

   f) **Adverbiales de consecuencia**: *de manera que, de modo que, así que, luego, tan(to)... que, por lo tanto, por consiguiente, en consecuencia, conque*, etc.
   > *Hacía **tanto** calor **que** nos fuimos a la playa.*

   g) **Adverbiales condicionales**: *si, a condición de que, a menos que, a no ser que, como, con tal de que, en (el) caso de que, no sea que, salvo que, siempre que*, etc.
   > ***Si** ganamos el siguiente partido llegaremos a la final.*

   h) **Adverbiales de comparación**:
   - De igualdad: *igual que, tan... como, tanto/a/os/as... como.*
   - De superioridad: *más... que.*
   - De inferioridad: *menos... que.*
   > *Este chico es **tan** inteligente **como** su padre.*

   i) **Adverbiales concesivas**: *aunque, a pesar de que, aun cuando, por más que, por mucho que, si bien, y eso que*, etc.
   > ***Aunque** tenían el libro de instrucciones, no supieron instalarlo.*

C. LOS VALORES DE *QUE*

▨ QUE conjunción

1. Como conjunción de subordinación, introduce oraciones sustantivas.
   *Creo **que** los abuelos vendrán esta tarde.*

2. A veces introduce una subordinada sustantiva con la oración principal omitida.
   *¿**Que** no vas a venir?* (Dices que...)   *¡**Que** te calles!* (Te digo que...)

3. Puede introducir oraciones independientes de deseo o de queja. En realidad, también son oraciones sustantivas con la principal omitida.
   ***Que** pases un buen día.* (Deseo que...)
   *¡**Que** sea yo tan desgraciado!* (No es justo que/No se entiende que...)

4. Introduce oraciones adverbiales de causa (con indicativo) y de finalidad (con subjuntivo).
   *Me quedaré en la oficina, **que** quiero terminar un trabajo.* (Causa)
   *Vete **que** no te vea aquí tu madre.* (Finalidad)

5. También puede introducir oraciones adverbiales condicionales en el habla coloquial. Equivale a **si**.
   ***Que** no te gusta, no te lo comas.*

6. Además, puede formar, con adverbios o con preposiciones, numerosas locuciones conjuntivas: *para que, ya que, puesto que, porque, dado que, así que, de modo que, a fin de que, a pesar de que,* etc.

▨ QUE pronombre relativo

1. Es el pronombre relativo más utilizado. Su antecedente en la oración puede ser un sustantivo o un pronombre.
   *La canción **que** se oye es muy bonita.*
   *Hay algunos **que** llegarán más tarde.*

2. Si no tiene antecedente, lleva siempre un artículo determinado delante.
   *Primero subirán **los que** están en la primera fila.*

Capítulo 27
La interjección

LA INTERJECCIÓN

Expresan emociones o sentimientos.	¡Ah!, ¡oh!, ¡anda!, ¡ay!, ¡bravo!, ¡vaya!, ¡bah!, ¡hum!, ¡uy!	*¡Bravo!* Lo has hecho muy bien.
Llaman la atención del interlocutor.	¡Shhh!, ¡silencio!, ¡socorro!, ¡ojo!, ¡cuidado!, ¡calma!, ¡venga!	*¡Silencio!* Hay personas estudiando.
Reflejan comportamientos sociales.	**Hola, buenos días, buenas** (saludar) **Adiós, hasta luego, nos vemos** (despedirse) **Gracias** (agradecer) **De nada, no hay de qué, a mandar** (responder al agradecimiento) **¡Felicidades!, ¡enhorabuena!** (felicitar) **¿Hola?, ¿aló?, ¿sí?, diga, ¿bueno?** (contestar al teléfono)	• *Hola*, he venido a pedirte un libro de Historia. • *Aquí tienes.* • *Gracias*. Eres muy amable. • *De nada*. Nos vemos mañana. • *Adiós*.
Describen acciones mediante imitaciones de sonidos.	**¡Zas!** (un golpe), **¡toc!** (llamada en la puerta), **¡crac!** (algo roto), **¡bla, bla!** (charla), **¡pío, pío!** (pájaro), **¡guau!** (perro), **¡miau!** (gato), **¡muac!** (un beso), **¡bang!** (un disparo)	*Yo estaba muy cansado y él no paraba de hablar: ¡bla, bla!*

Capítulo 27 La interjección

A. LAS CARACTERÍSTICAS DE LA INTERJECCIÓN

1. Es una palabra o un grupo de palabras que no forma parte de la oración y que se destaca de ella por pausas y por una entonación diferente. Se suele escribir entre signos de exclamación: ¡ !

   ¡Ay! Me has hecho daño.   *¡Vaya!* Este ejercicio está muy bien.
   ¡Eh! ¿Dónde vas por ahí?   *¡Madre mía!* Hay demasiada gente aquí.

2. Según el origen de las interjecciones, pueden dividirse en dos grupos:
   a) **Propias**, las que se emplean en la lengua de manera fija y que no tienen relación con el léxico común: ¡ay!, ¡olé!, ¡bah!, ¡ah!, ¡ale!, ¡uy!, ¡uf!, etc.
      ¡Bah! Eso no me interesa en absoluto.   *¡Uy!* Casi marcan un gol.

   b) **Derivadas**, palabras o expresiones que existen en la lengua pero que se utilizan con un sentido particular.
      - Sustantivos: ¡hombre!, ¡narices!, ¡ojo!, ¡rayos!, ¡cielos!, ¡silencio!, ¡hijo!...
        ¡Ojo! Esa pared está recién pintada.
      - Verbos: ¡vaya!, ¡anda!, ¡venga!, ¡dale!, ¡mira!, ¡toma!, ¡viva!, ¡vale!...
        ¡Venga! Camina más deprisa.
      - Adjetivos: ¡bravo!, ¡alto!, ¡claro!, ¡bueno!, ¡largo!...
        ¡Alto! Por aquí no se puede pasar.
      - Adverbios: ¡adelante!, ¡arriba!, ¡abajo!, ¡atrás!...
        ¡Adelante! Tú puedes ganar el partido.

3. Las interjecciones pueden usarse también duplicadas.
   ¡Vale, vale! No es necesario que me lo cuentes todo.
   ¡Vaya, vaya! No sabía que tocabas el piano tan bien.

B. LOS USOS DE LAS INTERJECCIONES

1. Se pueden clasificar en tres grupos:
   a) Para expresar emociones, impresiones o sentimientos:
      - **¡Ah!, ¡oh!** (Sorpresa, admiración o pena)
      - **¡Ahí va!, ¡hombre!, ¡toma (ya)!, ¡anda!** (Sorpresa)
      - **¡Ay, sí!** (Ilusión, alegría)
      - **¡Ay!** (Pena, dolor)
      - **¡Bah!** (Desprecio)
      - **¡Bravo!, ¡olé!, ¡viva!** (Entusiasmo con que se anima o se aplaude)
      - **¡Dios mío!** (Dolor, susto)
      - **¡Hum!** (Reflexión)
      - **¡Uy!** (Dolor físico)
      - **¡Jesús!** (Se usa para contestar a un estornudo)

- **¡Por Dios!** (Protesta)
- **¡Uf!** (Cansancio, tranquilidad, calor)
- **¡Vale!** (Acuerdo)
- **¡Vaya!** (Sorpresa, desagrado, desilusión)
- **¡Y dale!** (Paciencia ante una repetición)

b) Para llamar al interlocutor, animarlo o expresar advertencias:
- **¡Abajo!** (Desaprobar la acción de alguien)
- **¡Adelante!** (Dar permiso para entrar o para seguir hablando)
- **¡Arriba!** (Animar a una persona o una idea)
- **¡Atrás!** (Hacer retroceder a alguien)
- **¡Basta!** (Poner término a una acción o una discusión)
- **¡Calma!** (Tranquilizar)
- **¡Ale!, ¡ala!, ¡venga!, ¡ánimo!, ¡adelante!** (Animar o meter prisa)
- **¡Ojo!, ¡cuidado!** (Advertir de un peligro)
- **¡Shhh!, ¡silencio!, ¡chitón!** (Pedir silencio)
- **¡Socorro!, ¡auxilio!** (Pedir ayuda en un peligro)

c) Para reflejar algunos comportamientos sociales:
- **Hola, buenos días, buenas** (Saludar)
- **Adiós, hasta luego, hasta pronto, hasta la vista, hasta siempre, nos vemos** (Despedirse)
- **Gracias, mil gracias, muy agradecido/a** (Agradecer)
- **De nada, por nada, no hay de qué, a mandar, no faltaba más** (Responder al agradecimiento)
- **¡Felicidades!, ¡felicitaciones!, ¡enhorabuena!** (Felicitar)
- **¿Hola?, ¿aló?, ¿sí?, diga, dígame, ¿bueno?** (Contestar al teléfono)

d) Para describir acciones mediante imitaciones de sonidos.
- **¡Bang!** (Un disparo)
- **¡Bla, bla!** (Hablar)
- **¡Crac!** (Algo roto)
- **¡Guau!** (Perro)
- **¡Miau!** (Gato)
- **¡Muac!** (Un beso)
- **¡Pío, pío!** (Pájaro)
- **¡Toc!** (Llamada en la puerta)
- **¡Zas!** (Golpe)

2. Algunas interjecciones pueden usarse con más de un significado.
   ¡Ala! Esta habitación está muy desordenada. (Sorpresa desagradable)
   ¡Ala! Vete para casa ahora mismo. (Meter prisa)

3. También hay interjecciones que cambian de significado según se pronuncien con entonación exclamativa o interrogativa.
   ¡Hola! Hace tiempo que no nos vemos. (Saludar)
   ¿Hola? ¿Hay alguien ahí? (Llamada de atención)

5

Oraciones

28

La oración simple y compuesta

LA ORACIÓN SIMPLE

Está formada por un solo verbo y sirve para expresar una idea.

Victoria estudia Medicina.
¿Dónde vives?
¡Qué interesante es este libro!

LA ORACIÓN COMPUESTA

- **Yuxtapuestas:** varias oraciones simples separadas por algún signo de puntuación.

  Me gusta el verano: me levanto tarde, tomo el sol, leo.

- **Coordinadas:** oraciones unidas por conjunciones de coordinación (*y, ni, o, pero, sino*, etc.).

  *Hablé con Jaime **y** le conté todo.*
  *Estoy cansado **pero** no puedo dormir.*

- **Subordinadas:** oraciones que dependen de otras, llamadas principales, y dentro de ellas funcionan como un sustantivo, un adjetivo o un adverbio.

  *Quiero **que estudies más**.* (Subordinada sustantiva)
  *La foto **que me hiciste** salió mal.* (Subordinada adjetiva)
  *Llamaré a Carla **cuando vuelva a casa**.* (Subordinada adverbial)

A. LA ORACIÓN SIMPLE

1. Solo tiene un verbo en indicativo salvo en las imperativas (que suelen llevar el verbo en imperativo) y las de deseo (que lo llevan en subjuntivo).

2. Hay varias clases de oraciones simples:
   a) Oraciones afirmativas: *Tengo veinte años.*
   b) Oraciones negativas: *No hablo chino.*
   c) Oraciones interrogativas: *¿De dónde eres?*
   d) Oraciones exclamativas: *¡Qué bonita es esta ciudad!*
   e) Oraciones imperativas: *Ven con nosotros.*
   f) Oraciones de deseo: *¡Que tengas buen viaje!*

B. LAS ORACIONES AFIRMATIVAS

1. En estas oraciones se afirma la realidad o la posibilidad de un hecho.
   Me llamo Rosana.

2. La afirmación puede reforzarse con diferentes palabras.
   a) **Bien (que)**, al principio de la frase, da a la afirmación un matiz de insistencia.
   - *Has trabajado mucho esta semana.*
   - *Tú **bien que** lo sabes. Me has ayudado mucho.*

   b) **Sí (que)** añade énfasis a la afirmación.
   Sí (que) hay gente en este bar.

   c) Otros adverbios o locuciones adverbiales: *claro (que), naturalmente, lógicamente, francamente, por supuesto (que), la verdad (es) que, de veras*, etc.
   - *¿Iremos de vacaciones a la playa?*
   - ***Naturalmente** que iremos.*

C. LAS ORACIONES NEGATIVAS

1. Estas oraciones niegan la realidad o la posibilidad de un hecho. La estructura más común es **no** + *verbo*.
   *Hoy **no** lloverá.*

2. Se usa el adverbio **tampoco** cuando se responde de forma negativa a otra negación.
   - *Mañana no tengo clase.*
   - *Yo **tampoco** (tengo clase mañana).*

3. La oración negativa puede llevar reforzadores con sentido negativo. A esto se le llama **doble negación**:
   a) Un adverbio (*nunca, jamás*).

   *No volveré **jamás** a este restaurante.*

   También se usa la combinación enfática **nunca jamás**.
   *No volví a verla **nunca jamás**.*

   b) Un pronombre indefinido (*ninguno/a/os/as, nadie, nada*).
   *No ha venido **nadie** a la reunión.*
   *No me gustó **nada** esa película.*

   c) Locuciones adverbiales (*en absoluto, de ninguna manera, en mi vida...*).
   *No tienes razón **en absoluto**.*

4. El reforzador con sentido negativo también puede ir delante del verbo. En ese caso no es necesario el adverbio **no**.
   ***Jamás** volveré a este restaurante.*
   ***Nadie** ha venido a la reunión.*
   ***En absoluto** tienes razón.*

D. LAS ORACIONES INTERROGATIVAS

1. Estas oraciones se utilizan para preguntar, es decir, para pedir información. En la lengua escrita, las interrogativas se caracterizan por dos signos interrogativos, uno al principio de la pregunta y otro al final: **¿...?**
   *¿Dónde vives**?***   *¿Tienes hora, por favor**?***

2. Normalmente, en las interrogativas, el sujeto se coloca después del verbo.
   *¿De dónde es **Juan**?*   *¿Desea **usted** algo?*

   En el español del Caribe, Venezuela y Colombia, se pone el sujeto delante, especialmente cuando se trata de un pronombre personal.
   *¿Cómo **tú** te llamas?*   *¿Cuándo **ella** se marchó?*

3. Las interrogativas totales son las que solo pueden responderse con **sí** o **no**. Siempre van introducidas por un verbo.
   *¿**Vas** a casa?*

4. Las preguntas totales introducidas por **¿verdad que...?**, **¿no es cierto que...?** o **¿a que...?** sirven para confirmar, es decir, se espera siempre respuesta afirmativa.
   *¿**Verdad que** trabajas en un restaurante?*
   *¿**No es cierto que** vendiste el coche?*
   *¿**A que** este libro es mío?*

5. Muchas interrogativas totales se usan como peticiones.
   ¿Puedes abrir la ventana?
   ¿Vienes a dar un paseo?

6. Las interrogativas parciales admiten respuesta múltiple. Van introducidas por interrogativos (ver capítulo 13).

Interrogativo	Significado	Ejemplo
Qué	Pregunta por cosas o acciones.	*¿**Qué** comes?*
Por qué	Pregunta por la causa.	*¿**Por qué** has venido?*
Para qué	Pregunta por la finalidad.	*¿**Para qué** sirve eso?*
Quién, quiénes	Pregunta por personas.	*¿**Quién** es esa chica?*
Cuánto	Pregunta por la intensidad de una acción.	*¿**Cuánto** has trabajado?*
Cuánto/a/os/as	Pregunta por la cantidad.	*¿**Cuántas** sillas hay?*
Cuál, cuáles	Pregunta por la identidad de personas o cosas entre varias posibles.	*¿**Cuál** (de estos coches) te gusta más?*
Cuándo	Pregunta por el momento en que ocurre algo.	*¿**Cuándo** has estado en México?*
Cómo	Pregunta por el modo, el estado o las características de alguien o algo.	*¿**Cómo** estás?* *¿**Cómo** es tu profesora?*
Dónde	Pregunta por un lugar.	*¿**Dónde** vive tu abuela?*

E. LAS ORACIONES EXCLAMATIVAS

1. Se usan para enfatizar un sentimiento o emoción (sorpresa, alegría, miedo...). En la
   lengua escrita, se emplea un signo de exclamación al principio y otro al final: **¡...!**
   ¡Qué alegría me has dado!

2. Normalmente, las oraciones exclamativas van introducidas por exclamativos (ver
   capítulo 13).

Exclamativo		Ejemplo
Qué	(+ *adjetivo*) + *sustantivo* (+ *verbo*)	*¡**Qué** (mala) suerte (tengo)!*
	+ *adjetivo* (+ verbos *ser* o *estar*)	*¡**Qué** lindo (es)!*
	+ *adverbio* (+ *verbo*)	*¡**Qué** mal (escribe)!*
Cómo	+ *verbo*	*¡**Cómo** come!*
Cuánto	+ *verbo*	*¡**Cuánto** sabe!*
Cuánto/a/os/as	+ *sustantivo* (+ *verbo*)	*¡**Cuántos** libros (hay)!*

3. Otras estructuras de oraciones exclamativas:
   a) **¡Qué** + *sustantivo/adjetivo/adverbio* + **que** + *verbo*!
      ¡Qué pena que no puedan venir!
      ¡Qué guapo que está!
      ¡Qué lejos que vive!

   b) **¡El, la, los, las** + *sustantivo* + **que** + *verbo*!
      ¡Las tonterías que dice! = ¡Qué tonterías dice!

   c) **¡Lo** + *adjetivo/adverbio* + **que** + *verbo*!
      ¡Lo fácil que es! = ¡Qué fácil es!
      ¡Lo deprisa que viene! = ¡Qué deprisa viene!

4. En el lenguaje coloquial, es muy frecuente suprimir el verbo en las oraciones exclamativas.
¡Qué calor (hace)!	*¡Cuánto dinero (hay)!*
¡Qué tarde (es)!	*¡Qué bien (está)!*

F. LAS ORACIONES IMPERATIVAS

1. Expresan órdenes, instrucciones, consejos o prohibiciones.
   Abrid el libro por la página diez.

2. Normalmente tienen un verbo imperativo (afirmativo o negativo).
   Ven *aquí ahora mismo.*
   No llores.

   En el uso culto y cortés, se atenúa el imperativo con fórmulas como **por favor**.
   Pasen *ustedes,* **por favor**.

3. Otras maneras de construir oraciones imperativas (ver capítulo 18, apartado C):
   a) Con el presente de indicativo se puede expresar una instrucción o una sugerencia.
      Tú **te sientas** *aquí y* **esperas** *tu turno.*

   b) Con el futuro se puede expresar una petición orientada hacia el futuro.
      Saldrás *a la calle y me* **esperarás** *en el coche.*

   c) **¡A** + *infinitivo*!
      *Chicos, ¡**a comer**!*

   d) **¡Sin** + *infinitivo*! se usa en el español coloquial de España.
      *Niños, ¡**sin correr**!*
      *Oiga, por favor, ¡**sin insultar**!*

   e) **No** + *infinitivo* (en carteles y rótulos).
      No pisar *el césped.*

f) *Gerundio*.
¡Andando!

g) **Ya estás** + *gerundio*. Se usa en el habla coloquial para dar un mandato urgente e inmediato.
*Ya **te estás yendo** para el colegio.*
*Ya **estás llamándola** para disculparte.*

G. LAS ORACIONES DE DESEO

Tienen la siguiente estructura:

Que + *presente de subjuntivo*	*¡**Que** te mejores!*
Ojalá (que) + *subjuntivo*	*¡**Ojalá (que)** apruebes el examen!*
Quién + *imperfecto o pluscuamperfecto de subjuntivo*	*¡**Quién** fuera millonario!* *¡**Quién** hubiera estado allí!*

H. LA ORACIÓN COMPUESTA

La oración compuesta está formada por varios verbos seguidos, que pueden llevar o no un elemento de enlace. Estas oraciones se clasifican en:
a) Oraciones yuxtapuestas.
b) Oraciones coordinadas.
c) Oraciones subordinadas.

I. LAS ORACIONES SUBORDINADAS

La oración subordinada depende de otra llamada principal y dentro de ella funciona como un sustantivo, un adjetivo o un adverbio. Por eso, se clasifican en:
a) **Subordinadas sustantivas** (ver capítulo 29). Funcionan como un sustantivo, un grupo nominal o un pronombre. Se pueden sustituir por un pronombre.
*Creo **que hoy lloverá**. = Creo **eso**. = **Lo** creo*

b) **Subordinadas adjetivas** (ver capítulo 30). Funcionan como un adjetivo y complementan a un sustantivo que está en la oración principal. Se pueden sustituir por un adjetivo.
*El <u>libro</u> **que estás leyendo** es de un escritor peruano. = **Este** libro es de un escritor peruano. = El libro **actual** es de un escritor peruano.*

c) **Subordinadas adverbiales** (ver capítulo 31). Funcionan como un adverbio y, por tanto, se pueden sustituir por uno.
*Me senté **donde me dijeron**. = Me senté **allí**.*

Para practicar:
– *Competencia gramatical en uso* A2, páginas 102-105.
– *Competencia gramatical en uso* B1, páginas 146-151.
– *Competencia gramatical en uso* B2, páginas 58-75.

Capítulo 29
Las oraciones sustantivas

LAS ORACIONES SUSTANTIVAS CON INFINITIVO

Se introducen sin nexo. Se usan cuando el sujeto de la oración principal y el sujeto de la sustantiva es el mismo.

> *Me encanta* **tomar el sol en la playa.**

O cuando no especificamos el sujeto, sino que se habla en general.

> *Es muy bueno* **comer frutas y verduras.**

CON INDICATIVO O SUBJUNTIVO

Se introducen con **que** y usa el indicativo si son afirmativas y el subjuntivo si son negativas.

> *Creo* **que vive en el centro.**
> *No creo* **que viva en el centro.**

Se usa siempre el indicativo en las interrogativas aunque sean negativas.

> *¿No recuerdas* **que vive en la calle Aribau**?

Se utiliza siempre el subjuntivo con los verbos de deseo (*desear, querer, necesitar...*) o sentimiento (*gustar, molestar, divertir, encantar, lamentar, sentir...*).

> *Necesito* **que me ayudes.**
> *Me gusta* **que vengas.**

LAS INTERROGATIVAS INDIRECTAS

Se introducen por **(que) si** o por un interrogativo (*qué, cuál, quién, dónde, cómo...*) y casi siempre van en indicativo.

> *Me preguntó* **si Maite estaba en mi casa.**
> *No recuerdo* **dónde vive Ernesto.**

EL ESTILO INDIRECTO

Consiste en reproducir las palabras pronunciadas por alguien.

> *Dijo* **que necesitaba un bolígrafo rojo.**

g Capítulo 29 Las oraciones sustantivas

A. LAS CARACTERÍSTICAS DE LAS ORACIONES SUSTANTIVAS

1. Funcionan como un sustantivo. Se pueden sustituir por un pronombre neutro.
*Dice **que hace frío**. (= Dice **eso**)*

2. Pueden llevar el verbo en infinitivo, en indicativo o en subjuntivo.
*Me gusta **leer** novelas de aventuras. (Infinitivo)*
*Creo que **estoy** enfermo. (Indicativo)*
*Necesito que **vengas** a mi casa. (Subjuntivo)*

3. Si es de infinitivo, se introduce sin nexo. Si es de indicativo o subjuntivo, se introduce con **que, si** o un interrogativo (*qué, cuál, quién, dónde...*).
No quiero cenar esta noche.
*Quiero **que** esta noche cenemos en un buen restaurante.*
*Mi mujer me pregunta **si** saldremos a cenar esta noche.*
*Me ha preguntado **dónde** cenaremos esta noche.*

B. LAS ORACIONES SUSTANTIVAS CON INFINITIVO

1. Se usan cuando el sujeto de la oración principal y el de la sustantiva es el mismo:
a) Con verbos de pensamiento u opinión: *pensar, creer, parecerle (a alguien)...*
*Pienso **estudiar** Medicina.*
*Me pareció **ver** a tu hermano en el cine.*

b) Con verbos de sentimiento: *gustar, doler, divertir, alegrar, aburrir, sentir, temer...*
*Me divierte **jugar** con mis hijos.*

c) Con verbos de deseo: *necesitar, querer, conseguir, intentar, desear...*
*Necesito **aprobar** el próximo examen.*

d) Con verbos de habla: *decir, afirmar, explicar, contestar, responder, contar, asegurar, comentar, informar, narrar, repetir, señalar...* Es poco frecuente y normalmente literario.
*Aseguró **conocer** toda la verdad.*

2. También se utiliza el infinitivo cuando no especificamos el sujeto de la oración subordinada, sino que se habla en general, o cuando el sujeto de la sustantiva queda expreso en la oración principal mediante un pronombre:

a) Con verbos de consejo: *aconsejar, sugerir, recomendar...*
*Recomiendo **llevar** ropa cómoda. (En general)*
***Te** recomiendo **llevar** ropa cómoda. (A ti)*

b) Con verbos de prohibición u obligación: *prohibir, permitir, ordenar, obligar...*
*El profesor prohibió **hablar** en clase. (En general)*
*El profesor **les** prohibió **hablar** en clase. (A ellos)*

c) Con verbos y expresiones de obligación o de conveniencia: *convenir, bastar, faltar, quedar, es necesario, es preciso, hace falta...*

> *Conviene **hacer** ejercicio todos los días.* (En general)
> ***Nos** conviene hacer ejercicio todos los días.* (A nosotros)

d) Con los verbos **ser** o **parecer** seguidos de un adjetivo o adverbio que expresa opinión: *es/parece divertido, interesante, importante, injusto, lógico, mejor, natural, probable, posible, recomendable, una vergüenza...*

> *Parece divertido **pasear** en barco.* (En general)
> ***Le** parece divertido **pasear** en barco.* (A él)

C. LAS ORACIONES SUSTANTIVAS CON INDICATIVO O CON SUBJUNTIVO

1. Se usa **que** + *indicativo* o *subjuntivo* cuando se especifica el sujeto de la oración sustantiva (aunque sea el mismo) o cuando los sujetos de las dos oraciones son distintos, el indicativo en las oraciones afirmativas y el subjuntivo en las oraciones negativas:

a) Con verbos de habla y transmisión de información: *decir, explicar, afirmar, contestar, responder, contar, preguntar, asegurar, comunicar, confirmar...*

> *Ernesto asegura que Lidia **vendrá**.*
> *Ernesto no asegura que Lidia **venga**.*

b) Con verbos de percepción: *ver, oír, sentir, notar, darse cuenta de, observar...*

> *Noto que **estás** cansada.*
> *No noto que **estés** cansada.*

c) Con verbos de pensamiento: *pensar, creer, comprender, opinar, recordar, imaginar...*

> *Recuerdo que **vivías** una casa grande.*
> *No recuerdo que **vivieras** en una casa grande.*

d) Con los verbos y expresiones para constatar hechos: *constar, es verdad, es evidente, está claro, está demostrado...*

> *Es verdad que **tiene** ochenta años.*
> *No es verdad que **tenga** ochenta años.*
> *Me consta que **está estudiando** dos carreras.*
> *No me consta que **esté estudiando** dos carreras.*

Observación: los verbos **decir** y **sentir** cambian de significado según vayan con indicativo o subjuntivo.

e) **Decir** con indicativo significa «informar» y con subjuntivo «pedir o rogar».

> *Me dijo que **conocía** a mi abuelo.*   *Me dijo que **viniera** sola.*

f) **Sentir** con indicativo significa «notar, percibir» y con subjuntivo «lamentar».

> *Siento que el agua **está** muy fría.*   *Siento mucho que **estés** enfermo.*

2. Se usa siempre el indicativo:

a) Si el verbo de la oración principal está en la forma negativa del imperativo.

*No digas que **somos** extranjeros.*
*No creáis que **hemos terminado** el trabajo.*

b) En las oraciones interrogativas aunque sean negativas.

*¿No ves que **hay** mucha gente?*

3. Se usa siempre el subjuntivo con los verbos de deseo (*desear, querer, necesitar...*) o sentimiento (*gustar, molestar, divertir, aburrir, temer, encantar, lamentar, sentir...*) cuando los sujetos de las dos oraciones son distintos.

*Quiero que todos los alumnos **aprueben** el próximo examen.*
*Me encanta que me **escuchen** todos.*
*No me molesta que los niños **hagan** ruido.*

4. También se usa siempre el subjuntivo:

a) En las construcciones impersonales que expresan obligación dirigidas a alguien en concreto: *convenir, bastar, faltar, es necesario, es preciso, hace falta...*

*Conviene que **terminen** el trabajo hoy mismo.*

b) Con los verbos **ser** o **parecer** seguidos de un adjetivo que expresa opinión dirigida a alguien en concreto: *es/parece divertido, interesante, importante, injusto, lógico, mejor, natural, probable, posible, recomendable, una vergüenza,...*

*Parece importante que **visitemos** ese museo.*

c) Con verbos de consejo (*aconsejar, sugerir, recomendar...*) y prohibición u obligación (*prohibir, permitir, ordenar, obligar...*).

*Te aconsejo que **hables** poco en la reunión.*
*Te prohíbo que **utilices** mi ordenador.*

D. LAS INTERROGATIVAS INDIRECTAS

1. Se introducen por **(que) si** o por un pronombre interrogativo (*qué, cuál, quién, dónde...*).

*Pregúntale **(que) si** quiere café.*   *No me dijo **dónde** vivía.*

2. Se forman con verbos de habla (*decir, explicar, afirmar, contestar, responder, contar, preguntar, asegurar, comunicar, confirmar...*) o con verbos de pensamiento (*pensar, creer, saber, comprender, entender, imaginar...*). Y van casi siempre con indicativo.

***Dime** dónde **están** las llaves.*   *No **sé** si Pilar **vendrá** a cenar esta noche.*

Observación: No deben confundirse con una oración condicional introducida por **Si** (ver capítulo 31, apartado G).

*Mi madre me preguntó **si** había aprobado el examen de inglés.*
***Si** apruebo el examen de inglés me darán el trabajo de recepcionista.*

3. Se usan con infinitivo cuando el sujeto de las dos oraciones es el mismo.

   *No sabemos dónde **comer** hoy.*

E. EL ESTILO INDIRECTO

1. Consiste en reproducir las palabras pronunciadas por otra persona.

Reproducir información	**Decir**	**+ que**
Reproducir preguntas	**Preguntar (que)**	**+ si** + *interrogativo (qué, cuál, quién, dónde...)*

Me gusta mucho ese libro.　　　*Dijo que le gustaba mucho ese libro.*
¿Estás leyendo este libro?　　　*Pregunta si estás leyendo este libro.*
¿Qué libros leerás este verano?　　*Me pregunta qué libro leeré este verano.*

2. Al reproducir las palabras de alguien pueden producirse algunos cambios.

Yo/Tú/Nosotros	Él/Yo/Ellos
Yo *soy de Nicaragua.*	*Dice que **él** es de Nicaragua.*
*¿**Tú** eres María?*	*Pregunta (que) si **yo** soy María.*
***Nosotros** no vamos a clase.*	*Dicen que **ellos** no van a clase.*
Me o mí/Te o ti/Nos	**Le o él/Me o mí/Les**
*(**A mí**) **me** encanta el esquí.*	*Dice que (**a él**) **le** encanta el esquí.*
*(**A ti**) **te** esperan en casa.*	*Dice que (**a mí**) **me** esperan en mi casa.*
***Nos** vieron en el parque.*	*Dicen que **les** vieron en el parque.*
Mi/Mío/Tu/Tuyo/Nuestro	**Su/Suyo/Mi/Mío/Nuestro**
*He perdido **mi** sombrero.*	*Dice que ha perdido **su** sombrero.*
*¿El sombrero es **tuyo**?*	*Pregunta si el sombrero es **mío**.*
***Nuestro** coche es pequeño.*	*Dicen que **su** coche es pequeño.*
Este	**Este/Ese/Aquel**
***Este** ordenador es nuevo.*	*Dice que **ese** ordenador es nuevo.*
Aquí	**Allí**
***Aquí** no hay nadie.*	*Dice que **allí** no hay nadie.*
Hoy/Ahora	**Aquel día/en aquel momento**
***Hoy** no he desayunado.*	*Dijo que **aquel día** no desayunó.*
***Ahora** estoy ocupado.*	*Dijo que **en aquel momento** estaba ocupado.*
Ayer/El lunes, la semana pasada	**El día, el lunes, la semana anterior**
***Ayer** empecé las vacaciones.*	*Dijo que **el día anterior** había empezado las vacaciones.*

Mañana/El mes próximo/El año que viene	El día, la semana, el año siguiente
El mes próximo llegará mi hermano de Brasil.	Dijo que **el mes siguiente** llegaría su hermano de Brasil.
Ir/Venir/Traer/Llevar	**Venir/Ir/Llevar/Traer**
Mañana **iré** a tu oficina y te **llevaré** el informe.	Dice que mañana **vendrá** a mi oficina y me **traerá** el informe.

3. También se producen cambios verbales según en qué tiempo o modo esté el verbo que introduce el estilo indirecto:

a) Si está en presente, no cambia el tiempo verbal, excepto si se reproduce una oración imperativa, que se reproduce en subjuntivo.

Hablas demasiado.	Dice que **hablo** demasiado.
Estuvimos aquí ayer.	Dice que **estuvieron** allí el día anterior.
Ojalá **venga** Susana.	Dice que ojalá **venga** Susana.
Ven y **siéntate.**	Dice que **vengas** y **te sientes.**

b) En pasado, cambian los tiempos verbales de la siguiente manera:

Presente de indicativo	Presente o imperfecto de indicativo
Tengo dos hijos.	Dijo que **tiene/tenía** dos hijos.
Pretérito perfecto compuesto de indicativo	Pluscuamperfecto de indicativo
He hecho todo el trabajo.	Dijo que **había hecho** todo el trabajo.
Futuro	Futuro o condicional simple
Leeré el informe.	Dijo que **leerá** el informe. (Si la acción no ha sucedido) Dijo que **leería** el informe. (Si la acción ya ha sucedido)
Futuro compuesto	Futuro o condicional compuesto
Habré dormido unas diez horas.	Dijo que **habrá/habría dormido** unas diez horas.
Presente de subjuntivo	Imperfecto de subjuntivo
¡Que **tengas** un buen día!	Dijo que **tuviera** un buen día.
	Imperfecto o condicional simple
Quizás **venga** mi hermano.	Dijo que quizás **viniera/vendría** su hermano.
Pretérito perfecto de subjuntivo	Pluscuamperfecto de subjuntivo
Quizá lo **haya hecho** ella sola.	o condicional compuesto Dijo que quizá lo **hubiera/habría hecho** ella sola.
Imperativo	Imperfecto de subjuntivo
Pasa y **siéntate,** por favor.	Dijo que **pasara** y **me sentara.**
No **hables** ahora.	Dijo que no **hablara** en aquel momento.

Capítulo 30
Las oraciones adjetivas

Para practicar:
- *Competencia gramatical en uso* A1, páginas 86-89.
- *Competencia gramatical en uso* A2, páginas 106-109.
- *Competencia gramatical en uso* B1, páginas 140-145.
- *Competencia gramatical en uso* B2, páginas 76-81.

(Antecedente)	pronombre relativo (*que, quien, donde...*)	+ *indicativo* o *subjuntivo*

- *Los libros* **que leo normalmente** *son de Historia*. (Con antecedente)
- *Pues yo leo solo* **los que me regalan**. (Sin antecedente)

- **Oraciones adjetivas especificativas:** se usan para definir o localizar a la persona, el animal, el objeto o el lugar del que hablamos.
  Llevé bocadillos a los chicos **que estaban estudiando.**
  (No llevé bocadillos a todos, solo a los que estaban estudiando)

- **Oraciones adjetivas explicativas:** se usan para dar detalles o aclarar de qué persona, animal, objeto o lugar hablamos. Van entre comas y hay pausas en la entonación.
  Llevé bocadillos a los chicos, **que estaban estudiando**.
  (Llevé bocadillos a todos los chicos, porque estaban estudiando)

LAS ORACIONES ADJETIVAS CON INDICATIVO O SUBJUNTIVO

- Las oraciones explicativas se construyen siempre con indicativo.
  Los ordenadores de esta oficina, que **son** *muy viejos, funcionan mal.*

- Las oraciones especificativas van en indicativo cuando hablamos de alguien o algo específico y conocido.
  He estado en un hotel que **tiene** *vistas al mar.*

- Y van en subjuntivo cuando hablamos de alguien o algo desconocido o hipotético.
  Estoy buscando un hotel que **tenga** *vistas al mar.*

Capítulo 30 Las oraciones adjetivas

A. LAS CARACTERÍSTICAS DE LAS ORACIONES ADJETIVAS

1. Funcionan como un adjetivo y complementan a un sustantivo (antecedente) expreso o no.

   *La <u>mujer</u> **que lleva un sombrero rojo** es la directora.*
   *Vamos a cenar al <u>restaurante</u> **donde trabaja mi hermano**.*

2. Van introducidas por un pronombre relativo: *que, quien, donde*, etc., (ver capítulo 12).

   *El chico de **quien** te hablé no ha venido a la fiesta.*

B. LOS TIPOS DE ORACIONES ADJETIVAS

1. Las **especificativas** se usan para definir o localizar. No hacemos pausa en la entonación y no se escriben entre comas.

   *El profesor regaló un libro a los estudiantes **que habían aprobado**.*
   (No regaló un libro a todos, solo a los que habían aprobado)

2. Las **explicativas** se usan para dar detalles o aclarar de qué hablamos. Van separadas del antecedente por comas y hacemos pausa en la entonación.

   *El profesor regaló un libro a los estudiantes, **que habían aprobado**.*
   (Regaló un libro a todos los estudiantes, porque habían aprobado)

C. LAS ORACIONES ADJETIVAS CON INDICATIVO O CON SUBJUNTIVO

1. Las oraciones explicativas se construyen siempre con indicativo.

   *Los ordenadores de esta oficina, que **son** muy viejos, funcionan mal.*

2. En las oraciones especificativas se usa el indicativo cuando hablamos de personas, animales, objetos o lugares específicos y conocidos.

   *He comprado un apartamento que **tiene** dos cuartos de baño.*
   *Aquí hay alguien que te **conoce** muy bien.*

3. Y se usa el subjuntivo cuando hablamos de personas, animales, objetos o lugares no específicos, desconocidos o hipotéticos.

   *Busco a una secretaria que **hable** inglés y portugués.*
   *Necesito una casa que **tenga** garaje y jardín.*

4. También cuando negamos o preguntamos por la existencia de algo o alguien.

   *En la academia **no hay** ningún profesor que **enseñe** chino.*
   *¿Tiene usted ordenadores que **funcionen** con la voz?*

Gramática del español lengua extranjera

g

Para practicar:
- *Competencia gramatical en uso* A1, páginas 82-85.
- *Competencia gramatical en uso* A2, páginas 110-117.
- *Competencia gramatical en uso* B1, páginas 124-139.
- *Competencia gramatical en uso* B2, páginas 82-133.

Capítulo 31
Las oraciones adverbiales

Funcionan como un adverbio y, por tanto, normalmente se pueden sustituir por uno.

Cuando terminé el trabajo, *me fui a casa.*   *(=* **Entonces** *me fui a casa)*

CLASES DE ORACIONES ADVERBIALES

a) Oraciones de tiempo.
Cuando llegues a casa, *llámame por teléfono.*

b) Oraciones de lugar.
Ayer estuvimos **donde nos dijiste.**

c) Oraciones de modo.
Haz la ensalada **como te enseñé.**

d) Oraciones de causa.
No fui a clase **porque estaba enfermo.**

e) Oraciones de finalidad.
Hablaré despacio **para que me entendáis bien.**

f) Oraciones de consecuencia.
Está lloviendo, **así que llévate el paraguas.**

g) Oraciones condicionales.
Si tienes hambre, *puedes comer otro plato de paella.*

h) Oraciones comparativas.
El vestido negro es **más elegante que el azul.**

i) Oraciones concesivas.
Aunque llueva, *iremos de excursión.*

g Capítulo 31 Las oraciones adverbiales

A. LAS ORACIONES DE TIEMPO

1. Se usan para indicar el momento en que ocurre la acción.
   Cuando llego a la oficina, leo el periódico. (Acción habitual)
   Cuando llegue a la oficina, leeré el periódico. (Acción futura)

2. Pueden ir delante o detrás de la oración principal.
   Mientras espero escucharé música. = Escucharé música *mientras espero*.

3. **Cuando** es el conector temporal más general. Usos:
   a) Con presente de indicativo, indica que dos acciones simultáneas son habituales.
   Cuando estudio, siempre escucho música.

   b) Con pretérito perfecto simple (o indefinido), indica una acción pasada en un contexto pasado o dos acciones consecutivas (una después de la otra).
   Cuando me llamaste, estaba en la ducha.
   Cuando me llamaste, me sorprendiste, no esperaba tu llamada.

   c) Con imperfecto, expresa una acción habitual del pasado o señala una acción simultánea a otra en el pasado.
   Cuando vivía en Madrid, tenía un apartamento muy pequeño.

   d) Con presente de subjuntivo, se refiere a momentos futuros.
   Cuando termine este trabajo, me iré a casa.

4. Hay otros conectores temporales:
   a) Acciones simultáneas (al mismo tiempo)

Mientras Mientras tanto Entre tanto	+ indicativo /subjuntivo	Yo hago la cama *mientras* tú preparas el desayuno.

   Si se refiere al pasado, va en imperfecto. Si se refiere al futuro, en subjuntivo.
   Mientras tú preparabas el desayuno, yo he hecho la cama.
   Mientras tú prepares el desayuno, yo haré la cama.

   b) Acciones consecutivas (primero una y luego la otra)

	+ infinitivo	*Antes de* venir, compra el pan, por favor. Quedaré con Inés *después de* salir de clase.
Antes de Después de	+ **que** + subjuntivo	Te diré una cosa *antes de que* venga Pedro. Deje su mensaje *después de que* suene la señal.
Al	+ infinitivo	*Al oír* la señal, todos empezaron a jugar.

Apenas Así que En cuanto No bien Tan pronto como	+ indicativo/ subjuntivo	*Tan pronto como* termine este trabajo, me iré a casa. Te diré una cosa *en cuanto* venga Pedro. Deje su mensaje *así que* suene la señal.

Antes de y **después de** presentan una acción como anterior o como posterior a otra. Van con infinitivo cuando los sujetos de las dos oraciones son los mismos.

Antes de venir compra el pan, por favor.
Quedaré con Inés después de salir de clase.

Antes de que y **después de que** + *presente de subjuntivo* se usan cuando los sujetos son diferentes.

Te diré una cosa antes de que venga Pedro.
Deje su mensaje después de que suene la señal.

Al se utiliza siempre con infinitivo.

Al oír la señal, todos empezaron a jugar.

c) Límite de la acción

Hasta	+ infinitivo	Estudiaré *hasta* aprender todo el tema.
	+ **que** + indicativo	Siempre espero aquí *hasta que* viene mi madre.
	+ **que** + subjuntivo	No me iré *hasta que* me reciba la directora.

Desde	+ **que** + indicativo	*Desde que* vivo solo soy más feliz.
	+ **hace** + cantidad de tiempo	Vivo solo *desde hace* dos meses.

Hasta presenta la acción como el final de otra. Se utiliza con infinitivo cuando el sujeto de las dos oraciones es el mismo.

Estudiaré hasta aprender todo el tema.

Hasta que se usa cuando el sujeto de los dos verbos es diferente:

• Con presente de indicativo para indicar que son dos acciones habituales.

Siempre espero aquí hasta que viene mi madre.

• Con el pretérito perfecto simple (o indefinido) para señalar dos acontecimientos pasados.

Me quedé en casa hasta que me llamó Mónica.

- Con el pretérito imperfecto de indicativo para hablar de acciones habituales del pasado.

  *Antes estábamos en la playa **hasta que** se iba el sol.*

- Con el presente de subjuntivo se refiere a acciones futuras.

  *No me iré **hasta que** me reciba la directora.*

Desde que se utiliza para presentar una acción como el inicio de otra.

*
Desde que vivo solo, soy más feliz.*

Y **desde hace** para expresar la duración de una acción empezada en el pasado.

*Vivo en Chile **desde hace** dos meses.*

B. LAS ORACIONES DE LUGAR

1. Describen o especifican el lugar donde ocurre la acción. Pueden ser sustituidas por un adverbio de lugar (*aquí, ahí, allí*, etc.).

   *Iré **adonde** me digan. (= Iré **allí**)*

2. Los conectores de lugar son:

Donde Adonde	+ *indicativo/ subjuntivo*	*Me gusta estudiar **donde** hay silencio. Iré **adonde** me digan.*

3. Van con el verbo en indicativo cuando se refieren a un lugar conocido.

   *Me gusta estudiar **donde** no **se oye** el ruido del tráfico. Por eso voy a una biblioteca a las afueras.*

4. Y en subjuntivo cuando se refieren a un lugar no conocido o que no existe.

   *Me gusta estudiar **donde** no se **oiga** el ruido del tráfico. ¿Sabes dónde puedo ir?*

5. Pueden considerarse un caso especial de oraciones adjetivas. Se confunden con ellas cuando el antecedente al que se refieren es un sustantivo.

   *¿Por qué no vamos a la <u>cafetería</u> **donde** desayunamos ayer?*

C. LAS ORACIONES DE MODO

1. Expresan la manera en que se realiza o debe realizarse una acción. Pueden ser sustituidas por el adverbio **así**.

   *Utiliza los cubiertos **como te he enseñado**. (= Utiliza los cubiertos **así**)*

2. Los conectores de modo son:

Como Según Conforme	+ indicativo	Utiliza los cubiertos **como** te he enseñado. Haré el ejercicio **según** me explicó el profesor. Dejamos todo **conforme** estaba.
	+ subjuntivo	Haz la paella **como** a ti te guste. Ordenaré los libros **según** me explique el bibliotecario. Rellene este documento **conforme** le indiquen.
Como si	+ subjuntivo	Escribe **como si** tuviera ocho años.

3. **Como**, **según** y **conforme** se usan con indicativo cuando se expresa un modo conocido y con subjuntivo, para expresar un modo desconocido.

   Haré el ejercicio **según** me explicó el profesor. (El profesor ya me explicó el modo)

   Ordenaré los libros **según** me indique el bibliotecario. (El bibliotecario no me ha explicado todavía el modo)

4. Con estos conectores, puede suprimirse el verbo de la oración de modo cuando es el mismo verbo de la oración principal.

   Mi madre cocina **como** (cocina o cocinaba) mi abuela.

5. **Conforme** se usa sobre todo en el lenguaje formal.

6. **Como si** se utiliza para hacer comparaciones irreales o supuestas.

   Habla **como si** fuera extranjero.

D. LAS ORACIONES DE CAUSA

1. Expresan el motivo de una acción. El conector más utilizado es **porque** y normalmente va en medio de la frase.
   - ¿Por qué has venido solo?
   - He venido solo **porque** mi mujer está trabajando.

2. Otros conectores para expresar la causa son:

Acontecimiento +	porque por es que debido a que lo que pasa es que	+ causa	No salimos **porque** estaba lloviendo. Lo despidieron **por** llegar tarde. No he terminado el trabajo. **Es que** no tuve tiempo. Le contrataron **debido a que** tenía un gran currículum.

Capítulo 31 Las oraciones adverbiales

Como Puesto que Ya que Dado que En vista de que Gracias a (que) Por culpa de (que) A fuerza de Con motivo de	+ causa	+ acontecimiento	*Como* estaba lloviendo, no salimos. *Puesto que* había obras en la carretera, llegó tarde a la oficina. *Dado que* hay crisis en el país, bajaremos los precios. *Ya que* has venido pronto, podrías ayudarme a preparar la comida. *Gracias a* tu ayuda he aprobado el examen. *En vista de que* está lloviendo, cancelaremos el concierto. *Con motivo de* las fiestas, las tiendas se cerrarán al mediodía.

3. **Es que** presenta la causa como una excusa de algo.
   *No he terminado el trabajo. **Es que** no tuve tiempo.*

4. **Como** expresa que una situación es la causa previa (por eso va siempre al comienzo de la frase).
   *Vamos de excursión todos los domingos **porque** nos encanta la montaña.*
   ***Como** nos encanta la montaña, vamos de excursión todos los domingos.*

5. **Por** expresa la causa de un acontecimiento negativo. Normalmente va seguido de infinitivo, pero también puede ir seguido de un sustantivo, un pronombre o un adjetivo.
   *No me gusta este restaurante **por el ruido** que hay.*
   *Me he presentado al concurso **por vosotros**.*
   *Esas cosas le pasan **por inocente**.*

6. **Debido a que**, **puesto que** y **dado que** expresan la causa de algo en un lenguaje más formal y se usan más en la lengua escrita.
   *La contrataron como secretaria **debido a que** tenía un gran currículum.*

   Puesto que y **dado que** suelen ir al comienzo de la frase.
   ***Puesto que** había obras en la carretera, llegó tarde a la oficina.*
   ***Dado que** hay crisis en el país, bajaremos los precios.*

7. **Ya que** se usa para expresar una causa conocida. Generalmente va al comienzo de la frase.
   ***Ya que** has venido pronto podrías ayudarme a preparar la comida.*

8. **En vista de que** presenta la causa como algo evidente o que se puede comprobar. Normalmente va al comienzo de la frase y seguido de indicativo.
   ***En vista de que** está lloviendo, cancelaremos el concierto.*

Gramática del español lengua extranjera

9. **Gracias a (que)** expresa la causa como algo bien aceptado y **por culpa de (que)** como algo mal aceptado. Se utilizan seguidos de infinitivo o de **que** e indicativo. Normalmente van al comienzo de la frase.

> *Gracias a mis padres he podido estudiar en la universidad.*
> *Gracias a que te esperamos no te perdiste.*
> *Por culpa del tráfico no llegué a tiempo.*
> *Por culpa de que iba mal vestido no le dejaron entrar en el restaurante.*

10. **Lo que pasa es que** presenta la causa de un problema. Va seguido de un verbo en indicativo.

> • *¿Por qué no comes nada? ¿No te gusta la comida?*
> • *No, lo que pasa es que no tengo hambre.*

11. **A fuerza de** expresa la causa de algo que es el resultado de un esfuerzo, un interés o una intención. Se usa seguido de infinitivo. Normalmente va al comienzo de la frase.

> *A fuerza de ir todos los días a la puerta de la oficina consiguió el trabajo.*

12. **Con motivo de** expresa que la causa es un acontecimiento determinado (una fiesta, una celebración, un aniversario, un cumpleaños, etc.). Equivale a «con ocasión de».

> *Con motivo del décimo aniversario celebraremos una fiesta.*

E. LAS ORACIONES DE FINALIDAD

1. Expresan el objetivo o finalidad, es decir, lo que se quiere conseguir de una acción. También expresan la utilidad de un objeto.

> • *¿Para qué traes esos libros?*   • *¿Para qué sirve esto?*
> • *Para repartirlos entre los alumnos.*   • *Para abrir botellas.*

2. Los conectores de finalidad son:

Para	+ *infinitivo*	*Necesitamos un taxi grande para ir al aeropuerto.*
A Con el objeto de A fin de	**que** + *subjuntivo*	*Te he traído esta bicicleta **para que** hagas deporte.*

3. El conector más habitual es **para**. Se utiliza con infinitivo cuando el sujeto es el mismo en las dos oraciones.

> *Necesitamos (nosotros) un taxi grande **para llevar** (nosotros) todas las maletas.*

4. Se usa seguido de **que** y subjuntivo cuando el sujeto es diferente en las dos oraciones.

> *He comprado (yo) esta caja **para que guardes** (tú) todos los juguetes.*

a) Va con presente de subjuntivo para expresar una consecuencia en el presente y en el futuro.

*Te he traído esta bicicleta **para que hagas** deporte.*

b) Va con imperfecto de subjuntivo para expresar una consecuencia en el pasado.

*Lo llamé **para que viniera** a la fiesta.*

5. Otros conectores para expresar la finalidad son:

a) **A (que)** se usa con verbos de movimiento (*ir, venir, salir...*) para indicar la finalidad de ese movimiento.

*Hemos venido **a** descansar.*
*Saldremos **a que** nos dé un poco el aire.*

b) **Con el objeto de** y **a fin de que** se utilizan en el lenguaje formal y en la lengua escrita.

*Se convocó la reunión **con el objeto de** organizar el viaje del director.*
*Mis padres me pagan la universidad **a fin de que** yo tenga un buen futuro.*

F. LAS ORACIONES DE CONSECUENCIA

1. Expresan las consecuencias, los efectos de una acción. Pueden expresar consecuencias personales o deducciones lógicas.

*No me gustaba la película, **así que** me salí del cine.* (Consecuencia personal)
*No hay luz en el edificio, **entonces** el ascensor no funciona.* (Deducción lógica)

2. Los conectores de consecuencia más frecuentes son:

Así (es) que **Entonces** **Por eso** **Por (lo) tanto** **Por consiguiente** **De manera que**	+ *indicativo* /*imperativo*	*No me gustaba la película, **así que** me salí del cine.* *No hay luz en el edificio, **entonces** el ascensor no funciona.* *No entiende inglés, **por lo tanto** háblale en español.*
De ahí que	+ *subjuntivo*	*Gana poco dinero, **de ahí que** viva en una casa muy pequeña.*

Tan + *adjetivo/ adverbio* + **que** **Tanto/a/os/as** + *sustantivo* + **que** *Verbo* + **tanto que**	+ *indicativo*	*Es **tan estudioso que** aprueba todos los exámenes.* *Su casa está **tan lejos que** nunca vamos.* *Tiene **tantos libros que** no le caben en casa.* ***Sabe tanto que** todo el mundo le pregunta.*

Así (es) que, **entonces**, **por eso**, **por (lo) tanto** y **por consiguiente** pueden ir seguidos de un verbo en indicativo (presente, pretérito o futuro) o en imperativo.

*Solo habla español **así es que** irá a Londres con un traductor.*
*No entiende inglés, **por lo tanto** háblale en español.*

De ahí que es el único que se emplea con subjuntivo.

*Gana poco dinero, **de ahí que** viva en una casa muy pequeña.*

Tan + *adjetivo/adverbio* + **que**, **tanto/a/os/as** + *sustantivo* + **que** y *verbo* + **tanto que** expresan la consecuencia del grado o modo en que se realiza lo expresado en la oración principal.

*Es **tan estudioso que** aprueba todos los exámenes.*
(= Es estudioso, por eso aprueba todos los exámenes)
*Su casa está **tan lejos que** nunca vamos.*
(= Su casa está muy lejos, así que nunca vamos)
*Tiene **tantos libros que** no le caben en casa.*
(= Tiene muchos libros, así que no le caben en casa)
***Sabe tanto que** todo el mundo le pregunta.*
(= Sabe mucho, por consiguiente todo el mundo le pregunta)

G. LAS ORACIONES CONDICIONALES

Oraciones condicionales introducidas por SI

Si	+ presente de indicativo + perfecto de indicativo	+ presente	*Si viajas, conoces a mucha gente.*
		+ futuro	*Si cambias de trabajo estarás menos estresada.*
		+ imperativo	*Si quieres cambiar tu vida, cásate.*
	+ imperfecto de subjuntivo	+ condicional simple	*Si me tocara la lotería dejaría de trabajar.*
	+ pluscuamperfecto de subjuntivo	+ condicional compuesto o pluscuamperfecto de subjuntivo	*Si hubieras llegado antes, te habrían (o hubieran) regalado un libro.*
		+ condicional simple	*Si hubieras llegado antes, ahora tendrías un libro.*

1. Se usa **si** con indicativo para expresar que la acción es probable o posible que se cumpla en el presente o en el futuro. El pretérito perfecto compuesto indica que la condición es una acción pasada.

Si viajas, conoces a mucha gente.
Si cambias de trabajo, estarás menos estresada.
Si has viajado mucho, tienes amigos en todo el mundo.

a) Si después va presente de indicativo, se expresan acciones generales o habituales.
*Si tiene mucho trabajo, no **contesta** al teléfono.*

b) Si después va futuro, se expresan acciones que pueden ocurrir en el futuro.
*Si te gustan las novelas de amor, te **regalaré** una muy bonita.*

c) Si después va imperativo, se expresa un mandato, un ruego, una petición o un consejo.
*Si quieres cambiar tu vida, **cásate**.*

2. Se usa **si** con imperfecto de subjuntivo para expresar que la acción es poco probable o imposible en el presente o en el futuro.
*Si me **tocara** la lotería, **dejaría** de trabajar.* (Poco probable)
*Si **tuviera** coche, no **estaría** aquí.* (Imposible, porque no tengo coche)

3. Se usa **si** con pluscuamperfecto de subjuntivo seguido de condicional compuesto para expresar que algo no ocurrió porque en el pasado no se cumplió una condición previa. Se usa para presentar una realidad diferente o alternativa a lo que pasó realmente.
*Si **hubieras llegado** antes, te **habrían** (o **hubieran**) regalado un libro.*

4. Se usa **si** con pluscuamperfecto de subjuntivo seguido de condicional simple para expresar que una situación es imposible (presente o futura) porque no se cumplió en el pasado una condición previa. Se usa mucho para hacer reproches o para hablar de deseos imposibles.
*Si **hubieras llegado** antes, ahora (o mañana) **tendrías** un libro.*

Otras oraciones condicionales

Como		*Como no me llames, me enfadaré.*
A condición de que Siempre que Siempre y cuando Con tal de que Con que	+ subjuntivo	*El médico me dijo que podía salir de vacaciones **siempre y cuando** no me cansara mucho.*
A no ser que A menos que Excepto/Salvo que		*No me sentiré feliz **a menos que** cambie de trabajo.*
En caso de que		*En caso de que tengas sueño, puedes dormir un poco en el sofá.*
Salvo si Excepto si	+ indicativo	*Saldremos a cenar fuera **salvo si** nos visitan mis padres.*
De	+ infinitivo	*De venir, hazlo mejor por la tarde.* *De haberlo sabido, te habría llamado antes.*

1. **Como** expresa una condición como advertencia o amenaza.

   Como llegues tarde, no te dejaré salir otro día.

2. **A condición de que**, **siempre que**, **siempre y cuando**, **con tal de que** y **con que** expresan una condición imprescindible para que se cumpla la acción en el presente o en el futuro.

   *El médico me ha dado permiso para salir a la calle **siempre y cuando** no camine demasiado.*

   *Hace calor, pero no hace falta que enciendas el aire acondicionado. **Con que** abras la ventana es suficiente.*

3. **A no ser que**, **a menos que**, **excepto que** y **salvo que** expresan una condición negativa, equivalen a **si no.** Se usan con subjuntivo.

   *No me sentiré feliz **a menos que** cambie de trabajo.*
   (= Si no cambio de trabajo, no me sentiré feliz)

4. **En caso de que** presenta una posibilidad poco probable de que algo ocurra.

   - ***En caso de que** tengas sueño, puedes descansar en el sofá.*
   - *Gracias, pero no estoy cansado, he dormido bastante.*

5. **Salvo si** y **excepto si** también expresan una condición negativa, pero se usan con indicativo.

   *Saldremos a cenar fuera **salvo si** nos visitan mis padres.*

6. **De** + *infinitivo simple* expresa un condicional equivalente a **si** + *indicativo*. Y con **de** *infinitivo compuesto* equivale a **si** + *pluscuamperfecto de subjuntivo*.

   ***De** venir, hazlo esta tarde. (= Si vienes)*
   ***De** haberlo sabido, te habría llamado antes. (= Si lo hubiera sabido)*

H. LAS ORACIONES COMPARATIVAS

1. Se utilizan para comparar entre sí dos conceptos. Los conectores más frecuentes son:

De superioridad	**más** + *adjetivo/adverbio* + **que**	*El segundo piso es **más caro que** el primero.*
	más + *sustantivo* + **que**	*Mario gana **más dinero que** Juan.*
	verbo + **más que**	*Con estas gafas **veo más que** antes.*
De inferioridad	**menos** + *adjetivo/adverbio* + **que**	*Nuestra oferta es **menos interesante que** la otra.*
	menos + *sustantivo* + **que**	*Yo bebo **menos leche que** tú.*
	verbo + **menos que**	*Mi hermano **come menos que** yo.*

De igualdad	**tan** + *adjetivo/adverbio* + **como** **igual de** + *adjetivo/adverbio* + **que**	*El cuerpo es **tan importante como** el espíritu.*
	tanto/a/os/as + *sustantivo* + **como**	*José hizo **tantos ejercicios como** Luisa.*
	verbo + **tanto como** *verbo* + **igual que**	*Dolores no **ha trabajado tanto como** los demás.*
De cantidad	**más/menos** + **del, de la, de lo...** + **que**	*Tiene **más interés de lo que** puede parecer.* *Tengo **menos libros de los que** creía.*

2. **Más... que** se usa en comparaciones que marcan la cantidad, la cualidad o la intensidad de una acción como superior a otra. Puede ir con adjetivos, adverbios, sustantivos o verbos.

   *El segundo piso es **más caro que** el primero.*
   *Mario gana **más dinero que** Juan.*
   *Con estas gafas **veo más que** antes.*

3. **Menos... que** se usa en comparaciones que marcan la cantidad, la cualidad o la intensidad de una acción como inferior a otra. Puede ir con adjetivos, adverbios, sustantivos o verbos.

   *Nuestra oferta es **menos interesante que** la otra.*
   *Yo bebo **menos leche que** tú.*
   *Mi hermano **come menos que** yo.*

4. **Tan... como** e **igual de... que** se usan para comparar cualidades indicando la igualdad entre ambas. Pueden ir con adjetivos o adverbios.

   *El cuerpo es **tan importante como** el espíritu.*
   *Vivo **tan lejos** de la universidad **como** tú.*
   *Es **igual de trabajadora que** su padre.*

5. **Tanto/a/os/as... como** se utiliza para comparar la cantidad y va acompañado de un sustantivo.

   *José hizo **tantos ejercicios como** Luisa.*

6. **Tanto** (invariable) e **igual que** expresan la intensidad o la frecuencia de una acción y van acompañados de un verbo.

   *Dolores no **ha trabajado tanto como** los demás.*
   *Miguel ha estudiado **igual que** su hermana, pero no ha aprobado.*

7. Usamos las oraciones comparativas de cantidad cuando hacemos comparaciones cuantitativas con respecto a una idea o suposición.

   *Tiene **más interés de lo que** puede parecer.*
   *Tengo **menos libros de los que** creía.*

I. LAS ORACIONES CONCESIVAS

1. Expresan un inconveniente para que se realice la acción, pero no la impiden.
   Aunque hace mal tiempo comeremos en el jardín.
   (inconveniente)   (acción realizada)

2. Los conectores concesivos son:

Aunque	+ *indicativo/subjuntivo*	*Aunque haga mal tiempo, comemos en el jardín.*
A pesar de	+ *sustantivo/pronombre*	*A pesar de los problemas, he podido terminar el trabajo.*
	+ *infinitivo*	*A pesar de estudiar mucho, suspendió el examen.*
	+ **que** + *indicativo/subjuntivo*	*A pesar de que estudío mucho, su profesor le suspendió.*
Y eso que	+ *indicativo*	*Todavia tengo hambre, y eso que ya he comido.*

3. El conector más frecuente es **aunque** y se utiliza con indicativo cuando se presenta una información que se da como nueva. Y con subjuntivo cuando presenta una información que ya se ha dado o que es conocida por el hablante y el oyente.
   Aunque no he terminado el trabajo, te acompaño a tomar un café. (Te informo de que no he terminado el trabajo)
   Sé que no hablas inglés, pero aunque no lo hables puedes venir a la reunión. (Recojo una información que ya sabíamos los dos)

4. **A pesar de** puede ir seguido de un sustantivo o un pronombre.
   A pesar de los problemas, he podido terminar el trabajo.
   A pesar de ellos, he podido terminar el trabajo.

5. **A pesar de** va seguido de un infinitivo cuando el sujeto de las dos oraciones es el mismo. Y de **que** + *indicativo* o *subjuntivo*, cuando el sujeto de las dos oraciones es distinto.
   A pesar de estudiar mucho, he suspendido el examen.
   A pesar de que estudió mucho, su profesor no quiso reconocérselo.
   A pesar de que digas que aprobaste, sigo pensando que no estudias suficiente.

6. **Y eso que** va seguido de indicativo y se utiliza para expresar una información de forma enfática. La oración concesiva suele ir en segundo lugar y se usa más en lenguaje coloquial.
   Todavía tengo hambre, y eso que he comido dos platos de arroz.

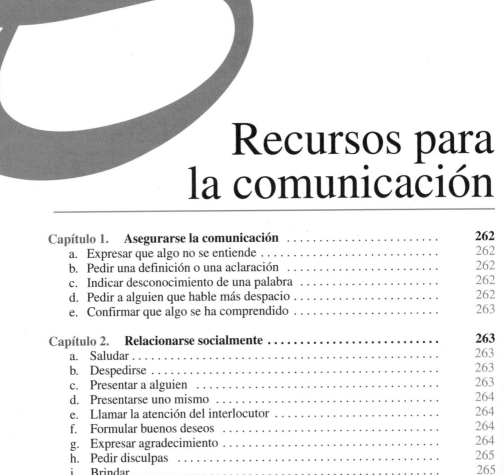

Recursos para la comunicación

Sumario g

Recursos para la comunicación

a. Expresar que algo no se entiende

No (te/le) entiendo.
¿Qué?
¿Cómo?
¿Perdón?
Perdona/e, no entiendo esa palabra/esa expresión/lo que ha(s) dicho.
¿Puede(s) repetir, por favor?
¿Qué ha(s) dicho?
¿Te/Le importaría repetirlo, por favor?

b. Pedir una definición o una aclaración

(Perdón.) ¿Qué significa...?
¿Qué es...?
¿Cómo se dice (en español)...?
¿Cómo se deletrea...?
¿Puede(s) deletrearlo?
¿Cómo se escribe...?
¿Puede(s) escribirlo, por favor?
¿Te/Le importaría escribirlo/deletrearlo, por favor?

c. Indicar desconocimiento de una palabra

No sé.
No sé cómo se dice/decís (en español).
No sé la palabra en español para lo que quiero decir.
No sé cómo llamáis a esto.

d. Pedir a alguien que hable más despacio

Más despacio, por favor.
¿Puede(s) hablar más despacio, por favor?
¿Podría(s) hablar más despacio, por favor?
No tan rápido, por favor.
¿Te/Le importaría hablar más despacio, por favor?

e. Confirmar que algo se ha comprendido

¿Comprende(s) (ahora)?
¿Me entiende(s)?
¿(Me) ha(s) entendido/comprendido?
¿Está claro (ahora)?

a. Saludar

Informal	Formal	Responder a un saludo
¡Hola! ¡Hola! ¿Cómo estás? ¡Hola! ¿Qué tal? ¿Qué tal (vas)? Me alegro de verte. ¡Cuánto tiempo (sin verte)! ¡Buenas!	Buenos días. Buenas tardes. Buenas noches.	Bien, ¿y tú? Hola, ¿qué tal?/¿cómo está(s)? (Muy) bien, gracias, ¿y tú? Estupendamente, y tú, ¿qué tal? Bien, gracias, (todo bien), ¿y tú?

b. Despedirse

Informal	Formal
¡Adiós! ¡Hasta luego! Hasta otro día. Hasta la próxima. Nos vemos.	Adiós, buenos días/tardes/noches. Hasta mañana/el jueves/la semana que viene.

c. Presentar a alguien

Informal	Formal
(Mira) este/a es... Te/Os presento a... (Espera) ven, que te presento/e a... ¿Te acuerdas (que te hablé) de...?	Le/Les presento a... Me gustaría presentarle a... Quisiera presentarle a... ¿Me permite presentarle a...?
Responder	
Hola, ¿qué tal? Hola, encantado/a.	Encantado de conocerlo/a. Mucho gusto. Es un placer (para mí) conocerlo/a (he oído hablar mucho de usted).

Recursos para la comunicación

d. Presentarse uno mismo

Informal	Formal
Hola, soy/me llamo... Hola, mi nombre es...	Buenos días/tardes/noches, me llamo... Buenos días/tardes/noches, ¿cómo están/se encuentran? Me llamo...

e. Llamar la atención del interlocutor

Perdón. Por favor. Perdona/Perdone. Disculpa/Disculpe.	Oiga/Mire/Perdone. ¿Me permite(s), por favor? ¿Sería usted tan amable? ¿Tiene(s) un minuto?

f. Formular buenos deseos

En general	En el cumpleaños	En las fiestas y celebraciones
(Muchas) felicidades. Enhorabuena. Buen trabajo. Magnífico/Estupendo/ Fantástico.	¡Felicidades! Feliz cumpleaños. ¡Que cumplas muchos más!	Felices Pascuas. Feliz Navidad. Feliz Año Nuevo.
Desear éxito o suerte a alguien	Cuando alguien se va fuera de vacaciones	Al ir a dormir
¡(Que tengas) suerte! ¡Que te vaya bien! ¡Que salga todo bien!	¡Felices vacaciones! ¡Que te diviertas! ¡Que te vaya bien! ¡Que descanses! ¡Diviértete! ¡Cuídate! ¡Buen viaje! ¡Que tengas buen viaje! Nos llamamos.	¡Buenas noches! ¡Que descanses! ¡Que duermas bien!
En las enfermedades		
¡Que te mejores! ¡Cuídate!		

g. Expresar agradecimiento

En general	Responder
(Muchas) gracias. Muy amable.	De nada. No hay de qué.
Reforzado	
Muchas gracias, de verdad. Te lo agradezco muchísimo.	

h. Pedir disculpas

En general	Responder
¡Perdón! Lo siento (mucho). Perdon/perdone. Disculpa/disculpe. Siento + *infinitivo*. *Siento llegar tarde.*	De nada. Vale. No hay de qué.

i. Brindar

¡Salud!
¡A tu/vuestra salud!

Capítulo 3. DAR Y PEDIR INFORMACIÓN

a. Dar información

Sobre personas	Sobre lugares
• ¿Cómo te llamas? • *Alfonso.* • ¿Cuántos años tienes? • *Veinticinco años.* • ¿De dónde eres? • *Soy argentino.* • ¿A qué te dedicas? • *Soy médico.* • ¿Con quién vives? • *Solo.*	• ¿Dónde está el cine? • *Al final de la calle.*
Sobre cosas	**Sobre la hora y el tiempo**
•¿Qué es eso? • *Mi ordenador.* • ¿De qué es eso? • *De plástico.* • ¿Cuál es tu número de teléfono? • *Es el 66...*	• ¿Qué hora es? • *Las tres y media.* • ¿Cuándo sale el autobús? • *Cada media hora.* • ¿A qué hora comes? • *A las dos de la tarde.*

Recursos para la comunicación

b. Pedir información

En general	Sobre el tiempo
¿Sabes si/dónde/cómo...? *¿Sabes si está Juan en casa?* ¿Puedes decirme si/dónde/cómo...? *¿Puedes decirme cómo se va a tu casa?*	¿Cuándo...? *¿Cuándo son las vacaciones?* ¿Cuánto tiempo...? *¿Cuánto tiempo llevas aquí?* ¿Desde cuándo...? *¿Desde cuándo estudias español?* ¿Para cuándo...? *¿Para cuándo lo tienes?*
Sobre personas	Sobre cosas
¿A/con/en quien...? *¿Con quién vas de vacaciones?*	¿Qué/cuál es...? *¿Qué es esto?* ¿A/con/en qué/cuál...? *¿Qué película prefieres?*
Sobre lugares	
¿Dónde...? *¿Dónde trabajas?* ¿A/de/por dónde...? *¿De dónde viene tu madre?*	

Capítulo 4. EXPRESAR OPINIONES Y CONOCIMIENTOS

a. Dar y pedir opinión

Pedir opinión	Dar opinión
Opinión + ¿Y tú? *Yo creo que cada día hace más calor, ¿y tú?* *Opinión* + ¿No? *No podemos vivir sin móvil, ¿no?* ¿Crees que...? *¿Crees que podemos ir de viaje este fin de semana?* *Opinión* + ¿Y para ti? *Para mí es más fácil el francés que el inglés, ¿y para ti?* *Opinión* + ¿Tú qué piensas/crees/opinas? ¿A ti que te parece? *Me parece que estamos lejos del centro. ¿Tú que crees?*	Yo creo que... *Yo creo que todavía nos quedan muchas cosas que hacer.* Para mí... *Para mí el español no es facil.* (A mí) me parece que... (Yo) pienso que... *A mí me parece que tiene razón.* En mi opinión... Desde mi punto de vista...

b. Relatar

Para empezar una historia	Para contar un hecho	Para describir	Para introducir una acción importante	Para expresar consecuencias	Para terminar
Pues mira... Pues, nada, que... Resulta que... Te/Os cuento. ¿Sabes una cosa? ¿Sabes que...?	Ayer/Anoche El otro día El lunes/ martes La semana pasada Hace un año + *pretérito perfecto simple (o indefinido)*	*Pretérito imperfecto*	En ese momento De repente De pronto Entonces + *pretérito perfecto simple (o indefinido)*	(Y) por eso Así que Por lo tanto	Total, que... Y nada, que... Y al final...

c. Expresar la impersonalidad

Estructura	Uso	Ejemplo
Se + *3.ª persona singular*	Para referirse a las personas en general.	*Aquí se vive mejor.*
3.ª persona plural	Para referirse a las personas en general, sin incluir a los hablantes.	*En esta revista hablan del trabajo.*

d. Expresar la frecuencia

Verbo SOLER		
yo	suelo	
tú/vos	sueles/solés	
él, ella, usted	suele	+ *infinitivo*
nosotros, nosotras	solemos	
vosotros, vosotras	soléis	
ellos, ellas, ustedes	suelen	

Expresiones de frecuencia

+
siempre
casi siempre
generalmente/normalmente
a menudo
a veces
casi nunca (no + *verbo* + casi nunca)
nunca (no + *verbo* + nunca)
–

e. Expresar la causa

Estructura	Ejemplo
Información + porque + *causa* (en medio de la frase)	*La película es buena porque es de Almodóvar.*
Como + *causa*, + *información* (al principio de la frase)	*Como es de Almodóvar, la película es buena.*

f. Expresar la finalidad

Estructura	Ejemplo
Para + *infinitivo*	*No tenemos tiempo para ver cómo funciona todo.*
Para que + *subjuntivo*	*Pulse aquí para que se encienda el aparato.*

g. Expresar la condición

Estructura		Ejemplo
Si +	*presente*	*Si traen los documentos, podemos firmar ahora.*
	presente, futuro	*Si alquilamos el piso, tendremos aire acondicionado.*
	imperativo	*Si quiere más temperatura, gire esta rueda.*

h. Expresar una acción pasada y duradera

Pretérito perfecto simple de **ESTAR** + *gerundio*	Pretérito imperfecto de **ESTAR** + *gerundio*
Expresa una acción pasada y terminada que se desarrolló a lo largo de bastante tiempo. *Estuve estudiando portugués durante varios años.*	Expresa una acción pasada que ya había comenzado antes de cierto momento y siguió realizándose después. *Estaba estudiando en la Universidad cuando te conocí.*

i. Expresar la duración de una acción comenzada en el pasado

Estructura			Ejemplo
Llevar	un minuto, una hora una semana, un mes, un año	+ *gerundio*	*Llevo un año trabajando.*
Desde hace		+ *presente*	*Trabajo desde hace un año.*
Hace		+ que + *presente*	*Hace un año que trabajo.*

j. Situar acontecimientos en el pasado

Hace + *cantidad de tiempo*	Al/a la/a los/a las + *cantidad de tiempo*
Situar un acontecimiento en el pasado. *Mi hijo terminó la carrera hace dos años.*	Situar un acontecimiento en el pasado con respecto a un acontecimiento anterior. *A las pocas semanas de terminar la carrera, encontró trabajo.*

k. Situar acontecimientos en el futuro

Expresión temporal futura	Ejemplo
Dentro de + *cantidad de tiempo* En + *cantidad de tiempo* (expresa menor precisión)	*Dentro de un año se celebrarán las Olimpiadas.* *En poco tiempo se celebrarán las Olimpiadas.* *¿Has terminado el trabajo?* *Oye, esto no se hace en dos minutos.*

Capítulo 5. EXPRESAR CONOCIMIENTO, ACTITUDES Y ESTADOS DE ÁNIMO

a. Expresar grados de certeza ante los hechos

+ SEGURIDAD	Deber de Tener que	+ *infinitivo*
	Sí Creo que/Me parece que Seguro que Estoy seguro de que Es seguro que Supongo que/Me imagino que A lo mejor Igual	+ *indicativo*
	Probablemente/Posiblemente Seguramente Quizá(s)/Tal vez	+ *indicativo* o *subjuntivo*
	Es probable que/Es posible que Puede (ser) que	+ *subjuntivo*
− SEGURIDAD	No Seguro que no Estoy seguro de que no	+ *indicativo*

b. Expresar seguridad e hipótesis

Estamos seguros	Lo suponemos
Presente • *¿Qué hora es?* • *Son las 10.*	*Futuro simple* • *¿Qué hora es?* • *Serán las 10.*
Pretérito perfecto compuesto • *¿Por qué no ha venido?* • *Ha olvidado la cita.*	*Futuro compuesto* • *¿Por qué no ha venido?* • *Habrá olvidado la cita.*

c. Expresar gustos

Preguntar

¿(No) te gusta...?   ¿No te encanta...?   ¿Qué tal el/la...?

Gramática del español lengua extranjera

269

Recursos para la comunicación

Responder

Verbo de sensación		Estructura	Ejemplo
A mí	me	*gusta* *encanta* *preocupa* *molesta* *da miedo* *pone nervioso/a* + *sustantivo*	*Me preocupa tu salud.*
A ti/vos	te		
A él/ella/usted	le	+ *infinitivo*	*¿Te da miedo ir al dentista?*
A nosotros/nosotras	nos		
A vosotros/vosotras	os	+ que + *presente de subjuntivo*	*Me encanta que me preparen la comida.*
A ellos/ellas/ustedes	les		

Observaciones:

Se utilizan las expresiones de sentimiento con infinitivo cuando la persona que realiza la acción y la que expresa el sentimiento es la misma.

¿Te da miedo ir al dentista?

(A ti)   (tú)

Se utilizan con subjuntivo cuando la persona que realiza la acción y la que expresa el sentimiento son distintas.

¿Te da miedo que vayamos al dentista?

(A ti)   (nosotros)

d. Expresar dolor

Verbo doler		Estructura	Ejemplo
A mí A ti/vos A él/ella/usted A nosotros/nosotras A vosotros/vosotras A ellos/ellas/ustedes	me te le nos os les	duele + *sustantivo singular*	*¿Te duele la cabeza?*
		duelen + *sustantivo plural*	*Le duelen los pies.*

Otras expresiones	Tener dolor de + *sustantivo*	*Tengo dolor de cabeza.*
	¡Qué mal! ¡Qué dolor! ¡Ay! ¡Eso duele! ¡Qué horror!	Estoy destrozado. Estoy deshecho. Estoy hecho polvo. Estoy fatal. Me estás haciendo daño.

e. Expresar preferencias

Preguntar	Responder
¿Prefieres...? ¿Qué/Cuál prefieres? ¿Qué te gusta más?	Prefiero... Me gusta más...

f. Expresar deseos

Preguntar
¿(No) quieres...?
¿(No) tienes ganas de...?
¿(No) deseas...?

Responder

Expresión de deseo	Ejemplo
Querer, esperar, desear + *infinitivo* (cuando el sujeto de los dos verbos es el mismo)	*Quiero (yo) vivir (yo) con la gente.* *Deseamos irnos de vacaciones.*
Querer, esperar, desear + que + *subjuntivo* (cuando los sujetos de los dos verbos no son los mismos)	*Quiero (yo) que vivamos (nosotros) con la gente.* *Deseamos que os vayáis de vacaciones.*

Observaciones:
- Para expresar deseos y esperanzas también se usa la expresión ojalá (que) + *presente de subjuntivo.*
  Ojalá (que) lleguen pronto las vacaciones.

  - El condicional también se utiliza para expresar deseos con verbos como gustar o encantar.
  Me gustaría ver esa película.
  Me encantaría ir contigo.

g. Expresar deseos poco probables o imposibles

Verbo de sensación		Estructura	Ejemplo
Me Te Le Nos Os Les	gustaría encantaría	+ *infinitivo* (cuando el sujeto de los dos verbos es el mismo)	*Me gustaría estar en la playa.*
		+ que + *pret. imperfecto de subjuntivo* (cuando los sujetos de los dos verbos no son los mismos)	*Me gustaría que estuviéramos en la playa.*

Observaciones:
- Para expresar deseos poco probables o imposible también se utiliza ¡ojalá + *imperfecto de subjuntivo!*   *¡Ojalá estuviera ahora en la playa!*

h. Expresar intenciones

Presente + expresión de tiempo	*Mañana voy de excursión.*
Presente de ir a + *infinitivo*	*Voy a cambiarme de casa.*
Presente de pensar + *infinitivo*	*Pienso casarme pronto.*

g Recursos para la comunicación

i. Expresar interés

Preguntar	Responder
¿(No) te interesa...?	(No) me interesa (mucho)... (No) es muy interesante...

j. Expresar estados físicos y de ánimo

Frases exclamativas	Estar + *adjetivo*			Tener + *sustantivo*		
¡Qué cansado/a estoy! ¡Qué harto/a estoy! ¡Qué sueño tengo! ¡Qué calor tengo!	(No) estoy	muy un poco	cansado/a preocupado/a harto/a ...	(No) tengo	mucho nada de	calor sueño miedo ...

k. Expresar extrañeza

¡Qué raro que...! Me extraña que... Me parece raro/extraño que...	+ *subjuntivo*	*¡Qué raro que no venga/haya venido!* *Me extraña que salga/haya salido.* *Me parece raro que te guste/haya gustado.*

l. Expresar sorpresa

Con fórmulas exclamativas	Con fórmulas interrogativas	Con verbo (+ *adjetivo*) + que + *subjuntivo*
¡Es increíble! ¡Es sorprendente! ¡Qué sorpresa! ¡Qué casualidad! ¡Qué me dices! ¡Me dejas de piedra/helado...! ¡No me lo puedo creer!	¿(Hablas) en serio? ¿Lo dices en serio? ¿Bromeas? ¿Estás de broma? ¿Cómo es posible? ¿De verdad? ¿Estás seguro/a?	Me sorprende que... Me llama la atención que... Es/Resulta increíble que... No es posible que...

m. Expresar gratitud

Gracias. (Muchas) gracias, (de verdad). Muy amable (de su parte). Te lo agradezco muchísimo.	Gracias por + *sustantivo* *Gracias por tu ayuda.*

n. Lamentarse

Imperfecto de **tener** + que + *infinitivo compuesto* Sirve para lamentarnos de algo pasado.	*Tenía que haber parado en el stop y no tendría una multa.*
¡Por qué + *condicional*!	*¡Por qué no pararía en el stop!*
Eso me/te/le... pasa por + *infinitivo compuesto*	*Eso me pasa por no haberme parado en el stop.*

Capítulo 6. PROPONER, EJERCER INFLUENCIA, PERSUADIR

a. Expresar obligación y prohibición

Obligación personal	Prohibición personal
Tener que + *infinitivo* *Tienes que aprobar el examen.* **Deber** + *infinitivo* *Debéis asistir a todas las clases.*	*Imperativo negativo* *No hables ahora.*
Obligación impersonal	**Prohibición impersonal**
Hay que + *infinitivo* *Hay que girar a la derecha.*	(Está) prohibido + *infinitivo* *Está prohibido usar el móvil.* No se puede + *infinitivo* *No se puede fumar.*

b. Hacer sugerencias y aconsejar

Imperativo **Debes** + *infinitivo* **Tienes que** + *infinitivo* ¿Por qué no + *presente*?	*Guarda el dinero en el banco, es más seguro.* *Debes tranquilizarte.* *Tienes que venir con nosotros, te vas a divertir.* *¿Por qué no haces más deporte?*

c. Pedir algo

Pedir permiso

Perdón, Por favor,	¿puedo...? ¿se puede...? ¿me permite(s)...?	+ *infinitivo*

Aceptar
Sí, claro.   Sí, por supuesto.   ¿Cómo no?

Rechazar
No, lo siento, es que...   No puedo porque...   Lo siento, pero...

Recursos para la comunicación

Pedir un favor

Perdón, Por favor,	¿puede(s)...?	+ *infinitivo*

Pedir objetos

Perdón, Por favor,	¿me deja(s)...? ¿puede(s) dejarme...? ¿tiene(s)...?	+ *sustantivo*

Observaciones:

Para pedir algo de forma cortés se utiliza el condicional.

Estructura				Ejemplo
Me/nos	gustaría/encantaría			*Me gustaría que compraras tú los billetes.*
Te/os/ le/les	pediría/agradecería/rogaría...	que	pretérito + *imperfecto de subjuntivo*	*Te rogaría que sacaras la basura.*
Sería conveniente				*Sería conveniente que guardaran silencio.*
¿Te/os/ le/les	importaría...?			*¿Te importaría que te acompañara?*

d. Ofrecer ayuda o un servicio

¿Querer/desear + que	+ *presente de subjuntivo?*	*¿Quieres que te acompañe?*

e. Pedir y dar un consejo

Pedir un consejo

No sé qué hacer. ¿Tú qué harías?
¿Qué harías en mi lugar?
¿Qué me aconsejas?

Dar un consejo

Con *imperativo* Con *perífrasis de obligación* Con *condicional* Yo en tu/su lugar, ⎫ ⎬ + *condicional* Yo que tú/usted, ⎭	*Tómate unas vacaciones.* *Tienes que descansar unos días.* *Yo en su lugar, dejaría este trabajo.* *Yo que tú, pondría el aire acondicionado.*

f. Ceder la elección al interlocutor

Cuando en la pregunta no se propone nada en concreto	Lo que Donde + *subjuntivo* Cuando A quien	• *¿Qué hacemos hoy?* • *Lo que tú quieras/prefieras.* • *¿Dónde quedamos?* • *Donde tú quieras.* • *¿Cuándo nos vemos?* • *Cuando tú quieras.* • *¿A quién llevamos en el coche?* • *A quien tú prefieras.*	
Cuando en la pregunta se propone algo en concreto	El que + *subjuntivo* La que	**Masculino** • *¿Qué reloj te regalo?* • *El que tú prefieras.*	**Femenino** • *¿Qué película podemos ir a ver?* • *La que tú quieras.*
Cuando en la pregunta se proponen una o varias opciones	Como + *subjuntivo*	• *¿Vamos al cine hoy (o mañana)?* • *Como quieras/prefieras.*	

Capítulo 7. ESTRUCTURAR EL DISCURSO

a. Exponer un tema

Anunciar el tema	Introducir la primera información	Continuar con otra información	Dar una nueva información	Introducir una idea opuesta a lo dicho antes	Concluir/ finalizar
Quiero contar... Me gustaría decir algo sobre...	En primer lugar Por un lado	Además Por otro lado En segundo/ tercer lugar	Respecto a	Pero Sin embargo No obstante	Por último Para terminar Para concluir

b. Preguntar la opinión

¿Qué opinas/piensas/crees?
¿(A ti) qué te parece?
¿Cuál es tu opinión sobre...?

Recursos para la comunicación

c. Expresar una opinión afirmativa

Para mí... A mi modo de ver... Por lo que veo... En mi opinión... Desde mi punto de vista...	+ indicativo	*Para mí, el teatro es más interesante que el cine.*
Creo/Opino/Pienso (A mí) me parece Considero Yo diría No cabe la menor duda de Estoy convencido de Lo que yo creo es	+ que + indicativo	*Estoy convencido de que la selva amazónica está en peligro.*

d. Expresar una opinión negativa

No creo/pienso (A mí) no me parece No considero No estoy convencido de Lo que yo no creo es	+ que + subjuntivo	*No considero que el teatro sea más interesante que el cine.*

e. Expresar acuerdo y desacuerdo

Acuerdo	Desacuerdo
(Estoy) de acuerdo con que... Por supuesto, es verdad que... Tienes razón en que...	No estoy de acuerdo con que... No tienes razón en que... ¡Qué va! Yo no lo veo así.

f. Destacar algo de nuestra opinión

Lo más Lo menos	importante grave urgente necesario	es + infinitivo es que + oración	*Lo más urgente es evitar los accidentes de tráfico.* *Lo más grave es que muchos conductores no respetan las señales de tráfico.*
Lo mejor Lo peor		es + nombre singular o plural son + nombre plural	*Lo peor es el exceso de velocidad.* *Lo más importante es/son los peatones.*

g. Valorar

(A mí) me parece Está	+ *adverbio* (bien, mal…)	+ *infinitivo* + que + *subjuntivo*	*A mí me parece mal tener un animal exótico en casa.* *Está bien que no se permitan el tráfico de animales en vías de extinción.*
(A mí) me parece Es	+ *adjetivo que emite juicio de valor* (indignante, increíble, trágico…)		*Me parece indignante poner en peligro la vida de los animales.*
	+ *sustantivo* (una pena, un error, una tragedia, una vergüenza…)		*Es una vergüenza que en algunos países se vendan animales exóticos.*

h. Constatar hechos (confirmar lo evidente)

Es evidente, seguro, cierto, indudable, obvio… Está claro, visto, demostrado, comprobado…	+ que + *indicativo*	*Está claro que no son problemas fáciles de resolver.*

i. Argumentar

Introducir el tema de opinión	Enumerar los argumentos	Justificar los argumentos	Concluir una argumentación
En mi opinión Para mí Mi opinión es que Desde mi punto de vista	**Primer argumento** Para empezar/ comenzar En primer lugar Por un lado/una parte **Segundo argumento** Para seguir En segundo lugar Por otro lado **Otro argumento** Además No hay que olvidar **Argumento que se opone** Pero Sin embargo	**Dar ejemplos** Por ejemplo **Expresar causa** Porque Puesto que Ya que	**Resumir** En resumen Para resumir **Concluir** En conclusión Por consiguiente En definitiva

Recursos para la comunicación

j. Intervenir en un debate

Intervenir, pedir la palabra	Expresar acuerdo	Matizar una opinión	Expresar desacuerdo
Perdona, pero... Perdona que te interrumpa, pero... ¿Me permites (que hable)? ¿Puedo hablar? ¿Puedo decir una cosa?	De acuerdo. Tienes razón. Es verdad/cierto. Claro/Exacto/ Perfecto. Por supuesto. Desde luego (que sí).	Sí, pero... (Eso) Depende. Es posible, pero... Puede ser, pero... ¿Tú crees? Yo no estoy en contra, pero...	No estoy de acuerdo (con)... (Yo) no lo veo así. Eso no es así/verdad. ¡De eso, nada! ¡Qué va! Pero, ¿qué dices? No digas que...

Índice temático

Gramática del español lengua extranjera